El Gran Libro de las
100 PREGUNTAS
SOBRE LOS REPTILES

El Gran Libro de las 100 PREGUNTAS SOBRE LOS REPTILES

Albert Martínez Silvestre

Joaquim Soler Massana

TIKAL

ediciones

Editora responsable
Isabel López

Corrección de textos
Begoña Saludes

Composición
Julio P. Fernández

Diseño gráfico
Antonio Tello

© Texto: Albert Martínez Silvestre y Joaquim Soler Massana
© Fotografías: Albert Martínez Silvestre y Joaquim Soler Massana
© Dibujos e ilustraciones: Albert Martínez Silvestre y Joaquim Soler Massana
© Susaeta Ediciones, S. A.
Tikal Ediciones
Campezo, 13
28022 Madrid
Fax: 913 009 110
tikal@susaeta.com
Impreso en la UE

AGRADECIMIENTOS

Para formular las preguntas, han aportado importantes ideas compañeros veterinarios, asociaciones, naturalistas y propietarios de reptiles, a los cuales queremos agradecer su colaboración. En especial queremos expresar nuestro agradecimiento al Ayuntamiento de Masquefa, por su incondicional soporte a la actividad del CRARC, y a los colaboradores del CRARC como Victoria Agustí, Imma Amill, Xavier Sánchez, Jordi Claramunt, Cristina Portabella, José Luis Juárez y Xavier Sampere. Han resultado de enorme ayuda las ideas aportadas por las personas e instituciones siguientes: Jose Antonio Mateo, del Centro de Recuperación del Lagarto Gigante de La Gomera; Juan Luis Silva y Miguel Ángel Rodríguez, del Centro de Recuperación del Lagarto Gigante de El Hierro; Agentes Rurales de la Patrulla de Fauna del Departament de Medi Ambient y Hàbitatge de la Generalitat de Catalunya, así como los técnicos del mismo departamento, Xavier Parellada, Manel Pomarol, Jordi Ruiz Olmo, Josep Ballús, Ignasi Rodríguez y Olga Tobar; Manel Areste, Conservador del Terrario del Zoológico de Barcelona; Elisabeth Giraldos, Paz Medina, AVAFES Barcelona (Asociación Veterinaria para la Atención a la Fauna Exótica y Salvaje); Rafael Cuenca, Juan Ortega, de la Asociación de Naturalistas del Sureste, (ANSE); Santiago Molas, Jaime de los Santos, Rafaela Cuenca, Santiago Lavín e Ignasi Marco, de la Facultat de Veterinària de la Universitat Autónoma de Barcelona; Jesús Martínez, del Centro Médico Veterinario de Valencia; Rodrigo (Bongui) Centro de Recuperación de Fauna de Indonesia; Jordi, de Mon Animal; Jordi, Montse, Isa y Ferran, del Zoològic Badalona Veterinaria; Carlos Magalhaes, del Centro Veterinario de Arganil (Portugal); Nicasio Brotons, de la Clínica Veterinaria El Medano, en Alicante; y Rafael Molina, del Centro de Recuperación de Fauna de Torreferrussa, en Barcelona.

DEDICATORIA

A la Naturaleza, mi vida. A Gisela y a Diana, mis sueños.

ALBERT

A mi mujer, Imma, por amarme cada día más,
y a mis hijas, Eva y Alba, para que despierten sus inquietudes
por el mundo que les rodea.

JOAQUIM

«La naturaleza es grande en las grandes cosas,
pero es grandiosa en las más pequeñas.»

Jacques-Henri Bernardin de Saint-Pierre (1737-1814)
Escritor francés, autor de *Études de la nature*

ÍNDICE

Fisiología: Cómo funcionan los reptiles

Terrarios: Cómo alojar a los reptiles, 1

Comportamiento: Cómo sienten y piensan los reptiles

Reproducción: Cómo criar reptiles

Enfermedades: Cómo diagnosticarlas

Legislación, ética y conservación: Cómo ayudar a los reptiles

APÉNDICE

ALBERT MARTÍNEZ SILVESTRE

Licenciado y Magister en Veterinaria por la Universidad Autónoma de Barcelona. Diplomado en gestión empresarial por la Universidad Pompeu Fabra de Barcelona. Director Científico del Centro de Recuperación de Anfibios y Reptiles de Cataluña. Socio fundador de CRARC s.c.p. Gestió Zoológica. Miembro activo de la Assotiation of Reptiles and Amphibians Veterinarians (A.R.A.V.), de la Asociación Herpetológica Española, de A.V.E.P.A. y del Comité Científico del Congreso Internacional sobre Conservación de las Tortugas. Miembro del Comité Técnico de las revistas *Animalia, Reptilia* y *Argos.* Es autor de seis libros y mas de 200 artículos, monografías y ponencias, profesor de prácticas externas de la Universidad Autónoma de Barcelona, además de conferenciante nacional e internacional. Director Veterinario en los proyectos de conservación de los lagartos gigantes de Tenerife, El Hierro y La Gomera desde 2000.

JOAQUIM SOLER MASSANA

Herpetólogo (especialista en reptiles y anfibios), naturalista y empresario. El año 1988 entro a formar parte de la COMAM (Comissió de Medi Ambient de l'Ajuntament de Masquefa) comprometiéndose activamente en el proyecto de creación del CRARC (Centro de Recuperación de Anfibios y Reptiles de Cataluña). En el año 1997 fundo la empresa CRARC s.c.p. Gestions Zoològiques, que actualmente gestiona el centro de recuperación. Como tareas de divulgación ha realizado más de una veintena de artículos científicos y técnicos en revistas especializadas, además de haber colaborado en la redacción o revisión de libros sobre el mundo de los reptiles y anfibios, como el *Red data book on mediterranean chelonians* o el libro *Tortugas de España.*

T odos nosotros tenemos grandes lagunas, grandes dudas que no se responden durante la vida cotidiana acerca de multitud de temas. Los reptiles forman un perfecto ejemplo de ello. Su carácter exótico, desconocido y novedoso como mascotas hace que los profesionales de este grupo biológico tengamos que responder a un número cada vez mayor de cuestiones, planteadas por colectivos sociales diversos. Existe un claro interés creciente por estos animales. Así nació el libro que ahora tiene en sus manos.

Formular las 100 preguntas que se exponen en este libro ha sido posible gracias a la recopilación de datos realizada a lo largo de más de 15 años de dedicación exclusiva a la búsqueda bibliográfica, la clínica veterinaria de reptiles, la investigación científica al más alto nivel, la participación en proyectos punteros de conservación de reptiles, el trabajo de campo y laboratorial, la participación activa en congresos y en revistas, y al continuo trato con el público adulto y juvenil. Como resultado de esta polivalencia de los autores, los temas de las preguntas no sólo resultan de gran variedad, sino interesantes para todos los públicos, al igual que las respuestas, contrastadas, ilustradas, científicas y profesionales. Por ello, este libro será de utilidad para los aficionados a la herpetología, los veterinarios de animales exóticos, los biólogos, los propietarios de reptiles como mascotas y, en general, a todas las personas que se han hecho alguna pregunta sobre reptiles y no han tenido a su alcance los medios para contestarla.

Como es evidente, 100 preguntas son una muestra de las innumerables cuestiones que se nos plantean cuando nos acercamos al apasionante mundo de los reptiles. La selección de aquellas que debían contener estas páginas no ha sido fácil y los criterios que la han guiado han sido los de utilidad práctica, respuesta social, calidad ética, necesidad de conocimientos, calidad gráfica, bienestar animal y ayuda a la conservación de las especies. Por ello, cada pregunta tiene una respuesta amplia a la vez que concisa, y no un párrafo escueto o limitado. Como complemento, se indican dos o tres citas bibliográficas para sustentar y completar las explicaciones sobre cada pregunta. Una selección de páginas web remite a artículos especializados sobre cada tema o a páginas web consultadas por los autores en su trabajo diario. Además, las respuestas se relacionan entre sí, como se indica en un recuadro final donde se mencionan aquellas preguntas relacionadas con el tema principal. El conjunto de estos datos permite al lector tener una visión más completa del concepto que se explica.

Toda esta información facilita una lectura interactiva, sin seguir un orden preciso, consultar el libro cuando se tiene una duda y tener siempre a mano una fuente fiable y rápida de consulta.

EVOLUCIÓN Y CLASIFICACIÓN: CÓMO SE ORIGINARON LOS REPTILES

1. ¿Cuáles son los criterios de clasificación taxonómica de los reptiles?

La taxonomía, ciencia de la clasificación de los seres vivos, es muy antigua. El naturalista Carl Von Linnée (1707-1778) inició la clasificación de los seres vivos que se conocían en aquel momento. Alfred Wallace, nacido 17 años después de la muerte de Linnée, o Charles Darwin, que nació 14 años después de éste, continuaron su tarea de clasificación junto con otros naturalistas del siglo XIX, a la que contribuyeron enormemente gracias a los viajes de descripción y clasificación que realizaron por todo el mundo. Para ello, se ideó el sistema de utilizar lenguas muertas (latín y griego) que pudieran ser una clave invariable y universalmente aceptada. No nos extrañe, pues, que muchas especies tengan tras su denominación en latín, un nombre y un año, los cuales corresponden al autor y al

Tortuga mediterránea –*Testudo hermanni* (Gmelin 1789)–, especie descrita hace más de 200 años

17

Grupo	Especies descritas	Estimados (por describir)
Nematodos	25.000	400.000
Crustáceos	40.000	150.000
Moluscos	70.000	200.000
Arácnidos	75.000	750.000
Insectos y miriápodos	963.000	8.000.000
Vertebrados	**52.322**	**55.000**
Peces	25.000	Desconocido
Anfibios	4.950	Desconocido
Reptiles	**8.002**	**Desconocido**
Aves	9.750	Desconocido
Mamíferos	4.620	Desconocido

momento de su descripción. Por ejemplo: *Testudo hermanni* (Gmelin 1789) se refiere al naturalista Gmelin, coetáneo de Linnée, quien, unos años después de que éste describiera la tortuga mora (*Testudo graeca*, Linnaeus 1758), hizo lo propio con la mediterránea. Desde entonces, la clasificación de los seres vivientes, entre ellos los reptiles, tuvo un interés crucial para entender la relación entre los mismos y su proceso de evolución. Los aspectos que se utilizaron para la clasificación de las especies fueron básicamente morfológicos: estructura craneal, número de escamas en el cuello, longitud del fémur y un infinito etcétera.

Posteriormente, y ya en el siglo XX, la taxonomía cobró un importante avance gracias al estudio genético-molecular, es decir, a la posibilidad de descubrir moléculas que se transmiten de generación en generación durante miles de años y, de este modo, ver cuál es el parentesco entre especies. Algunas se han reclasificado y otras se han descrito de nuevo.

Podríamos pensar que en dos siglos de continuas tareas de clasificación por parte de un ejército de biólogos y naturalistas, el mundo está ya descrito. Nada más lejos de la realidad. La vida animal en la Tierra es de tal complejidad que se considera que aún queda por describir el 87,1% de los animales vivos. La mayoría de las descripciones se han hecho de vertebrados y por ello es el grupo animal

Otras preguntas relacionadas

2. ¿Por qué cambian de nombre científico tan a menudo muchas especies y a qué se debe?

4. ¿Cuántas especies de reptiles hay actualmente y cuáles pueden tenerse en un terrario?

mejor estudiado. De entre ellos, los reptiles, con unas 8.000 especies descritas, se consideran muy bien investigados en este campo. Sin embargo, cada año salen a la luz nuevas especies de herpetos. No hace falta ir al trópico, el año 2000 se describió un lagarto en la isla de La Gomera (archipiélago de Canarias). En los últimos 20 años se han descrito un nuevo sapo en el norte de Andalucía, lagartijas y ranas en el Pirineo, sapillos en las islas Baleares, nuevas especies de pájaros en las islas Canarias, un tritón en Cataluña y un largo etcétera sin salir de nuestro territorio.

Evidentemente, aún queda mucho por hacer.

Sitios web de interés

www.geocities.com/tatinicali/8.taxonomia.html

Bibliografía

Heard, D., Fleming, G., Lock, B., & Jacobson, E. (2001). Lizards. *Manual of Exotic Pets*. BSAVA. 4: 223-240.

Hedges, S. B. & Poling, L. L. (1999). A molecular phylogeny of reptiles. *Science* 283: 998-1001.

Rieppel, O. (1999). Turtle origins. *Science* 283: 945-946.

Lagarto moteado de Tenerife –*Gallotia intermedia* (Nogales y Martín, 2000)–, especie descrita muy recientemente

2. ¿Por qué cambian de nombre científico tan a menudo muchas especies y a qué se debe?

Todas las especies tienen un nombre científico (universal y combinando lenguas muertas como el latín y el griego) y un nombre común (propio de cada zona y de cada lengua). Si bien los nombres comunes cambian a un ritmo muy lento (dependen del uso o de la evolución lingüística de cada zona), los nombres científicos cambian más a menudo y casi al azar, dependiendo de las investigaciones científicas taxonómicas y genéticas.

Tomemos, por ejemplo, el caso de la conocida tortuga de Florida. Se llama comúnmente a esta especie de un modo equivocado, puesto que no es originaria de Florida, sino del curso medio y bajo del río Mississippi. El nombre común en español nunca ha cambiado «tortuga de Florida». El nombre común en inglés tampoco ha cambiado y no hace mención a una localidad geográfica, sino a la característica mancha roja que tiene esta subespecie cerca de los oídos «Red eared slider». Pero el nombre científico ha ido variando con el tiempo. Hace 25 años, paseando por las tiendas podía leerse en los acuarios donde estaban estas tortugas el nombre *Pseudemys scripta*; posteriormente se denominó *Chrisemys scripta* y, finalmente, hace unos siete años se cambió de nuevo el género, pasando al que ac-

tualmente se conoce como *Trachemys scripta*. Pues bien, el nombre común «tortuga de Florida», aunque equivocado, siempre ha sido el mismo, pero el nombre científico ha cambiado adaptándose a las nuevas investigaciones taxonómicas. La elevada riqueza en variantes geográficas, especies y subespecies de las tortugas deslizadoras americanas ha tenido ocupados a multitud de biólogos y taxónomos en la ordenación y clasificación de las mismas. Ello ha llevado a todos estos cambios. Pero eso no asegura que nunca más vuelvan a cambiarse. Quizá de aquí a unos años se descubra alguna propiedad química o un parentesco desconocido con alguna otra tortuga y se decida cambiarle nuevamente el nombre.

Otros casos conocidos son los de la boa esmeralda *Condropython viridis*, que pasó a llamarse *Morelia viridis* hace ya casi 10 años, o la tortuga mediterránea, *Testudo hermanni robertmertensi*, que pasó a denominarse *Testudo hermanni hermanni* hace casi 25 años.

Un caso curioso fue el de la tortuga gigante de las islas Seychelles. Primeramente se denominó *Geochelone gigantea* que significa «tortuga de tierra gigantesca», posteriormente pasó a llamarse *Aldabrachelys elephantina* «tortuga de Aldabra como un elefante» ha-

Otras preguntas relacionadas

1. ¿Cuáles son los criterios de clasificación taxonómica de los reptiles?

4. ¿Cuántas especies de reptiles hay actualmente y cuáles pueden tenerse en un terrario?

ciendo referencia al atolón de Aldabra, tierra típica de la especie situada a 1.000 km del archipiélago principal de las Seychelles. Pero finalmente se propuso el nombre *Dypsochelys gigantea* «tortuga que bebe gigantesca», basado en su característica forma de beber (sorbiendo el agua a través de los orificios nasales). Ello ha provocado que en la bibliografía sobre esta especie se encuentren todos esos nombres dependiendo del año en que se haya publicado el estudio.

El problema es que muchas personas, la mayoría, no reconocen que esa nomenclatura hace referencia al mismo animal. El ejemplo más claro es el del dragón barbudo australiano, una mascota común a la que todo el mundo conoce como *Pogona vitticeps*, pero si buscamos un libro de hace más de 15 años lo encontraremos como *Amphibolurus barbatus* y en un futuro cercano probablemente se denominará *Acanthodracco vitticeps*.

Por desgracia, si no se está al día en taxonomía, la confusión es segura.

Sitios web de interés

www.biologia.edu.ar/biodiversidad/clasif.htm

Bibliografía

Fraga Vázquez, X. A. (1989). A modernización da Taxonomia Herpetoloxica a fins do xix no estado español: as aportacions de Bosca e Lopez Seoane. *Treb. Soc. Cat. Ictio. Herp.* 2: 26-43.

Hedges, S. B. & Poling, L. L. (1999). A molecular phylogeny of reptiles. *Science* 283: 998-1001.

Ven der Kuyl, A. C., Ballasina, D. L., Dekker, J. T., Maas, J., Willemsen, R. E., & Goudsmit, J. (2002). Phylogenetic relationships among the species of the genus Testudo (Testudines: Testudinidae) Inferred from Mitochondrial 12S rRNA Gene Sequences. *Mol. Phyl. Evol.* 22(2): 174-183.

Detalle de la cabeza de un *Pogona*, *Amphibolurus* o *Acanthodracco*, depende del año en que miremos la foto

21

3. ¿Qué parentesco tienen los reptiles actuales con los dinosaurios? ¿Son todos ellos fósiles vivientes en los que se ha parado la evolución?

Los primeros naturalistas, quienes tuvieron la oportunidad de observar restos fósiles de antiguos seres y compararlos con las especies de reptiles vivas hoy en día, especularon durante largo tiempo sobre distintas teorías para explicar la diversidad de formas de vida sobre la superficie terrestre. En el siglo XVIII, dos teorías acapararon la atención general: G. Cuvier propugnó el **creacionismo,** que explicaba mediante sucesivas desapariciones por cataclismos y posteriores creaciones la destrucción de unas especies y la aparición de otras.

Por otra parte, J. Lamark y, posteriormente, Ch. Darwin, propugnaron el **evolucionismo** de todos los seres vivos a partir de unos antepasados comunes. Así, los seres vivos se originan fundamentalmente por desarrollo y transmisión hereditaria de unos caracteres adquiridos mediante la adaptación y posterior selección natural de aquellos organismos más capacitados en el medio donde habitan.

La evolución irreversible de los seres vivos es hoy un hecho indiscutible que no podemos denominar *teoría*, sino *ley biológica general* que se cumple sin ninguna excepción, teniendo sus principales evidencias en la similitud de la composición química de los seres vivos (sangre, ácidos nucleicos, etc.), su estructura, las etapas de su desarrollo embrionario, la presencia de estructuras vestigiales comunes, etc.

En consecuencia, la evolución no para. Va acompañando al propio tiempo y, de hecho, no ha parado nunca. Decir que la «evolución se para» es un recurso literario o periodístico muy ilustrativo que no debe llevarnos al error.

Pongamos un ejemplo. La rama de primates que vino a originar la actual especie humana se separó de la rama que dio lugar a los chimpancés hace aproximadamente entre 5 y 7 millones de años. A partir de restos fósiles se ha conocido también la edad de ciertas tortugas como la mediterránea (*Testudo* sp.), que se data en unos 10 millones de años (había tortugas casi idénticas a las mediterráneas antes de la aparición del hombre). La tor-

Otras preguntas relacionadas

5. ¿Qué es la tuátara y qué la hace tan original?

9. ¿Cómo son los dientes de los reptiles y cuántos tienen?

Simulación de una tortuga gigante ya extinguida *(Meiolania owenii)* paseando por un bosque australiano hace un millón de años

tuga de Florida *(Trachemys scripta)*, sin embargo, apareció como la conocemos actualmente hace tan sólo 35.000 años (casi la misma edad que los neandertales).

Pero hay algunas especies que, adaptadas a un hábitat y a unos hábitos concretos, apenas han variado en los últimos 200 millones de años: los cocodrilos, las tortugas y la tuátara.

Los cocodrilos tuvieron su máximo apogeo con el impresionante *Sarcosuchus imperator*, una mole de más de 15 m con una mandíbula que medía más que un hombre adulto. Sin embargo, su mayor descendiente vivo actual, el cocodrilo palustre *(Crocodylus palustris)* no difiere en el aspecto, sino en las proporciones (casi nunca supera los 7 m). Tienen la misma vida y los mismos hábitos, no han cambiado de aspecto pero sí de tamaño.

Las tortugas inventaron el caparazón y su éxito perduró hasta nuestros días. El único dato para considerar es que han empequeñecido. Incluso las mayores tortugas gigantes de hoy en día serían de lo más vulgar durante el Jurásico.

Y, finalmente, hay una especie que no ha cambiado ni en la forma ni en el tamaño. Parece que la tuátara sigue siendo como sus antepasados rincocephalidos de hace más de 230 millones de años. Quedó acantonada en un grupo de islas donde los cambios climáticos no fueron suficientes como para hacer que se modificaran las especies que en ellos vivían.

Por otro lado tenemos a las aves, los descendientes directos, algo enanizados, de las increíbles adaptaciones que tuvieron que sufrir los dinosaurios tras las cinco grandes extinciones que ha sufrido nuestro planeta desde que se inició la vida.

Geológicamente hablando, y en la parte contraria del podio, las serpientes son reptiles mucho más recientes y parece ser que durante la mayor parte de la historia de la evolución no estuvieron presentes. Sin embargo, en su mayoría son mucho más viejas que la especie humana.

En conclusión, la vida se ha ido extinguiendo y resistiendo, desapareciendo y evolucionando, renaciendo del polvo y volviendo a florecer a cada momento. ¿Qué parentesco tienen, pues, los reptiles y las aves actuales con aquellos fósiles? Algunos son sus hijos directos, otros son hijos adelantados, otros son hermanos que convivieron en sus mismas madrigueras y otros son, sencillamente, los mismos dinosaurios con una buena dosis de maquillaje evolutivo.

Sitios web de interés

www.ucm.es/info/paleo/personal/patricio/archaeopteryx.htm

Bibliografía

Darwin, Ch. (1985). *Viaje del Beagle.* (1ª ed.). Madrid: Editorial Alhambra.

Gerlach, J. & Canning, K. L. (1996). Evolution and history of the giant tortoises of the aldabra island group. *Testudo* 4,3: 33-40.

Hedges, S. B. & Poling, L. L. (1999). A molecular phylogeny of reptiles. *Science* 283: 998-1001.

Mattison, C. (1995). *The Encyclopedia of Snakes.* (1ª ed.). London: Blandford Book.

Ven der Kuyl, A. C., Ballasina, D. L., Dekker, J. T., Maas, J., Willemsen, R. E., & Goudsmit, J. (2002). Phylogenetic relationships among the species of the genus *Testudo* (Testudines: Testudinidae) Inferred from Mitochondrial 12S rRNA Gene Sequences. *Mol. Phyl. Evol.* 22(2): 174-183.

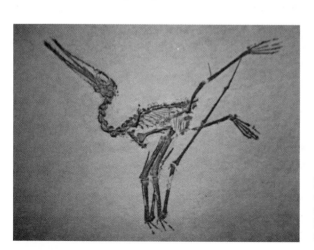

Fósil de Pterosauro, una línea evolutiva de dinosaurios que dominó los cielos pero no dio lugar a reptiles ni aves: su linaje se extinguió

4. ¿Cuántas especies de reptiles hay actualmente y cuáles pueden tenerse en un terrario?

El número de especies de reptiles ha cambiado mucho a lo largo de la historia evolutiva. El mayor número de especies coexistentes se dio durante el Jurásico, hace 140 a 190 millones de años, cuando había cerca de 40 órdenes distintos de reptiles, casi diez veces más de los que hay hoy en día.

Pero actualmente nos hemos de conformar con 4 órdenes en los que se engloban las cerca de 8.000 especies descritas hasta el momento. Esta cifra no es exacta, evidentemente, y además fluctúa de continuo. Se extinguen especies y aparecen otras nuevas constantemente. La descripción de nuevas especies desconocidas para la ciencia aumenta el número de especies conocidas. Por poner un ejemplo, podríamos citar las lagartijas del Pirineo *(Iberolacerta aurelioi)* o el lagarto moteado de Tenerife *(Gallotia intermedia)*, descritos durante la década de los 90, e incluso el lagarto gigante de La Gomera *(Gallotia bravoana)* descrito a principios del 2000. Si en la vieja Europa aún se están describiendo especies, qué nos estarán deparando durante siglos áreas geográficas tan ricas en vida como Australia, Suramérica, África tropical o Asia.

No todas estas especies gozan de un buen estado de conservación. Otras no tienen interés para las personas (son subterráneas, nunca se ven, etc.). Otras no gozan de la simpatía de muchas culturas. Respecto a otras se desconocen totalmente sus necesidades de mantenimiento y mueren de inmediato cuando están cautivas; en consecuencia, no pueden tenerse en cautividad. Obviamente, si paseamos por un zoo o por un comercio, o si visitamos todos los zoos y comercios del mundo, nos daremos cuenta de que tan sólo estamos contemplando apenas un 30% de las especies que existen.

De los cuatro órdenes, el más conocido es el de los Quelonios. Casi todas sus 270 especies se han mantenido en algún momento en cautividad, pero actualmente la legislación mundial reduce esta cifra a la mitad más o menos.

Otras preguntas relacionadas

5. ¿Qué es la tuátara y qué la hace tan original?

96. ¿Qué documentos legales se necesitan para tener un reptil en casa? ¿Y para criarlo con fines lucrativos?

97. ¿Pueden venderse reptiles procedentes de vida libre?

Ejemplar hembra de tortuga egipcia *(Testudo kleinmanni)*, la especie de tortuga más amenazada del mundo; sin embargo, fue encontrada paseando por la calle en Castelldefels (Barcelona). Un claro ejemplo del comercio impulsivo en viajes turísticos

Los cocodrilos están prácticamente todos en cautividad. Hay unas 25 especies y los que no son comerciales como mascotas se crían en centros zoológicos o granjas para piel.

El grupo más grande, el orden Squamata, comprende los saurios con más de 3.000 especies y las serpientes con 2.500. Es de imaginar que no todos están mantenidos en cautividad, ni mucho menos. Suponemos que la cifra se reduce a menos de la mitad.

Y finalmente existe el cuarto y minoritario orden, Rincocephalia, donde están incluidas las dos únicas especies de tuátara. Esta especie se mantiene en cautividad en algunos zoos de Australia y nueva Zelanda, pero se considera una especie amenazada y está prohibida su comercialización.

Para tener en cautividad algunas de las especies comentadas, deberán cumplirse, por tanto, algunas normas legales, sanitarias y de convivencia mínimas.

Sitios web de interés

www.herp.it

www.research.amnh/herpetology

www.vertebradosibéricos.org

Bibliografía

Barbadillo, L. J. (1987). *La guía de Incafo de los anfibios y reptiles de la península Ibérica, islas Baleares y Canarias.* (1ª ed.). Madrid: Incafo, S.A.

García-Porta, J. & Casanovas, I. (2001). El origen de las tortugas y sus primeros pasos evolutivos: nuevas perspectivas. *Reptilia* 32: 47-51.

5. ¿Qué es la tuátara y qué la hace tan original?

Se trata del único miembro superviviente, en el complejo de islas de Nueva Zelanda, de un anciano grupo de reptiles, conocido como Sphenodontia. Forma un grupo aparte en la clasificación de la clase Reptilia, llamado Rhincocephalia, reptiles del aspecto de un lagarto extraño, aunque su clasificación taxonómica no corresponde a la de los saurios.

El nombre tuátara es una palabra maorí que significa «pinchos en la espalda» en alusión a su característica cresta dorsal.

Los tatarabuelos de las tuátaras actuales, cuyos restos tan sólo existen en forma de fósiles, convivieron con los dinosaurios. La línea evolutiva de este reptil se aleja hasta los 225 millones de años. Para hacernos una idea de la magnitud de este «fósil viviente», pensemos que la tortuga de Florida, tal y como la conocemos hoy, se ha calculado que tiene unos 35.000 años.

Algunas particularidades

Anatómicas

– Dentadura: Su dentadura es compleja; consiste en una línea de dientes mandibulares que encajan en dos líneas dentales en el maxilar superior, de modo que facilitan la captura de pe-queños artrópodos e incluso de pequeños pájaros con los que se alimenta.

– Los sentidos: Poseen un tercer ojo funcional, estructura visual muy antigua presente también en otras especies de lagartos e iguanas; les permite la captación de ciclos solares y, en consecuencia, la regulación de sus ciclos reproductivos, inmunológicos y comportamentales. Mientras que en los demás reptiles que lo poseen es una estructura siempre cubierta por una escama adaptada, en la tuátara este ojo se mantiene abierto hasta los primeros 6 meses de vida para ser posteriormente tapado por una escama semitransparente.

Fisiológicas

Sus hábitos son nocturnos y prefiere las temperaturas frías; es el reptil conocido con mayor tendencia al

Otras preguntas relacionadas

3. ¿Qué parentesco tienen los reptiles actuales con los dinosaurios? ¿Son todos ellos fósiles vivientes en los que se ha parado la evolución?

74. ¿Cómo saber si un reptil es macho o hembra?

frío en lugar de al calor. Es capaz de detener la respiración hasta 60 minutos. Tiene el ritmo de crecimiento más lento conocido en cualquier reptil.

Biológicas

Es uno de los reptiles más longevos que existen, datándose en más de 100 años su esperanza media de vida. Los machos adultos son mayores que las hembras, llegando a pesar 1,5 kg y medir 60 cm. Ostentan unas crestas dorsales que han dado lugar a su característico nombre en la lengua maorí.

Reproductivas

Alcanza la madurez sexual entre los 15 y los 20 años. La hembra está lista para copular una vez cada 2 a 5 años. En ese momento, los machos salen de sus refugios y describen unos círculos alrededor de ellas. Si la hembra acepta, se produce la cópula. Los machos ca-

Uno de las únicas tuátaras que hay en Europa está disecada en el museo del Zoo de París desde 1885

recen de órgano copulador y, en consecuencia, durante la cópula transmiten su esperma poniendo en contacto la cloaca con la de la hembra. Al cabo de 8-9 meses después de la cópula, la hembra depositará de 6 a 10 huevos en un nido soleado. La incubación de esos huevos durará entre 11 y 16 meses. Tras una incubación a 21 °C nacen un 50% de machos y de hembras, pero a 22 °C el porcentaje de machos se eleva a 80%. A 20 °C ese mismo porcentaje será para las hembras y a 18 °C todas las crías serán hembras.

Historia de una reliquia

Mucha gente ha pensado siempre que era un tipo de lagarto raro, pero, en 1867, el dr. Albert Gunther, cuidador del Museo Británico en Londres, examinando especímenes conservados, se dio cuenta de que no eran lagartos como los demás: eran descendientes directos de una línea evolutiva de dinosaurios que se creía extinguida. En 1989, el dr. Charles Daugherty, profesor de la niversidad de Victoria, en Wellington, descubrió que había dos especies: *Sphenodon punctatus* (la tuátara del estrecho de Cook) y *Sphenodon guntheri* (la tuátara de Gunther, llamada también de Brothers).

Hoy en día se calcula que hay unas 50.000 tuátaras vivas en las islas originales de la especie: la isla Stephen y el grupo de islas de Marlborough, todas ellas pertenecientes a Nueva Zelanda. La especie más amenazada es la tuátara de Gunther, de la que se considera que quedan algo menos de 400 ejemplares adultos. Si bien las dos especies están actualmente protegidas y sus hábitats más resguardados de la destrucción por los incendios, los principales enemigos de su conservación son las ratas y gatos, que devoran las crías, los huevos e incluso a los adultos. El ritmo de reproducción tremendamente lento de la tuátara hace que sea muy ineficaz la reposición poblacional frente a la depredación por estas especies domésticas introducidas.

Sitios web de interés

www.rsnz.org/publish/nzjz/1995/82.pdf

Bibliografía

Ackerman, R. A., Barker, D., Barker, T., Birchard, G., Boyer, D. M., Garner, M., Hammack, S., & Shwedick, B. (2002). Egg incubation. *J. Herp. Med. Sur.* 12(1): 7-25.

Cree, A., Daugherty, C. H., & Hay, J. M. (1995). Reproduction of a rare New Zealand reptile, the tuatara *Sphenodon punctatus*, on rat-free and rat-inhabited Islands. *Conservation Biology* 9(2): 373-383.

6. ¿Cómo diferenciar una tortuga mediterránea de una tortuga mora?

La pregunta arranca de un hecho histórico relacionado con el comercio de tortugas terrestres de clima mediterráneo que se ejerció durante décadas en España –al igual que en toda Europa y en el norte de África– para abastecer el mercado de mascotas. Este tránsito de quelonios se produjo de forma alarmante, como demuestran, por ejemplo, las más de 15.000 tortugas mediterráneas exportadas desde Mallorca entre los años 1965 y 1976. Como consecuencia de ello, a finales de los años ochenta se prohibió el comercio de las dos especies de tortugas presentes en el Estado español.

Pero el resultado de este comercio fue la presencia en hogares de toda España de gran cantidad de tortugas mediterráneas, pertenecientes principalmente a dos especies: la tortuga mora *(Testudo graeca)* y la tortuga mediterránea *(Testudo hermanni)*. Ambos quelonios son en apariencia muy similares en cuanto a su morfología general y ambos pertenecen al género *Testudo*.

En muchas ocasiones, a los aficionados al mundo de los reptiles se les plantea la necesidad de distinguir uno de sus ejemplares para intentar su cría, ya que es del todo necesario efectuar la reproducción con especímenes pertenecientes a la misma especie o subespecie, dado que la hibridación inter- o intraespecífica en reptiles diluye las características propias de cada una de ellas.

¿Cómo diferenciar estas especies tan aparentemente iguales? La respuesta la encontraremos en una observación minuciosa de su caparazón, coloración y algunos de sus apéndices.

Pero, como si se tratara de un juego de consola, el nivel de dificultad aumenta cuando intentamos re-

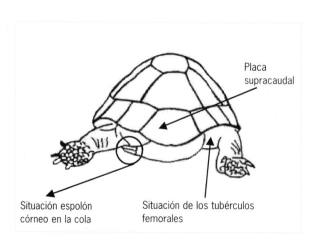

Placa supracaudal

Situación espolón córneo en la cola

Situación de los tubérculos femorales

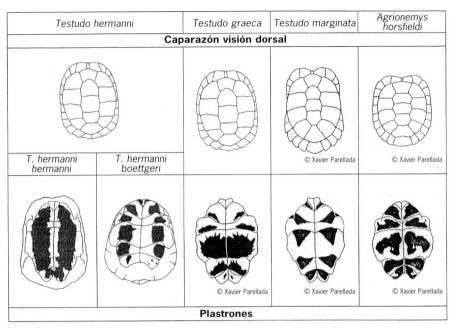

Testudo hermanni		Testudo graeca	Testudo marginata	Agrionemys horsfieldi
Caparazón visión dorsal				
T. hermanni hermanni	T. hermanni boettgeri	© Xavier Parellada	© Xavier Parellada	
		© Xavier Parellada	© Xavier Parellada	© Xavier Parellada
Plastrones				

Figura 1

conocer la existencia de subespecies, que las hay en la península Ibérica y que es necesario reconocer para realizar una cría eficiente de estos quelonios.

A la tortuga mediterránea *(Testudo hermanni)* se le reconocen dos subespecies en la actualidad, *Testudo hermanni hermanni* y *Testudo hermanni boettgeri*, cuya distribución va desde los Balcanes al nordeste de la península Ibérica (ver Mapa 1). En cambio, para la tortuga mora *(Testudo graeca)* los investigadores no han llegado a establecer un número exacto de subespecies y nombran genéricamente como «complejo graeca» la gran diversidad de formas descritas hasta la fecha. De todos modos, como podemos ver en el Mapa 2, la subespecie propia de la península Ibérica y Mallorca está descrita como *Testudo graeca graeca*.

Observando la Figura 1, veremos que para la identificación de estas especies nos centraremos en el caparazón, tanto en su parte dorsal, como en el plastrón o peto, así como en los muslos y cola.

La tortuga mora posee en el caparazón una sola placa supracaudal, clara diferencia con la tortuga medi-

31

Mapas de distribución geográfica de las tortugas mediterráneas de las especies *Testudo hermanni* y *Testudo graeca*

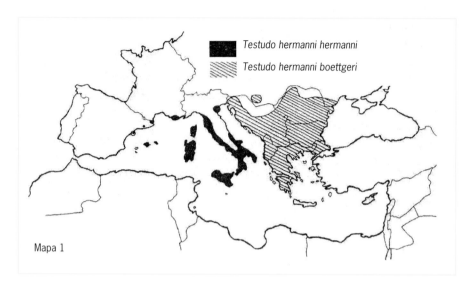

Mapa 1

Testudo hermanni hermanni
Testudo hermanni boettgeri

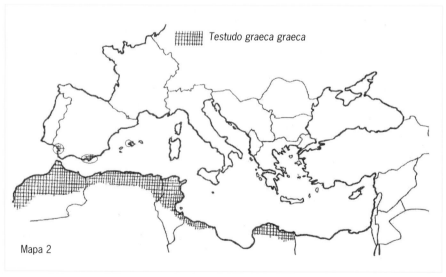

Mapa 2

Testudo graeca graeca

terránea, que en la mayoría de las ocasiones posee dos. En el plastrón, *Testudo hermanni hermanni* presenta dos franjas longitudinales de color negro claramente definidas; en *Testudo graeca graeca*, por el contrario, sólo encontraremos manchas más o menos extensas en cada una de las placas córneas del plastrón.

Por otro lado, observaremos en la tortuga mediterránea un apéndice córneo en la punta de la cola, que en las tortugas moras no está presente. Por último, *Testudo graeca* tiene unos pequeños espolones córneos en los muslos, generalmente uno, que en *Testudo hermanni hermanni* no aparecen.

La Figura 1 (pág. 31) muestra de manera gráfica lo descrito anteriormente, añadiendo una clave de identificación para la subespecie de tortuga mediterránea oriental *(Testudo hermanni boettgeri)*, así como para la tortuga griega *(Testudo marginata)* y la tortuga de las estepas o de cuatro uñas *(Testudo (Agrionemys) horsfieldii)*, especies que se encuentran frecuentemente en los terrarios de muchos aficionados.

Sitios web de interés

www.tortoisetrust.org/backidx.html
www.tortues.com

Bibliografía

Cheylan, M. (1981). Biologie et Ecologie de la Tortue d'Hermann, *Testudo hermanni*, Gmelin 1789. *Memoires et Travaux de l'Institut de Montpellier*, n° 13.

Actas del «Congrès International sur le genre Testudo», Hyères, Editions SOPTOM, *Chelonii* vol. 3, 2002, pp 376.

Fornelino, M. M. & Martínez Silvestre, A. (1999). *Tortugas de España*. Madrid: Ed. Antiquaria, S.A.

Otras preguntas relacionadas

7. ¿Por qué existe el caparazón blando en tortugas?

65. ¿Qué tipos de incubación o reproducción se dan en los reptiles? ¿Existe la hibridación? ¿Los hijos híbridos son fértiles?

79. ¿Cómo se cura en las tortugas una fractura de caparazón?

7. ¿Por qué existe el caparazón blando en tortugas?

El orden Chelonia tiene más de 250 especies. Todas ellas tienen un denominador común: la presencia de caparazón. Sin embargo, existe una gran variedad de caparazones que responden a distintos modos de adaptación y supervivencia. Pero primero deberíamos saber qué es y para qué sirve el caparazón.

Hace cerca de 300 millones de años fueron seleccionadas una serie de especies que fundamentaban su supervivencia no en ser las más rápidas, ni las más feroces, ni las más agresivas, sino en tener la mejor autoprotección: se había inventado la defensa pasiva. A partir de esta línea de animales prehistóricos se fueron perfilando criaturas con grandes corazas en el dorso, mosaicos de huesos, escudos de piel y un sinfín de posibilidades para sobrevivir en un ambiente hostil mediante el uso de esta armadura corporal. De estos grupos surgieron las tortugas, el orden Chelonia, también incluido en la subclase Anapsida debido a lo compacto de su cráneo. Estas especies fueron seleccionadas progresivamente en función de la resistencia que les proporcionaba una progresiva fusión de todos los huesos torácicos. En efecto, se fusionaron todas las costillas, las vértebras torácicas, lumbares y sacras, las esternebras (huesos del esternón) y, de este modo, se formó una fuerte caja de naturaleza ósea. Las únicas vértebras que quedaron libres fueron las cervicales (permiten mover, retraer y esconder el cuello) y las caudales (permiten el movimiento de la cola). Por si esto fuera poco, encima de esta estructura ósea se seleccionaron escamas córneas imbricadas entre ellas. Las suturas entre estas escamas de la piel no coincidían con las suturas de los huesos subyacentes, de modo que daban mayor resistencia aún a las tensiones. Así se seleccionó la estructura biológica más resistente que se conoce en un vertebrado y la evolución la hizo prosperar hasta nuestros días.

Pero esta importante mejora tenía un inconveniente: el incremento de masa corporal. Esto puede ser trivial para un quelonio terrestre, con fuertes y potentes extremidades. Pero en el caso de las acuáticas representa un grave problema de flotación y desplazamiento.

Para poder bucear y nadar es conveniente no estar metido dentro de una caja ósea tan compacta. En consecuencia, las tortugas de agua han desarrollado tres sistemas de adaptación al medio acuático:

1) Extremidades tipo «pala» o «remo». Especialmente espectaculares en las tortugas marinas, pero también visibles en las de caparazón blando (Tryonichidae), en las de nariz de cerdo (Carettochelidae), en las mordedoras (Chelidridae) o en muchos galápagos (Emididae, Chelidae, Pelomedusidae...).

2) Caparazones hidrodinámicos. Presentes en todas las especies acuáticas y tan sólo ausentes en las terrestres o semiterrestres.

3) Caparazones poco osificados. Presentes tan sólo en las tortugas de vida estrictamente acuática, que son las que nunca salen del agua, como todas las marinas (tan sólo salen las hembras a desovar a las playas), la tortuga de nariz de cerdo (*Carettochelys insculpta)* o las tortugas de caparazón blando (todas las de la familia Tryonichidae), principalmente.

En consecuencia, las tortugas de caparazón blando no tienen una caja ósea inexpugnable. Al contrario, su caparazón es de naturaleza cartilaginosa, con una consistencia similar al lóbulo de la oreja humana. Ello significa que son extremadamente vulnerables y presa fácil para cualquier depredador. Como compensación de este factor de debilidad, estas especies son las más agresivas de todas las tortugas del mundo. Las Tryonichidae y Chelidridae son las familias de tortugas que pueden morder con más agresividad. Suelen tener cuellos largos, escondidos, rápidos, muy móviles y listos para salir disparados a morder ante cualquier amenaza.

Pero los caparazones no tienen tan sólo la función de resistencia. Las tortugas de caparazón blando suelen tener un espaldar grisáceo mientras que el peto es blanquecino. Ello responde a una adaptación fisiológica basada en el camuflaje. Estas especies se esconden semienterrándose en el barro de las zonas pantanosas de poca profundidad. Tan sólo sacan el cuello para respirar. Así, el caparazón siempre está en contacto con la arena

Otras preguntas relacionadas

10. ¿Cómo es anatómicamente un reptil? ¿Cómo son sus vísceras y qué funciones tienen?

11. ¿Qué curiosidades anatómicas tienen los reptiles?

o lodo y por ello tiene ese color. Otras especies lo tienen marronáceo, incluso con protuberancias que lo deforman para que una posible presa no reconozca a su depredador. Sería el caso de las tortugas mordedoras (*Chelydra* o *Macroclemmys*) o las matamata *(Chelus fimbriatus)*.

Otra función que tienen especialmente las tortugas de caparazón blando es la de intercambio gaseoso, es decir, la respiración. Si nos fijamos detenidamente en las partes más blancas del peto o del espaldar notaremos que están surcados por una fina red de capilares sanguíneos, casi microscópica. Esta característica les confiere cierta capacidad de intercambiar oxígeno con las aguas limpias a través del caparazón. Así no es tan urgente que salgan a respirar con la cabeza fuera del agua.

Aspecto del esqueleto de un caparazón de una tortuga de caparazón normal *(Kinosternon scorpioides)* y de una de caparazón blando *(Apalone ferox)* a su derecha

Otra característica es su gran sensibilidad. Normalmente los caparazones son sensibles al tacto (de ahí los golpes que muchos machos dan al caparazón de las hembras durante el cortejo), pero en las tortugas de caparazón blando esta sensibilidad se incrementa. Tanto es así, que en condiciones de libertad pueden detectar los peces que están a su alrededor casi sin verlos (como cuando están en aguas turbias o sucias, etc.).

Un inconveniente que tiene este especial caparazón es su gran fragilidad. No sólo es mucho más vulnerable para los depredadores, sino que también lo es para los agentes microbianos que viven en él (bacterias y hongos principalmente). No es extraño observar dermatitis, úlceras o micosis en caparazones de estas especies. Por suerte, tras la curación, la capacidad de regeneración es muy elevada.

Sitios web de interés

www.tiherp.org/index.html
www.uga.edu/srelherp/index.htm

Bibliografía

Purser, P. A. (2003). *Trionix spiniferus* mantenimiento y cría. *Reptilia* 43: 55-59.

Welch, K. R. G. (1994). *Turtles, Tortoises and Terrapins A Checklist*. (1ª ed.). Taunton: R & A Research and Information Limited.

8. ¿Qué reptiles regeneran la cola y cuántas veces pueden hacerlo? ¿Regeneran algún miembro más?

Todos hemos visto alguna vez cómo una lagartija pierde su cola en una situación de peligro. Nos hemos acostumbrado a verlo sin darle demasiada importancia. Sin embargo, ello responde a un fantástico proceso evolutivo de adaptación en el que intervienen procesos anatómicos, fisiológicos y comportamentales que vale la pena desglosar.

La capacidad de perder la cola (caudotomía) también se denomina autotomía puesto que es un acto voluntario. Lejos de ser un accidente, esta acción responde a un elaborado proceso de selección natural en el que los animales que son capaces de desprenderse de un miembro no vital tienen mayores posibilidades de supervivencia y, por tanto, se seleccionan positivamente. Los lagartos, una vez se desprenden de la cola, ya no tendrán una nueva oportunidad de sobrevivir hasta que les vuelva a crecer. Para ello, han de alimentarse con asiduidad. El dispendio energético que implica regenerar la cola es elevado, pero vale la pena si ello comporta mayores posibilidades de supervivencia ante depredadores.

La fractura de la cola se produce por unas áreas especializadas de partición que están situadas en cada vértebra caudal; son los llamados sitios preformados de rotura o planos de fractura vertical (PFV). En las vértebras que los poseen, un movimiento brusco (hecho conscientemente) provoca una fractura inmediata y el desprendimiento de los músculos que están en esa zona de sus fascículos de protección. Automáticamente, la vena coccígea ventral (una vena con gran presión sanguínea) sufre un proceso agudo de vasoconstricción que evitará la pérdida innecesaria de sangre. Este proceso parece estar mediado por las hormonas segregadas durante la fase de máximo estrés.

Como en este proceso se rompen también nervios, es lógico pensar que las lagartijas sienten dolor cuando tienen lugar. Por ello, sólo pierden la cola cuando la situación es extrema y su vida corre peligro realmente.

El único miembro que puede regenerar en los reptiles es la cola. Los anfibios, sin embargo, pueden regenerar extremidades completas, con dedos incluidos, en caso de amputaciones de brazos o piernas. Sin embargo, no todos los reptiles pueden desprenderse de su cola. Las principales familias que pueden realizar caudotomía son la Lacertidae (lagartos, lagartijas), Iguanidae (iguanas, basiliscos y anolis), Geconidae (salamanquesas y gecos tropicales) o Anguidae (luciones y si-

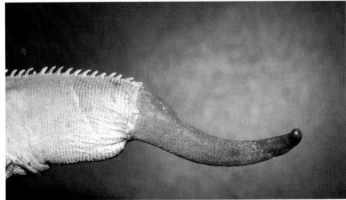

Sucesión de regeneración de una cola en *Iguana iguana* a los 0, 50 y 250 días respectivamente

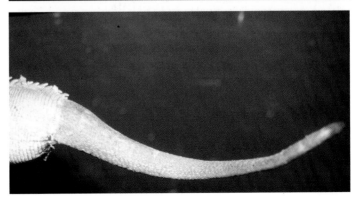

milares). Por el contrario, otras familias comúnmente mantenidas en cautividad no pueden desprenderse de la cola, como la Agamidae (agamas, dragones australianos y lagartos de cola de espinas), Varanidae (varanos) o Chamaeleonidae (camaleones).

El crecimiento posterior de la cola tarda más o menos tiempo dependiendo de la especie. Por ejemplo, una lagartija autóctona *(Podarcis hispanica)* puede regenerar la cola completa en poco menos de 30 días. Una iguana, sin embargo, tardará más de un año en realizar el mismo proceso.

Como cada vez que se rompe se inician los mecanismos automáticos de regeneración, en algunas ocasiones la cola rota no acaba de caer y, sin embargo, empieza el crecimiento de una nueva. Ello acaba en un lagarto con dos colas completas. Algunos terrariófilos incluso han llegado a crear lagartos con más de 10 colas al semifracturar convenientemente las colas de sus mascotas a fin de provocar el crecimiento de las nuevas.

Para que se dé la regeneración de la cola, ésta se ha de fracturar por el PFV. Si no es así, la cola no regenerará y quedará en un muñón sin crecimiento.

Las colas pueden caer y regenerarse cuantas veces sea necesario durante la vida del animal. La cola recién regenerada deja una marca en el punto de fractura, un cambio en la textura y color de las escamas que la delata como «no original» si la miramos detalladamente.

En definitiva, si hemos de capturar una iguana escapada, nunca ha de cogerse con fuerza por la cola. Los lacértidos se han de coger por la arcada escapular, puesto que apenas noten el tacto de nuestra mano en la cola se desprenderán de ella.

Sitios web de interés

www.encuentros.uma.es/encuentros48/autotomia.html
www.gekkota.com

Bibliografía

Bannert, B. (1992). *Sarcocystis simonyi sp. nov. (Apicomplexa: Sarcocistidae)* from the endangered Hierro Giant Lizard *Gallotia simonyi* (Reptilia: Lacertidae). *Parasitol Res* 78: 142-145.

Davenport, J. (1995). Regeneration iof the tail spurin *Testudo hermanni*. Part two. *Testudo* 4,2: 79-80.

Otras preguntas relacionadas

39. ¿Cómo capturar a una serpiente o lagarto que se han escapado? ¿Hay algún truco o cebo? ¿Y si es un reptil peligroso?
61. ¿Existe el estrés en reptiles? ¿Qué efectos tiene?

9. ¿Cómo son los dientes de los reptiles y cuántos tienen?

La dentadura de los reptiles varía mucho entre grupos de especies en función del estado evolutivo en el que se encuentran.

Para entenderlo, vamos a dividir a los reptiles en grupos de distinto tipo según su dentadura.

Empezaremos dividiendo a todos los reptiles en dos grupos: los que tienen dientes y los que no. Estos últimos son las tortugas, el orden Chelonia, con unas 260 especies, ninguna de las cuales está provista de verdaderos dientes. Tan sólo algunas tortugas poseen un «diente» en el pico para capturar mejor el alimento, pero no deja de ser una modificación córnea del pico que no tiene nada que ver con la estructura dental del resto de reptiles. El pico, sin embargo, está muy afilado y se parece enormemente al pico de las aves, aunque parece que éstas gozan de mayor sensibilidad.

Todos los otros reptiles (los que tienen dientes) están divididos básicamente en tres grupos.

En primer lugar están los tecodontos, que son los dientes más parecidos a los de los mamíferos, con una inserción dental en la encía formando una raíz verdadera. Son dientes muy antiguos, con más de 250 millones de años y tan sólo los podemos ver en el orden de los cocodrilos y caimanes. Sus antecesores dinosaurios tienen un nombre relacionado con esta dentición: los tecodóntidos.

En segundo lugar se encuentran los dientes acrodontos. Son el tipo de

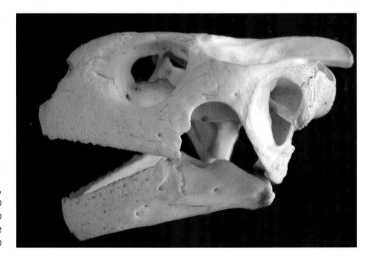

Cráneo de tortuga, sin dentadura pero con un pico tremendamente afilado

Otras preguntas relacionadas

3. ¿Qué parentesco tienen los reptiles actuales con los dinosaurios? ¿Son todos ellos fósiles vivientes en los que se ha parado la evolución?

12. ¿Las uñas y los picos largos y retorcidos son normales en las tortugas de tierra/agua?

42. ¿Qué se debe hacer ante un mordisco de un reptil? ¿Y si es venenoso?

dentición más sencillo en los reptiles. Lo tienen también la mayoría de anfibios y se trata de dientes simples, unidos a la mandíbula por la cara interior y de estructura mucho más sencilla que los anteriores. Los poseen la tuátara, la mayoría de agámidos y los camaleones, entre otros.

En último lugar tenemos a los pleurodontos, dientes más evolucionados que los anteriores y cuya conformación ha variado mucho, en especial en los ofidios. Se insertan en el centro de la encía y son muy fuertes. Los poseen los iguánidos, varánidos, tejidos u ofidios, entre otros. Estos últimos, las serpientes, se subdividen en cuatro tipos dependiendo de la capacidad de sus dientes para inyectar veneno.

1) Aglifos: Sin colmillo venenoso. Estas serpientes son incapaces de inyectar veneno. Los poseen las boas y pitones, así como todas las culebras europeas.

2) Opistoglifos: Tienen un par de dientes largos y con un cierto surco que permite el paso del veneno. Estos dientes están situados en la parte posterior de la boca, por lo que en un mordisco de defensa es difícil que inyecten nada. Generalmente, inyectan cuando están tragando o matando a la presa. En Europa destacan la culebra bastarda *(Malpolon monspessulanus)* o la culebra de cogulla *(Macroprotodon cucullatus)*. Entre las exóticas, destacan la serpiente látigo *(Ahaetulla sp.)* o la falsa cascabel *(Heterodon sp.)*.

3) Proteroglifos: Tienen un par de dientes acanalados, esta vez en la parte anterior de la boca. Estos dientes son inmóviles y los usan tanto para alimentarse como para defenderse. Son las cobras *(Naja, Ophiophagus...)*, las corales verdaderas *(Micrurus sp.)* o las serpientes marinas *(Laticauda colubrina)*, por ejemplo.

4) Solenoglifos: Tienen un par de dientes tremendamente especializados en la parte anterior de la boca. Están tan perfeccionados en la inyección de veneno que en algunas especies el resto de dentadura del maxilar superior les ha desaparecido por completo con la evolución. Son agujas inyectoras tubulares perfectamente diseñadas. Los dientes venenosos más largos que existen se encuentran en

Dentadura de iguana, de tipo pleurodonto y con cúspides que ayudan al corte de vegetales

este grupo, como la víbora del Gabón *(Bitis gabonica)*, con unos colmillos inyectores que pueden llegar a 10 cm de longitud. En este grupo están las víboras (autóctonas y exóticas) o las serpientes de cascabel *(Crotalus sp.)*, entre otras.

El número de dientes es variable entre las especies. A modo de curiosidad, vale la pena saber que algunas especies de lagartos y serpientes poseen seis arcadas dentarias (4 en el maxilar superior y 2 en el inferior), lo que equivale a una gran cantidad de dientes, que en muchos casos supera el centenar. Las iguanas comunes pertenecen a este tipo y si nos fijamos bien cuando ellas tienen la boca abierta, observaremos un arco dental en el mismo techo del paladar: es la curiosa dentadura pterigoidal, totalmente ausente en los mamíferos.

También vale la pena saber que la dentadura de los reptiles se cambia continuamente. Excepto algunas especies de camaleones, todos los reptiles tienen dientes que eclosionan, maduran y caen durante toda la vida. Sólo así es explicable que un gran cocodrilo australiano de 50 años tenga dientes tan perfectos y blancos: porque esos dientes tan sólo tienen uno o dos meses.

Sitios web de interés

www.ulpgc.es/paginas/webs/reptilia

Bibliografía

Abdala, V. (1996). Osteología craneal y relaciones de los gecónidos sudamericanos (Reptilia: Gekkonidae). *Rev. Esp. Herp.* 10: 41-54.

Cooper, J. E. & Sainsbury, A. W. (1994). Review: oral diseases of reptiles. *Herpetological Journal* 4: 117-125.

10. ¿Cómo es anatómicamente un reptil? ¿Cómo son sus vísceras y qué funciones tienen?

La estructura interna de la mayoría de los reptiles está formada por las mismas estructuras que en los demás vertebrados. Según su estado evolutivo estará más o menos desarrollada y mejor o peor adaptada a los hábitats en los que viven. En consecuencia, podemos imaginar que tienen vísceras con funciones casi idénticas a las de un mamífero, incluido el hombre. En otra pregunta se señalan las curiosidades que tienen los reptiles, pero en ésta vamos a ver algunas particularidades, así como las coincidencias con las especies que más conocemos.

Aparato digestivo

Tienen esófago, estómago, intestino delgado e intestino grueso. Algunas especies tienen un estómago adaptado a la trituración (cocodrilos) y otras tienen una liberación de ácido en su estómago que puede descomponer piel, cuernos e incluso un esqueleto entero (grandes ofidios constrictores). Todos tienen hígado, aunque en cada grupo es distinto. Las tortugas tienen el mayor hígado de todos, los lagartos pueden tenerlo pigmentado de negro y las serpientes lo poseen muy alargado y delgado. También todas las especies tienen vesícula biliar, pero en las serpientes está alojada lejos del hígado y cerca del bazo y del páncreas.

Aparato respiratorio

Poseen tráquea, bronquios y pulmones. Las serpientes más evolucionadas (la mayoría de las culebras) han perdido uno de los pulmones, poseyendo entonces tan sólo un pulmón funcional. Algunas especies de tortugas acuáticas pueden intercambiar gases con el entorno (respirar) a través de su piel, del paladar o de los sacos cloacales.

Algunos reptiles, como las serpientes, poseen unos sacos aéreos que utilizan como áreas de almacenamiento de aire repentino (para incrementar su volumen y atemorizar a un posible enemigo a la vez que resoplan) o paulatino (para permitir una respiración lenta y aprovechar el aire al máximo, o permitir sumergirse y realizar apneas...).

Aparato circulatorio

Todos poseen un sistema de vasos sanguíneos que salen y vuelven a la bomba principal: el corazón. Sin embargo, éste tiene un sistema ligeramente precario de funcionamiento en comparación con los mamíferos. El corazón realiza una «mezcla» de sangre oxigenada y no oxigenada. En consecuencia, algunas especies tienen sistemas alternativos ya descritos para su oxigenación.

Sistema urinario

Todos los reptiles poseen dos riñones que van a desembocar a la vejiga o a la parte final del recto (urodeo) mediante unos uréteres. Los reptiles eliminan una orina líquida (que podríamos calificar como «normal») mezclada con una orina arenosa, de colores que oscilan entre blanco y amarillo. Esta última orina es el ácido úrico, producto de eliminación de las proteínas y que es muy propio de los reptiles que viven fuera del agua y concentran la orina. Tan sólo algunos reptiles acuáticos eliminan urea, similar a la de los mamíferos.

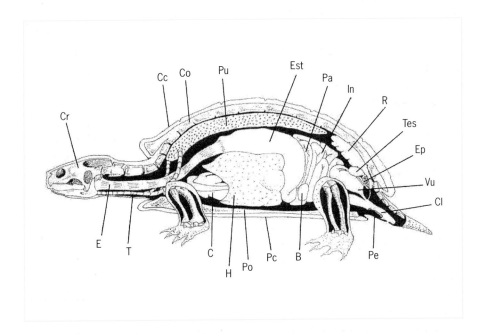

Esquema: Dibujo sintético de la posición anatómica de las distintas vísceras de una tortuga.
Nomenclatura:

Cr: Cráneo	Cc: Caparazón córneo	In: Intestino	Pu: Pulmón	Est: Estómago
Pa: Páncreas	Co: Caparazón oseo	R: Riñón	Tes: Testículos	Ep: Epidídimo
Vu: Vejiga urinaria	Pc: Plastrón córneo	Cl: Cloaca	Pe: Pene	B: Bazo
Po: Plastrón óseo	H: Hígado	C: Corazón	T: Tráquea	E: Esófago

Sistema nervioso

Con un cerebro rudimentario, todos poseen un sistema nervioso «primitivo» en cuanto a emociones y toma de decisiones. Sin embargo, está muy «evolucionado» en cuanto a estrategias de supervivencia, capacidad de regeneración de estructuras perdidas o capacidad de resistencia a la hibernación.

Aparato reproductor

Los machos poseen dos testículos, dos conductos deferentes que van al pene (caso de los cocodrilos y quelonios) o a los hemipenes (saurios y serpientes). Las hembras poseen dos ovarios y dos oviductos que desembocan cerca de la cloaca, en el llamado proctodeo. El aparato reproductor femenino experimenta un intenso desarrollo en la

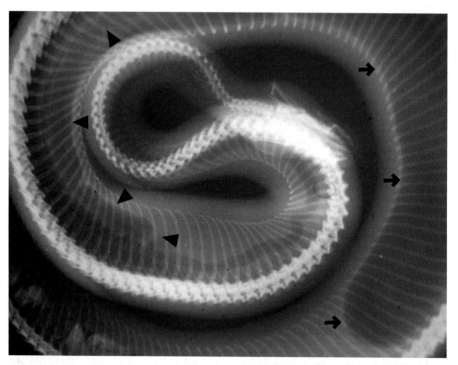

Radiografía de una serpiente donde pueden observarse los sacos aéreos (flechas), el esqueleto y el perfil del hígado alargado (triángulos)

Otras preguntas relacionadas

11. ¿Qué curiosidades anatómicas tienen los reptiles?

23. ¿Qué capacidad auditiva tienen los reptiles? ¿Oyen la voz de su propietario y la reconocen?

24. ¿Los reptiles tienen olfato? ¿Cómo detectan a sus presas?

25. ¿En qué consiste la muda y de qué depende?

primavera, multiplicando en más de tres veces su volumen y peso. En invierno se torna atrésico y disminuye nuevamente de tamaño. Esta activación también se da, aunque menos espectacular, en los testículos de los machos.

Aparato locomotor

El esqueleto es fundamentalmente igual al de cualquier vertebrado. Las diferencias más notables son la ausencia de extremidades en los ofidios (aunque algunas especies poseen vestigios de extremidades cerca de la cloaca) y la fusión de la caja torácica para formar el caparazón de las tortugas. Las serpientes no tienen extremidades, puesto que las perdieron con la evolución de antiguos parientes de los saurios actuales. Sin embargo, en las familias más primitivas, como las boas, aún pueden verse a ambos lados de la cloaca unas espículas que son vestigios de lo que hace millones de años fueron patas traseras. Actualmente tan sólo las usan para «acariciarse» durante el período de cópula.

La piel

Por encima de la dermis tienen una epidermis especializada: las escamas. Algunas de estas escamas, en reptiles viejos o en ciertas especies, llegan a osificarse, formando pequeños huesecillos que les confieren mayor resistencia: los osteodermos. La piel del reptil no posee glándulas como la de los mamíferos y algunas glándulas cutáneas pueden localizarse en la zona ventral de las extremidades posteriores de algunos lagartos, como las iguanas.

Sitios web de interés

www.webs.ulpgc.es/reptilia

Bibliografía

Martín, R., Marín, P., & González, J. (2004). *Atlas de Anatomia de Animales Exóticos*. (1ª ed.). Barcelona: Masson, S. A.

Orós, J. & Torrent, A. (2001). *Manual de necropsia de Tortugas Marinas*. (1ª ed.). Gran Canaria: Cabildo de Gran Canaria.

11. ¿Qué curiosidades anatómicas tienen los reptiles?

Todos los animales vertebrados tienen estructuras comunes. Para hacernos una idea, podemos decir que los reptiles tienen los mismos componentes anatómicos que los humanos. Pero los humanos tienen un tipo de cerebro inexistente en los reptiles y las tortugas tienen un caparazón inexistente en los humanos. En consecuencia, hay infinidad de diferencias con la anatomía que estamos acostumbrados a estudiar en nuestros textos de anatomía humana. Seguidamente analizaremos las más importantes o curiosas.

Sentidos

Muchos saurios (entre ellos las iguanas) poseen un «tercer ojo» u «ojo pineal» alojado entre los dos ojos, en la pared dorsal de su cabeza. Bajo una escama semitransparente yace un residuo oftálmico que les sirve para detectar fotoperíodos, intensidades y ciclos de luz. De este modo, regulan sus períodos de celo, actividad, etc. Esta estructura no existe en las aves ni los mamíferos, sino que evolucionó para alojarse en el interior del cerebro formando una glándula que tiene funciones similares a las descritas.

Muchas serpientes (boidos o crotálidos, por ejemplo) tienen detectores de infrarrojos, detectores de temperatura alojados sobre los labios o cerca de los orificios nasales. Son capaces de discriminar variaciones de centésimas de grado en su ambiente. Ello les permite optimizar la detección de la presa, que realizan incluso a oscuras.

El colmo de la ausencia de sentidos lo tienen las serpientes excavadoras que, además de ser casi sordas como el resto de congéneres, son ciegas al adaptarse a vivir bajo tierra. Sin embargo, pueden «oír» los sonidos que se transmiten por el suelo.

Aparato respiratorio

Poseen pulmones sencillos en composición y función. Algunas especies tienen sacos aéreos que les permiten almacenar aire durante mucho tiempo. Otras pueden respirar a través de zonas accesorias de intercambio de oxígeno (la piel, el paladar, etc.) y ello hace que en algunas ocasiones puedan mantener apneas (dejar de respirar) durante muchas horas.

Aparato locomotor

Algunos lagartos de pequeño tamaño han alargado considerablemente sus costillas flotantes, de modo que forman los ejes sobre los cuales se dispone la piel formando una perfecta cometa con la que pueden realizar pequeños planeos: se trata de los lagartos asiáticos del género *Draco*.

El esqueleto de la cabeza de las serpientes es como un desmontable de piezas. Pueden dislocarse prácticamente todos los huesos (parece increíble que no les duela) y después vuelven a ponerse en su sitio como si nada. Esto puede observarse especialmente cuando están tragando presas de gran tamaño. Los huesos que protegen al encéfalo (el neurocráneo) están más unidos, sin embargo, y son menos móviles, a fin de evitar lesiones cerebrales.

Esqueleto

El caparazón de las tortugas es parte de su esqueleto. Está formado por la unión de las vértebras, las costillas y el esternón.

El cráneo de las tortugas es el más compacto de los reptiles actuales. Sin embargo, las serpientes tienen un cráneo formado por huesos independientes y apenas fusionados que permiten la separación de los mismos en el momento de la deglución de las presas.

Aparato digestivo

Las serpientes son los únicos animales que tienen la vesícula biliar fuera del hígado y además su bazo y páncreas quedan unidos en una estructura conjunta denominada esplenopáncreas. Los cocodrilos tienen un estómago adaptado a la trituración, por lo que poseen dos áreas bien diferenciadas, un estómago glandular y otro muscular, muy similar a la molleja en las aves. Además, algunos reptiles tienen un digestivo totalmente manchado de negro, como los varanos y los camaleones; parece ser que esta característica ayuda a la termorregulación interna y, con ello, a la digestión.

Aparato circulatorio

Su corazón funciona de un modo distinto al nuestro. Tiene dos aurículas y un único ventrículo (el de los mamíferos tiene dos ventrículos) y ello provoca una cierta ineficacia en la capacidad de transportar sangre oxigenada a los tejidos. La sangre, por otro lado,

Otras preguntas relacionadas

23. ¿Qué capacidad auditiva tienen los reptiles? ¿Oyen la voz de su propietario y la reconocen?

24. ¿Los reptiles tienen olfato? ¿Cómo detectan a sus presas?

25. ¿En qué consiste la muda y de qué depende?

28. ¿Hay reptiles voladores? ¿Cómo consiguen volar y dónde viven?

está formada por células de la serie roja (eritrocitos) mucho más grandes que las de los mamíferos y con núcleo celular, estructura que tampoco tienen los mamíferos.

Aparato urinario

Los cocodrilos, las serpientes y los varanos carecen de vejiga urinaria. Eso no les provoca incontinencia, sino que acumulan la orina en una dilatación especial del final del aparato digestivo, cercana a la cloaca y denominada «urodeo».

Aparato reproductor

Al contrario que en los mamíferos, nunca podremos sexar a un reptil macho observando sus testículos: no se ven, puesto que los tienen interiores, cercanos a los riñones, alojados en la pared dorsal del abdomen y muy bien protegidos. Sin embargo, algunos reptiles, como los lagartos y serpientes, poseen dos bultos en la base de la cola: no son los testículos, sino los hemipenes. En efecto, poseen dos estructuras parecidas a un pene que sirven tan sólo para copular (no para orinar) y cuando están en reposo se alojan en dos bolsas a ambos lados de la cloaca.

Piel

Su piel formada por escamas se adapta al ritmo de crecimiento del animal mediante la total sustitución de las mismas: la muda. Mudan más a menudo cuando son jóvenes puesto que es el período de su vida en que crecen con más rapidez. Muchas especies tienen en la piel protuberancias únicas (cuernos, cascos, crestas...) que hacen de los reptiles especies tan curiosas y originales en su diseño. La mayor parte de estas estructuras dérmicas tienen funciones sexuales, otras sirven para intimidar, pelear, defender territorios, etc.

Los gecos tienen fantásticas adaptaciones y glándulas digitales en su piel (lamelas adhesivas) que les permiten adherirse a superficies verticales, cristales e incluso boca abajo, siendo los reyes absolutos de la escalada.

Las uñas de algunas especies se desarrollan para ciertas funciones. En unos casos, los machos tienen uñas largas para danzar frente a la hembra y estimularla; en otros, las hembras poseen largas uñas traseras adaptadas a la excavación de nidos para poner huevos.

Cola

La cola de algunas especies de iguanas, lagartos y gecos tiene unas áreas especiales de fractura por donde volver a regenerarse en caso de ruptura o amputación. Otras colas se lle-

El tercer ojo u ojo pineal que poseen las iguanas comunes *(Iguana iguana)*

nan de depósitos de grasa que les aportan un aspecto grotesco, como si fuera otra cabeza.

Dentición

Los dientes de casi todas las especies cambian continuamente durante toda su vida. Además, las serpientes venenosas han convertido su dentadura en verdaderas agujas inyectoras de saliva modificada: el veneno.

Sitios web de interés

www.conabio.gob.mx/institucion/conabio_espanol/doctos/bipes.html

Bibliografía

Aughey, E. & Frye, F. L. (2001). *Comparative Veterinary Histology*. (1ª ed.). London: Manson Publishing.

Bolon, B. (1998). Necropsy (postmortem examination). In: Ackerman, L. (Ed.). *The biology, husbandry and health care of reptiles*. New Jersey: TFH, 858-870.

12. ¿Las uñas y los picos largos y retorcidos son normales en las tortugas de tierra/agua?

Tan sólo son normales las largas uñas de los machos de ciertas tortugas acuáticas norteamericanas, cuya función es la de realizar unos movimientos indicativos a la hembra de la intención de aparearse. En las demás tortugas, todas las uñas largas o retorcidas son anormales, fruto de un proceso de sobrecrecimiento y se consideran una enfermedad que hay que tratar.

Las causas de esta enfermedad son las siguientes:

1) Dieta excesivamente blanda.

2) Ausencia de material abrasivo en el sustrato.

3) Animales mantenidos en suelos planos (mosaicos, baldosa, etc.).

Otras preguntas relacionadas

46. ¿Son superfluos o, por el contrario, deseables unos cuidados estéticos en los reptiles?

52. ¿Cuáles son los mejores y los peores alimentos para las tortugas de agua, las iguanas y las tortugas de tierra?

77. Los ojos hinchados en las tortuguitas de agua, a qué se deben y como pueden curarse o evitarse?

Se observa únicamente en quelonios. El crecimiento de los picos córneos es continuo por lo que necesitan algún sistema de controlarlo. Un exceso en el desarrollo de las láminas de queratina lleva a una deformación tal que impide la correcta funcionalidad de las estructuras donde se da. Esta enfermedad proliferativa puede estar relacionada con una falta de vitamina A.

El animal deja de alimentarse correctamente o se desplaza con dificultad. Las porciones sobrecrecidas de la boca son frágiles y pueden romperse, con lo que aquélla queda totalmente deformada.

El tratamiento se limita al recorte quirúrgico de las partes sobrecrecidas. Generalmente, no tienen vasos sanguíneos en su interior y no ofrecen una gran dificultad. Sólo las uñas pueden tener pequeños vasos sanguíneos que sangran al cortarlas. Puede tener que repetirse el recorte algunos meses después. Es conveniente también administrar vitamina A en la dieta o inyectada.

Para prevenir esta enfermedad se ha de proporcionar a los animales dietas con alimentos duros y mordisqueables (semillas, raíces, cartílagos...), asegurar un sustrato parecido al natural (tierra para hozar, hojarasca, ramas...) y dietas muy variadas (que incluyan fuentes de vitamina A).

Sitios web de interés

www.ciencia–hoy.retina.ar/hoy46/-tort01.htm

Bibliografía

Boyer, T. H. (1992). Common problems of box turtles (*Terrapene sp.*) in captivity. *Bulletin of the Assotiation of Reptilian and Amphibian Veterinarians* 2(1): 9-14.

Croudace, Ch. (1991). The husbandry, management and reproduction of the european tortoises *Testudo graeca* and *T. hermanni*. *Testudo* 3(1): 25-43.

Martínez Silvestre, A. (1994). *Manual clínico de Reptiles*. (1ª ed.). Barcelona: Grass Ediciones.

Macho de *Trachemys scripta elegans* con uñas largas normales en la especie

13. ¿Cuáles son los récords físicos más destacados en reptiles?

Los antepasados de los actuales reptiles poblaron nuestro planeta hace 300 millones de años, algunos de ellos han llegado hasta nuestros días prácticamente sin sufrir cambio evolutivo alguno, como los cocodrilos. Aquellos llamados saurópodos ostentaban récords de tamaño difícilmente igualables por los actuales reptiles, como las 75 t de peso y 23 m de largo del *Brachiosaurus*. Aun así, algunos saurios, quelonios y ofidios se cuentan entre los seres vivos de mayor tamaño y lo que es más espectacular si cabe, mirado desde un punto de vista humano, encontramos algunas de las especies más longevas, tanto, que son capaces de sobrevivirnos.

Récords de longevidad

La tortuga de las islas Galápagos *(Geochelone nigra)* se considera el vertebrado más longevo, más de 100 años. Con una edad comprobada de 170 años para un ejemplar que el famoso naturalista Charles Darwin recogió en la isla Santiago, del archipiélago de las Galápagos, en el año 1835, y la llevó a Inglaterra; años más tarde fue trasladada a Australia, donde *Harriet*, así se llama la tortuga, vive en la actualidad en el Queensland Reptile Park.

Los quelonios europeos más longevos pertenecen a las especies tortuga mora *(Testudo graeca)*, con 116 años, galápago europeo *(Emys orbicularis)*, con 120 años, y tortuga mediterránea *(Testudo hermanni hermanni)*, con más de 100 años comprobados para un ejemplar residente en el Centro de Recuperación de Anfibios y Reptiles de Catalunya.

Las serpientes más longevas son las boas *(Boa constrictor)*, con una edad comprobada de 40 años, 3 meses y 14 días, en un ejemplar cautivo en el Jardín Zoológico de Filadelfia y las pitones reales *(Phyton regius)*, cuyo récord lo ostenta un ejemplar que vivió 47 años en el Highland Park Zoo de Pensilvania (EE UU).

El saurio más longevo es el lución *(Anguis fragilis)*, para un ejemplar que vivió 54 años (desde 1892 a 1946) en el Museo Zoológico de Copenhague en Dinamarca.

Récords de tamaño

La mayor serpiente venenosa es la cobra real *(Ophiophagus hannah)* que con frecuencia alcanza los 5,5 m, y el récord lo ostenta con 5,71 m un ejemplar que vivió en el Zoológico de Londres.

El saurio más grande es el dragón de Komodo *(Varanus komodensis)*, con más de 2,5 m de longitud y 90 kg de peso.

Ejemplar gigantesco de tortuga africana de espolones mantenida en un parque zoológico privado cerca de Dakar (Senegal)

El mayor de todos los quelonios es la tortuga laúd *(Dermochelys coriacea)*, una especie marina, con un tamaño de más de 2,5 m y 800 kg de peso.

La tortuga más pequeña africana es la llamada *Homopus signatus*, de la cual los especímenes machos alcanzan como máximo 7 cm y las hembras 10 cm.

La mayor tortuga del mundo no insular es la tortuga de espolones africana *(Geochelone (centrochelys) sulcata)* que llega a rondar los 100 kg de peso.

La mayor serpiente del continente americano es la anaconda *(Eunectes murinus)*, cuyo récord lo ostenta un ejemplar capturado en Brasil en el año 1960, con un tamaño de 8 m 45 cm, un peso de 227 kg y 95 cm de contorno. Hay citas no comprobadas de ejemplares que superan los 12 m.

El ofidio más largo del mundo es la pitón reticulada *(Python reticulatus)*, sobrepasando con frecuencia los 6 m de longitud aunque algunos ejemplares han alcanzado casi los 10 m, como *Coloso*, una pitón que vivió en el zoo de Pittsburg (EE UU) y que al morir en 1963 medía 9,13 m. La serpiente actualmente viva más larga es una pitón

Otras preguntas relacionadas

16. ¿Los reptiles crecen durante toda la vida?

17. ¿Cuál es la longevidad de las tortugas de agua, las iguanas y otras especies comunes que se tienen como mascotas?

birmana *(Python molurus)* que mide 8,23 m, pesa 182,76 kg y tiene 21 años. La tienen expuesta en el Serpent Safari Park en Gurnee, Illinois (EE UU).

Las tortugas de aguas continentales, también llamadas de aguas dulces, consideradas de mayor tamaño, pertenecen al género *Rafetus*, concretamente *Rafetus swinthoei*, unas tortugas de caparazón blando de las cuales viven unos pocos ejemplares en el lago Hoan Kiem de Hanoi (Vietnam) y en el sur de China. Los ejemplares de esta especie llegan a pesar hasta 121 kg y el caparazón medir entre 1,10 y 1,20 m.

El mayor de todos los cocodrílidos, es el cocodrilo poroso, también llamado cocodrilo marino *(Crocodylus porosus)*, que vive el sudeste asiático y norte de Australia. Llega a medir 7,60 m.

Las serpientes más venenosas

La serpiente terrestre más venenosa es la especie *Parademansia mi-*

crolepidotus, oriunda del suroeste de Queensland y noroeste de Australia, donde los 110 mg de veneno que se extrajeron a un ejemplar hubieran podido matar 125.000 roedores.

Los incisivos más largos en una serpiente han sido observados en una víbora del Gabón *(Bitis gabonica)*, con casi 10 cm de tamaño.

La serpiente venenosa que se desplaza a más velocidad es la mamba negra *(Dendroaspis polylepis)*, con una punta de 25 km/h en cortas distancias.

Sitios web de interés

www.guinnessworldrecords.com

Bibliografía

Das, I. (2002). *A Photographic guide to snakes and other reptiles of India*. Londres: New Holland Publishers (UK) Ltd.

Pritchard, P. (1996). The Galápagos Tortoises: Nomenclatural and survival status. *Chelonian Research Monographs*, n° 1.

Thomson, S., Irwin, S. & Irwin, T. (1996). *Harriet*, la tortuga de las Galápagos. *Rev. Reptila* 2(4): 46-49.

Guyot, G. (1999). Les Monstres du lac Hoan Kiem a Hanoi (Vietnam). *MANOURIA. Revista Francófona de estudio, Cría y Conservación de los Quelonios* 2(3): 8-11.

FISIOLOGÍA: CÓMO FUNCIONAN LOS REPTILES

14. ¿Puede ahogarse una tortuga de agua?

Probablemente la pregunta en cuestión parezca incoherente, pero, al contrario de lo que podamos creer, los quelonios acuáticos pueden ahogarse con cierta facilidad.

Partiendo de la base de que todos los reptiles son seres pulmonados, la entrada de agua en esta víscera les provoca la muerte por ahogo.

En condiciones de libertad, es decir, en su hábitat, una tortuga de aguas continentales, como son los ríos, estanques, marismas, o embalses, no corre prácticamente ningún peligro de perecer ahogada. Con cierta frecuencia, la actividad pesquera en zonas con presencia de tortugas acuáticas da como resultado la captura ocasional de quelonios. Por ejemplo, el galápago europeo *(Emys orbicularis)* es objeto de pesca accidental en la marismas del Po (Italia), donde numerosos ejemplares perecen ahogados en el interior de las artes de pesca utilizadas para la captura de anguilas *(Anguilla anguilla)*. La muerte les llega ante la imposibilidad de poder respirar al permanecer las nasas de pesca sumergidas. Si bien las tortugas de agua son capaces de realizar una apnea prolongada (por ejemplo, durante la hibernación), no pueden soportar la falta tan prolongada de la respiración durante las épocas de actividad.

Las posibilidades de que muera por ahogamiento una tortuga de agua mantenida en cautividad aumentan considerablemente, debido en algunos casos a la inexperiencia del propietario.

Nunca alojaremos un galápago en un terrario de cristal, plástico u otro material que no posea una superficie de descanso o insolación accesible con facilidad. En caso de ser un acuario como un depósito, la profundidad del agua no debe impedir reposar al quelonio en el fondo del mismo teniendo al mismo tiempo la cabeza fuera para respirar. Si omitiéramos estas condiciones de alojamiento, la tortuga recién adquirida, que lógicamente ha experimentado un proceso de estrés por el manejo y cambio de condiciones, no cesaría de nadar en el acuario de forma frenética, realizando esfuerzos por salir del mismo. Este comporta-

Otras preguntas relacionadas

19. ¿Cuánto tiempo pueden aguantar sin respirar una tortuga, una iguana, un camaleón y una serpiente?

29. ¿El agua corriente es apta para las tortugas de agua?

miento realizado durante largo tiempo conduce a un agotamiento del reptil, que consume gran cantidad de energía y respira nerviosamente luchando por escapar a una zona sólida donde refugiarse. La consecuencia última será la muerte por ahogamiento de la tortuga al abandonarle las fuerzas y sedimentar su cuerpo en el fondo del acuario.

Otra causa que puede conducir a una tortuga a morir ahogada la encontraremos en el extremo opuesto del manejo de reptiles: el exceso de decoración o de complementos ambientales del acuaterrario. Las posibilidades de muerte por ahogamiento pueden sobrevenir en un estanque para tortugas que esté en exceso naturalizado. La posibilidad de que un quelonio quede atrapado entre unas ramas o piedras colocadas como ambientación son reales. Unas rocas no sujetadas firmemente pueden derrumbarse sobre uno de los inquilinos del acuaterrario y atraparlo en el fondo impidiéndole acceder a la superficie para respirar. De igual forma,

unos troncos excesivamente entrelazados pueden capturar al quelonio entre sus ramas. Estos casos suelen darse en instalaciones que alojan a más de un ejemplar. La masificación del acuaterrario propiciará la competencia por la alimentación, persecuciones de apareamiento y otras conductas derivadas que producirán un uso nada cuidadoso del habitáculo.

También es importante documentarse sobre las especies de tortugas acuáticas que vamos a adquirir, distribución geo-climática, hábitats que frecuentan y morfología; por este medio, podremos saber cómo adaptar la instalación a sus necesidades. Así pues, algunos quelonios acuáticos tienen mayor o menor necesidad de profundidad de agua para desarrollar sus actividades; por ejemplo, las tortugas caja asiáticas *(Cuora amboinensis)*, como especie de clima tropical que habita zonas pantanosas, son buenas nadadoras aunque parte de su vida la ejercen en tierra firme; en consecuencia, un exceso de zona con agua de nuestro terrario o la ausencia de zonas de descanso comportaría su muerte por ahogamiento. Por otro lado, hay especies de climas tropicales que en nuestras latitudes pueden ser alojadas durante la primavera o verano en instalaciones al aire libre, como las tortugas dentadas *(Cyclemys dentata)* o las de caparazón blando de la especie *Pelodyscus sinen-*

Cuora amboinensis en un acuario mal diseñado. Existe elevado riesgo de ahogo

La misma tortuga en un acuario con área de reposo

sis. En estos casos debemos estar alerta a las oscilaciones térmicas bruscas, que pueden sumir en un letargo repentino a estas tortugas de clima tropical o subtropical, anulando sus funciones motrices. En estos casos impediríamos el acceso de las tortugas a la superficie del agua para respirar, depositándolas en el fondo del estanque hasta perecer ahogadas.

Sitios web de interés

www.reslider.free.fr/sres.html

Bibliografía

Harcourt-Brown, F. (1997). The effects of captivity on tortoise behaviour. *Testudo* 4,4: 19-25.

Martínez Silvestre, A. (1994). *Manual clínico de Reptiles*. (1ª ed.). Barcelona: Grass Ediciones.

15. ¿La tortuga de Florida y similares hibernan dentro o fuera del agua?

Popularmente se denomina a los reptiles animales de sangre fría. Esta definición sencilla debería matizarse diciendo que los reptiles son seres heterotermos, es decir, que su temperatura corporal viene definida en gran medida por los factores climáticos del momento y, por tanto, es variable. Se define como Temperatura Corporal Óptima (TCO), la temperatura que permite a un reptil realizar sus actividades fisiológicas con normalidad, por ejemplo: alimentarse, defecar, desplazarse, aparearse. Por debajo o por encima de este margen de TCO, que en cada especie de reptil será diferente, éste entrará en un período de inactividad, dado que sus funciones metabólicas no podrán realizarse correctamente. En el caso que se nos plantea,

la respuesta fisiológica de las tortugas de agua, llamadas de Florida, a un descenso paulatino de la temperatura ambiental por la llegada del invierno será generalmente la permanencia en el fondo del estanque donde la tengamos alojada.

La tortuga entrará en un período llamado hibernación; éste es conseguido con la ralentización de su actividad metabólica, hasta el límite de que su actividad respiratoria pasa a un consumo mínimo. Incluso algunas especies llegan a practicar la respiración anaeróbica, donde la obtención mínima de la energía necesaria para mantenerse con vida proviene de la glicólisis, proceso en el que se consigue energía desde las moléculas de glucosa y prescindiendo del oxígeno. Por esta razón, no hemos de alarmarnos cuando observemos que nuestra tortuga de Florida (*Trachemys scripta elegans*) pasa varios días bajo el agua durante la estación fría. Esta conducta será del todo natural ya que la TCO no la consigue de ningún modo y la consecuencia es la hibernación. Algunos quelonios palustres, como la tortuga del lodo (*Sternoterus minor*), pueden llegar a permanecer meses sumergidas a la espera de condiciones ambientales favorables.

Otras preguntas relacionadas

19. ¿Cuánto tiempo pueden aguantar sin respirar una tortuga, una iguana, un camaleón y una serpiente?

22. ¿Qué importancia tienen la temperatura, la humedad y el fotoperíodo en la vida de un reptil?

27. ¿Qué es la hibernación? ¿Hay que evitarla o es aconsejable?

Para la mayoría de las tortugas, este sistema permite evitar la deshidratación, que es la principal causa de mortalidad durante los períodos de inanición.

Si nuestras tortugas acuáticas hibernan en un recinto al aire libre, es importante asegurarnos de que la profundidad del estanque o balsa sea en algún punto de 40 cm como mínimo, para permitir al quelonio permanecer completamente sumergido.

Las especies de tortugas acuáticas pueden también escoger para su hibernación un lugar en tierra firme, bajo un montón de hojarasca o enterradas en la tierra vegetal, donde se mantiene bien la humedad y los procesos metabólicos del reptil se desarrollarán con idéntico resultado.

Hay que advertir que el riesgo de perecer durante este período existe, sobre todo en ejemplares que hayan sufrido alguna patología reciente-

Pleno invierno. Los galápagos americanos están hibernando bajo el hielo mientras que algunos pasean sobre él

mente, tengan una edad avanzada o sean neonatos. Estas puntualizaciones tendrán que tenerse presentes en el caso de especies como: *Trachemys scripta elegans, Trachemys scripta scripta, Graptemys pseudogeographica, Pseudemys Floridana, Crisemys picta,* y otros galápagos de distribución geográfica similar a las tortugas de Florida.

Los quelonios de climas tropicales o subtropicales no deben realizar una hibernación rigurosa, dado que en sus zonas de origen ésta no se produce, pues su metabolismo no experimenta nunca una reacción tan drástica a una variación climática estacional; por lo tanto, si sometiéramos al reptil a ella, se produciría un estrés fisiológico que ocasionaría la muerte. Sin embargo, es recomendable inducir al proceso de hibernación a quelonios cuyas áreas de distribución correspondan a zonas climáticas marcadas claramente por estaciones, como Europa, América del Norte o el centro de Asia.

Ausencia de depredadores

Si las tortugas hibernan fuera del agua pueden sufrir depredación por parte de roedores. Parece una cuestión inverosímil, pero si analizamos el problema nos daremos cuenta de la situación. Roedores como las ratas *(Ratus ratus* o *Ratus norvegicus)* o los ratones *(Mus musculus)* no tienen acceso fácil durante la estación fría a una alimentación rica en proteínas. Por ello, ven en las tortugas que están completamente inactivas una fuente accesible de proteínas. La imposibilidad de huida del quelonio hará de él una presa fácil. Las ratas pueden llegar a matar tanto a crías como a jóvenes, que devoran en su totalidad y que generalmente llevan a su guarida para almacenarlas. Incluso pueden mutilar gravemente a ejemplares adultos, a los que por su tamaño no pueden arrastrar pero sí los van royendo cada día un poco, en sus extremidades, cola, muslos, etc., en el mismo sitio donde la tortuga está hibernando. Esto puede ocurrir en cualquier especie de tortuga (terrestre o acuática) que esté realizando una hibernación fuera del agua.

Sitios web de interés

www.anapsid.org/hibernation.html

Bibliografía

King, J. M., Kuchling, G., & Bradshaw, S. D. (1998). Thermal environment, behaviour, and body condition of wild pseudemydura umbrina (Testudines: chelidae) during late winter and early spring. *Testudo* 4,5: 88-102.

Martínez Silvestre, A. (1996). *El Terrario.* Barcelona: GPE Edicions.

16. ¿Los reptiles crecen durante toda la vida?

Esta pregunta puede parecernos un poco extraña partiendo del modelo de crecimiento humano. Como vertebrados y mamíferos, nuestro proceso de desarrollo va relacionado directamente con la edad. Existen claramente marcadas dos etapas de crecimiento, una empieza en el estado embrionario y llega hasta la madurez sexual, con un aumento de tamaño muy rápido, y a partir de ese instante el proceso de desarrollo se va a ralentizar hasta detenerse.

En el caso de los reptiles encontramos una clara diferencia con los demás vertebrados, ya que su crecimiento puede no detenerse en el período claramente definido de la madurez sexual, sino continuar durante mucho más tiempo o ralentizarse de forma menos brusca que en el caso de los mamíferos. Así pues, aunque algunos quelonios –por ejemplo, *Testudo graeca* o *Testudo marginata*– tienen la capacidad de crecer a lo largo de toda su vida, no ocurre lo mismo en todos los reptiles. Existen numerosas especies generalmente de tamaños pequeños, como la tortuga caja americana *(Terrapene ornata)*, cuyo crecimiento se reduce considerablemente entre los 15 los 20 años de edad y alcanzan un tamaño de 12,7 a 15,2 cm hasta detenerse.

El hallazgo de ejemplares récord dentro de una determinada especie puede probar en cierta forma la teoría del crecimiento continuado, que vemos reflejada en ofidios, quelonios y cocodrílidos. Las circunstancias que han permitido a ciertos individuos alcanzar grandes tamaños van ligadas a la suerte que hayan tenido a lo largo de su dilatada vida, por ejemplo, evitando predadores, logrando presas o librándose de destrucciones en sus hábitats.

Por tanto, cabe considerar también como factor limitante del crecimiento las circunstancias ambientales y de acceso al alimento. Ello va a producir explosiones temporales en el desarrollo del individuo a lo largo de su vida. En el caso de los neonatos, por ejemplo, las tortugas mediterráneas nacidas con tiempo suficiente para

Otras preguntas relacionadas

13. ¿Cuáles son los récords físicos más destacados en reptiles?

25. ¿En qué consiste la muda y de qué depende?

35. ¿Cuál sería el terrario ideal para alojar un reptil desértico de gran tamaño?

Especie	Zona de origen	Tamaño medio de los ejemplares adultos (m)	Tamaño máximo conocido (m)
Crocodylus niloticus	África	3,00 a 3,50	6,70
Crocodylus cataphactus	África tropical	1,50 a 2,00	4,00
Crocodylus porosus	Asia meridional y Oceanía	3,60 a 4,20	8,50 (?)
Crocodylus palustris	Asia meridional	2,50 a 3,00	3,96
Crocodylus siamensis	Sudeste asiático	2,20 a 2,80	3,35
Crocodylus nova-guineae	Nueva Guinea y Filipinas	2,00 a 2,50	2,81
Crocodylus johnstoni	Australia septentrional	1,80 a 2,15	2,43
Crocodylus acutus	América	3,00 a 3,60	6,70
Crocodylus intermedius	América del sur	3,00 a 3,60	7,00
Crocodylus moreleti	América central	1,80 a 2,15	3,35
Crocodylus rhombifer	Cuba	1,80 a 2,45	3,65
Osteolaemus tetraspis	África tropical	1,00 a 1,52	1,82
Tomistoma schlegeli	Malasia e Indonesia	2,75 a 3,00	4,87
Alligator mississippiensis	América del norte	2,45 a 3,00	5,84
Alligator sinensis	China	1,20 a 1,50	1,52
Caiman crocodylus	América central y del sur	1,20 a 2,00	2,57
Caiman latrirostris	América del sur	1,20 a 1,80	2,00
Melanosuchus niger	América del sur	3,00 a 3,60	4,57
Paleosuchus palpebrosus	América del sur	1,00 a 1,20	1,41
Paleosuchus trigonatus	América del sur	1,00 a 1,10	1,21
Gavialis gangeticus	India y Birmania	3,60 a 4,60	7,11

Se aprecia el crecimiento en pequeñas pirámides en una tortuga radiada de Madagascar (*Astrochelys radiata*) al lado de una con crecimiento normal

alimentarse antes de entrar en el período de hibernación tendrán un crecimiento mayor que los individuos nacidos a finales de la estación estival. La disponibilidad de alimento condicionará la vida y el tamaño de los reptiles.

En cautividad podemos alterar el patrón de desarrollo en especies de climas con estaciones claramente marcadas, durante una de las cuales (el invierno) el reptil entra en un período de hibernaciónen en el que se detiene temporalmente su crecimiento. Las tortugas de climas mediterráneos, por ejemplo, si se mantienen a 28 °C como mínimo durante esta época desfavorable, no detendrán sus funciones biológicas y seguirán creciendo hasta el punto de doblar en tamaño a los ejemplares nacidos en el mismo período y que hayan efectuado la hibernación. La disponibilidad de alimento y la variación en la temperatura alterarán el crecimiento normal en estos casos. La conveniencia de ello es discutible, dado que en la mayoría de las ocasiones se produce una aportación excesiva de alimento. El exceso de proteína en la dieta dará como resultado el desarrollo de un caparazón con deformaciones evidentes, donde cada una de las placas que lo integran presentarán un crecimiento piramidal característico.

Los cocodrilianos tienen un patrón de crecimiento espectacular. Se ha comprobado recientemente que en *Alligator mississippiensis* el adulto puede llegar a ser 571 veces más grande que el neonato. Para tener un patrón de comparación de crecimiento, en la tabla se exponen los tamaños máximos y medios de las especies de Cocodrílidos.

Sitios web de interés

www.apt.allenpress.com/aptonline/?request=get-abstract&issn=0733-1347

Bibliografía

Bellosa, H. (2004). Fascinación por las serpientes récord. *Reptilia* 40: 32-34.

Donoghue, S. (1999). Nutrition of captive reptiles. *Veterinary Clinics of North America: Exotic Animal Practice.* 2(1): 69-91.

Guix, J. C. (2001). Algunas consideraciones sobre el tamaño corporal y la conservación de anfibios y reptiles. *Boletín de la Asociación Herpetológica española* 12: 95-98.

17. ¿Cuál es la longevidad de las tortugas de agua, las iguanas y otras especies comunes que se tienen como mascotas?

Las mayores longevidades se dan en animales mantenidos en cautividad, donde parámetros como la depredación, la búsqueda de alimento y la posibilidad de padecer enfermedades resultan muy secundarios. No obstante, la ignorancia acerca del mantenimiento o de las dietas hace que la vida de los reptiles en cautividad sea en ocasiones mucho más corta de lo que debería ser.

Pongamos como ejemplo a diversos reptiles comúnmente mantenidos como mascota.

La tortuga de Florida o de orejas rojas (*Trachemys scripta elegans*) es con diferencia el quelonio acuático más presente en los hogares españoles. Sólo en el año 1995 fueron importados de los Estados Unidos 557.976 ejemplares con destino al comercio de mascotas. Muchas de ellas no vivieron mucho tiempo en cautividad debido a la inexperiencia de que adolece la mayoría de la población en el mantenimiento de reptiles; en conjunto, estas tortugas vivieron entre 6 meses y 4 años. Pero un porcentaje nada despreciable de ellas ha sobrevivido hasta la actualidad, dado que la tortuga de Florida puede llegar a vivir entre 20 y 25 años, excepcionalmente 35. La longevidad de esta tortuga se hace especialmente patente en los individuos machos, que, al sobrepasar los 15 años, adquieren una coloración en general más apagada y pierden paulatinamente la característica mancha anaranjada que poseen todos los individuos de esta especie a ambos lados de la cabeza. Como no dejan de crecer durante su vida, una tortuga de Florida puede crecer mucho en 20 años; en el caso de las hembras, hasta los 32,7 cm. Hace ya bastantes años se creía que esta especie tenía un escaso desarrollo y que su vida era corta. Las tortugas se vendían en un infame receptáculo en forma de palangana y decorado con una palmera de plástico. Se las alimentaba con preparados comerciales desequilibrados. Lógicamente, la corta longevidad era fruto de las inadecuadas condiciones de mantenimiento.

La tortuga mora (*Testudo graeca*) es una especie que en condiciones naturales alcanza una longevidad comprendida entre los 8 y los 24 años. Tan

Otras preguntas relacionadas

13. ¿Cuáles son los récords físicos más destacados en reptiles?
54. ¿Los reptiles comen siempre lo mismo durante su vida o cambian con la edad?

sólo un 5% de los especímenes supera los 40 años. Estos datos han sido comprobados científicamente en el parque nacional de Doñana, una de las dos zonas de la península Ibérica donde habita. Entendamos, pues, que la disponibilidad de alimento o las adversidades climatológicas prolongadas, entre otras causas, pueden afectar a la supervivencia de la especie. Estas mismas tortugas moras tienen el récord de longevidad dentro de los representantes del género *Testudo*, con 116 años para un ejemplar mantenido en cautividad. Pero estos casos de larga vida no son raros; por ejemplo, en el Centro de Recuperación de Anfibios y Reptiles de Cataluña ingresan con asiduidad especímenes donados por particulares con edades comprobadas entre los 50 y 70 años. Una alimentación siempre fácil, hibernaciones nada rigurosas al abrigo de las comodidades humanas y ausencia de peligros, como los incendios forestales o la depredación, incrementan espectacularmente sus posibilidades de supervivencia.

La iguana (*Iguana iguana*) es actualmente el saurio más popular como mascota. Su distribución natural se enmarca en el continente americano, centro y sur de Suramérica. Las selvas ecuatoriales son su hogar. La longevidad para esta especie en cautividad es de 13 a 15 años, período de tiempo nada despreciable para un vertebrado.

En su hábitat natural, esta misma iguana correrá sinfín de peligros. Instantes después de nacer, será objeto de depredación por una ingente variedad de aves, caimanes y mamíferos. Por otro lado, tendremos que sumar la captura para la alimentación humana. No olvidemos que en las sociedades indígenas es habitual el consumo de carne de caza, también llamada «carne de bosque» o «bush meat». No en vano esta especie recibe el nombre de «gallina de palo», aludiendo a la textura de su carne. Los hábitos arbóreos del reptil y las posibilidades de sufrir un accidente en el deambular diario en busca de comida reducirán su capacidad de supervivencia. Por otro lado, el carácter dominante de los machos adultos, poseedores de alto rango en la jerarquía del grupo, les hará permanecer en continuo estado de alerta y estrés y les hará más propensos a padecer lesiones. Todos estos condicionantes desaparecen en cautividad, cuando tan sólo una dieta inadecuada o un alojamiento deficiente harán mella en su salud. Tanto es así, que, en libertad, la iguana tiene un crecimiento lento en su fase juvenil, mientras que en cautividad éste se acelera espectacularmente con una aportación diaria de proteínas y minerales. En 3 o 4 años un ejemplar puede llegar a medir 90 cm de la punta del hocico al extremo de la cola.

Pero quizá el caso récord de longevidad, peso y tamaño lo encontremos más espectacularmente definido en el caso de los ofidios. La familia de los boidos tiene representantes tan espectaculares como las anacondas (*Eunectes murinus*) o la boas (*Boa constrictor*), especies que han llegado a vivir en cautividad 29 y 40 años respectivamente. Estas serpientes suelen tener también récords de tamaño, asociado al de la longevidad, por ejemplo, el de una pitón india (*Pitón reticulatus*) que vivió en el zoo de Pittsburg (EE UU):

murió con no menos de 23 años, un mínimo de 150 kg de peso y 9 m y 15 cm de tamaño. Un ejemplo tan espectacular de récords en un animal no suele darse en libertad. La gran mayoría de casos de edad avanzada se ha documentado en reptiles mantenidos en cautividad, donde las condiciones artificiales han anulado todos los peligros de la vida libre.

Sitios web de interés

www.kingsnake.com/alterna/longevity.html

Un ejemplar de tortuga de tierra (*Testudo graeca ibera*) con más de un siglo de edad confirmado

Bibliografía

Bruno S. & Maugeri S. (1992). *Guía de las serpientes de Europa.* Barcelona: Editorial Omega.

Donoghue, S. (1999). Nutrition of captive reptiles. *Veterinary Clinics of North America: Exotic Animal Practice.* 2(1): 69-91.

Galbraith, D. A. & Brooks, R. J. (1989). Age estimates for snapping turtles. *J. Wildl. Manage.* 53(2): 502-508.

Longevidades conocidas de algunos reptiles

Especie	Longevidad
Tortuga de la Galápagos (*Geochelone nigra*)	169 años
Tuátara (*Sphenodon punctatus*)	150 años
Tortuga mora (*Testudo graeca*)	116 años
Galápago europeo (*Emys orbicularis*)	120 años
Tortuga de caparazón blando (*Apalone spiniferus*)	25 años
Tortuga de Florida (*Trachemys scripta elegans*)	35 años
Tortuga aligator (*Mracroclemys temmincki*)	58 años
Camaleón americano (*Anolis carolinensis*)	1 año
Monstruo de Gila (*Heloderma suspectum*)	20 años
Iguana (*Iguana iguana*)	De 13 a 15 años
Lución (*Anguis fragilis*)	54 años
Cocodrilo del Nilo (*Crocodrilus niloticus*)	Cerca de 100 años
Aligator (*Aligator mississippiensis*)	56 años
Boa constrictor (*Boa constrictor*)	40 años
Anaconda (*Eunectes murinus*)	29 años
Culebra lisa meridional (*Coronella girondica*)	13 años
Culebra bastarda (*Malpolon monspessulanus*)	25 años
Víbora áspid (*Vipera aspis*)	14 años
Culebra de collar (*Natrix natrix*)	19 años

18. ¿Cuáles son las características biológicas principales de las 10 especies más comunes de reptiles?

Especie	Diurna/ Nocturna	Alimentación	Temperaturas óptimas de mantenimiento (°C)	N° huevos	Tiempo de gestación o incubación
Iguana iguana	D	Herbívora (frutas y verduras variadas y piensos específicos	30 a 35	25/30	
Pogona vitticeps	D	Básicamente herbívora, complementando dieta con insectos u otra proteína, sin abusar	30 a 35	10/20	
Chamaleo caliptratus	D	Básicamente insectívora, aunque puede complementarse con cría de ratón e incluso flores	28 a 30		
Boa constrictor	N	Carnívora (predador de todo tipo de roedores, aves como las codornices, y conejos)	26 a 34		130-180 días entre 26-28 °C en terrario
Python molurus	N	Carnívora (predadora de todo tipo de roedores, aves como las codornices, y conejos)	26 a 34		
Lampropeltis getulus	D	Carnívora básicamente roedores	25 a 30	6/12	
Trachemys scripta elegans	D	Omnívora (pescado, carne roja, frutas, piensos específicos)	20 a 30	3/22	
Phyton regius	N	Carnívora (predadora de todo tipo de roedores y aves de pequeño tamaño como codornices)	25 a 32	10/30	
Terrapene carolina	D	Omnívora (pescado, carne roja, frutas, y verduras piensos específicos, invertebrados como lombrices)	25 a 28	3/7	
Caiman crocodylus	N	Carnívora (Carne de ave o mamífero y pescado)	28 a 35		

Especie	Tiempo de incubación	Edad de reproducción mínima (en años)	Tamaño medio (cm)	Longevidad Media en años
Iguana iguana	A entre 28-31 °C, y + del 75% de humedad ambiente	4	100-150	13-15
Pogona vitticeps	51 a 85 días a entre 27-32 °C, a 95% humedad ambiente	2	25-40	5/7
Chamaleo caliptratus		2	15-25	5/7
Boa constrictor		4	200-250	25/35
Python molurus	95-100 días a entre 30-32 °C, y entre 95-100% humedad ambiente	4-5	250-350	20/30
Lampropeltis getulus	45-65 días	3	70-100	10/13
Trachemys scripta elegans	65-85 días a entre 26-32 °C, y + del 75% humedad ambiente	7-8	20-28	20/35
Phyton regius	60 a 70 días a entre 28-32 °C, y entre 90 y 100% humedad ambiente		90-120	20/30
Terrapene carolina	50-65 días a entre 28-30 °C y + del 75% humedad ambiente	9-10	12-16	40/60
Caiman crocodylus	90 días a entre 30-32 °C, y + del 75% humedad ambiente	9-10	150-200	30/40

Sitios web de interés

www.ssarherps.org

Bibliografía

Ernst, C. H., Barbour, R. W., & Lovich, J. E. (1994). *Turtles of the United States and Canada*. (1ª ed.). Washington: Smithsonian Institution Press.

Raiti, P. (2001). Snakes. *Manual of Exotic Pets* 4: 242-256.

Otras preguntas relacionadas

8. ¿Qué reptiles regeneran la cola y cuántas veces pueden hacerlo? ¿Regeneran algún miembro más?

11. ¿Qué curiosidades anatómicas tienen los reptiles?

17. ¿Cuál es la longevidad de las tortugas de agua, las iguanas y otras especies comunes que se tienen como mascotas?

19. ¿Cuánto tiempo puede aguantar sin respirar una tortuga, una iguana, un camaleón y una serpiente?

Los reptiles, en general, tienen un metabolismo muy bajo en comparación con los mamíferos o las aves. Sus tejidos pueden trabajar de modo óptimo prescindiendo de las cantidades de oxígeno que serían necesarias en los mismos tejidos de un mamífero o de un ave. En consecuencia, para ellos no es algo terrible estar un tiempo sin respirar; es más bien algo normal, como sería para un ave estar algún tiempo sin volar.

Pero el caso es que, en ocasiones, están mucho tiempo, tanto que resulta realmente espectacular establecer comparaciones con los humanos.

Dependiendo de la especie de reptil, podrá estar más o menos tiempo que otra. Los reptiles de climas tropicales necesitan respirar más a menudo que los de climas templados; los reptiles que hibernan pueden mantener más sus apneas que los de climas cálidos, etc. Todo está en relación con el metabolismo de cada organismo en su ambiente.

Un camaleón, en consecuencia no puede estar mucho tiempo sin respirar (apenas unos minutos). Las serpientes pueden aguantar hasta algunas horas (como es el caso de las serpientes marinas o acuáticas buceadoras). Las iguanas no aguantan más de 10 a 12 minutos. En el otro extremo están las tortugas. Existen especies acuáticas que pueden estar más de dos horas sin respirar, cuando huyen despavoridas y se sumergen en el agua. Por ello, el depredador puede aburrirse esperando que su presa salga a respirar y decidirá marcharse. Visto así, la apnea les salva la vida.

Otras tortugas acuáticas (*Chelydra serpentina*, *Trachemys* sp.) ven cómo sus charcas se congelan cuando empieza el invierno. En ese momento

Tortugas mordedoras (*Chelidra serpentina*) hibernando bajo el hielo en las instalaciones exteriores del CRARC. El orificio se les realiza para que puedan salir a respirar. Sin embargo, lo utilizan bien poco

Otras preguntas relacionadas

14. ¿Puede ahogarse una tortuga de agua?

27. ¿Qué es la hibernación? ¿Hay que evitarla o es aconsejable?

84. ¿Cómo saber si una tortuga tiene una enfermedad grave o no cuando moquea y hace ruidos al respirar?

no podrán salir a respirar. Pero para ellas no es ningún problema, ya que su metabolismo, sus latidos cardíacos y la necesidad de oxígeno por parte de sus tejidos está tan reducida al mínimo, que no necesitan salir a respirar más que unas pocas veces por semana.

Otras tortugas acuáticas (géneros *Chrysemys*) son capaces de prescindir totalmente del oxígeno e iniciar una ruta metabólica distinta. Se trata de las tortugas cuya área de distribución llega hasta Canadá, donde las temperaturas de más de tres meses al año son bajo cero. Estas tortugas realizan una hibernación tan profunda que su metabolismo empieza a funcionar sin oxígeno, lo que se conoce como metabolismo anaerobio, en el cual la energía necesaria para seguir viviendo, que es muy poca, la consiguen quemando sus reservas de azúcares.

Cuando estos reptiles se encuentran en cautividad, sufren algunos cambios respecto a la norma descrita hasta ahora.

Los veterinarios de animales exóticos reciben de vez en cuando algún susto. En las cirugías, y durante la anestesia, los reptiles notan que les está entrando algo extraño y realizan una apnea. Así evitan respirar aquello que les es anómalo o desconocido. Por otro lado, algunos agentes anestésicos provocan en ocasiones apneas como efecto secundario. El caso más espectacular en la experiencia de los autores fue una iguana que estuvo en apnea ¡65 minutos! Cuando finalmente los cirujanos la dieron por muerta, ella empezó a respirar como si nada hubiera pasado.

Sitios web de interés

www.compphys.bio.uci.edu/hicks/-1.pdf

Bibliografía

Coke, R. L. (2000). Respiratory biology and diseases of captive lizards. *Veterinary Clinics of North America: Exotic animal practice.* 3(2): 531-536.

Driggers, T. (2000). Respiratory diseases, diagnostic and therapy in snakes. *Veterinary Clinics of North America: Exotic Animal Practice* 3: 519-529.

Mader, D. R. & Wyneken, J. (2000). Understanding cardiopulmonary systems in reptiles. *Proceedings of the ARAV* 7: 195-196.

20. ¿Cuál es el peso aproximado que puede llegar a perder una tortuga terrestre durante su hibernación?

Nos hemos referido ya al concepto de la hibernación en los reptiles en otras preguntas, pero se nos plantea una nueva cuestión, ¿pierden peso al hibernar?, y más concretamente en el caso de las tortugas terrestres.

Para hacer un símil, podemos establecer un paralelismo entre la actividad realizada, el consumo energético, la grasa que se gasta o almacena y los latidos cardíacos. Si un reptil está activo, el corazón va más rápido y también consume más grasa, por lo que se moviliza la grasa de su almacén natural: el tejido adiposo.

Una tortuga terrestre de clima mediterráneo, como, por ejemplo, la *Testudo hermanni hermanni*, desarrolla toda su actividad diaria de forma normal con temperaturas comprendidas

Tortuga mora (*Testudo graeca*) con un excelente estado de hidratación y salud tras la hibernación

entre los 28 y los 30 °C y unas 30 pulsaciones por minuto de su corazón. Sabemos que va a empezar a ralentizar todas sus funciones biológicas cuando la temperatura ambiental descienda por debajo los 20 °C, los desplazamientos serán torpes, apenas comerá y quedará inmóvil gran parte del tiempo. Cuando esto sucede, la tortuga ya habrá escogido el lugar idóneo para cobijarse. Esta situación se prolongará mientras las temperaturas oscilen entre los 10 y los 15°C, las pulsaciones también habrán bajado hasta las 15 por minuto. El corazon late menos y la sangre llega peor a su destino, pero ocurre que ese destino (los tejidos, músculos, etc.) no necesita tanto aporte energético, con lo cual, tampoco consumen tanta energía. En consecuencia, el consumo de los depósitos grasos es prácticamente nulo. Se ha señalado una pérdida máxima de entre el 8 y el 10% de su peso en el momento de entrar en hibernación, aunque algunos autores especulan con la posibilidad de que no se produzca pérdida alguna.

Pero ¿de dónde pierde peso una tortuga durante el invierno? Pues muy sencillo: de la deshidratación. Sabemos que cerca del 70% del organismo de las tortugas está compuesto de agua. Si esta tortuga orina y defeca, pero tambien bebe y se alimenta con regularidad existe un equilibrio de entrada y salida de líquidos que es beneficioso para su salud. Pero si durante el invierno no se instala en un buen sitio puede ocurrir una desgracia. La pérdida de líquido por evapotranspiración se suma a la ausencia de ingestión de líquidos. Todo ello rompe el equilibrio y el animal puede llegar a perder más de un 40% de su peso. Más alla de este punto, el riesgo de muerte durante el invierno es elevadísimo.

Entonces, ¿para qué sirve la grasa acumulada?

El gran consumo de grasas se realizará cuando la tortuga despierte. Los machos buscarán hembras, las hembras huirán de los machos, los machos se pelearán entre ellos, las hembras realizarán espectaculares ovulaciones. Todo ello representa un dispendio energético elevadísimo, para lo cual la tortuga ha de salir de la hibernación con una buena dote de materia grasa por consumir. Mientras que el invierno es el causante de la bajada de líquidos, la primavera lo es de la bajada de tejido graso en las principales especies de reptiles.

Riesgos durante la hibernación

Es cierto que para muchos reptiles el período de hibernación no ha de suponer ningún problema, puesto que forma parte de su ciclo biológico. Pero también es importante que llegue a este estado con plenas garantías de salud. Las principales son las siguientes:

Estado nutricional

Para tener garantía absoluta de que una tortuga terrestre pueda superar sin percance tan dura prueba de resistencia, es necesario que el quelonio se haya alimentado correctamente durante el período activo de su ciclo biológico, sobre todo a finales de verano y principios de otoño. El acúmulo de grasas del reptil garantizará las reservas energéticas necesarias para la hibernación y la posterior reproducción.

Hidratación

En estado libre, y al enterrarse bajo tierra u hojarasca, las tortugas tienen acceso de forma natural a una humedad ambiente, que les preserva del consumo de sus reservas hídricas en exceso. Casos de deshidratación suelen darse cuando el propietario de una tortuga hace hibernar a ésta en una habitación del domicilio, en una caja de cartón llena de papel periódico o envuelta en un jersey de lana. El ambiente que se genera en un piso o casa, es mucho más seco que el que encontraría la tortuga en libertad. Además, la temperatura nunca suele bajar de los 18 °C, con lo cual, el quelonio no está activo, pero su ritmo cardíaco y funciones vitales no se ralentizan lo suficiente. En consecuencia, el reptil sigue consumiendo sus reservas hídricas y grasas a un ritmo mucho más rápido que el natural hasta morir por deshidratación. Por ello, siempre que pretendamos hacer hibernar una tortuga dentro de casa, hemos de preparar un cajón con turba u hojas, que iremos humedeciendo con periodicidad.

Sitios web de interés

www.tortoisetrust.org/articles/Refrigerator.htm

Bibliografía

Debaux B. (1988). *La tortue sauvage*. París: Sang de la Terre.

Redrobe, S. (1997). Post-hibernation anorexia in mediterránean tortoises (*Testudo* spp.) in the UK. *Proceedings of the ARAV* 1: 67.

Wappel, S. M. & Schulte, M. S. (2004). Turtle care and husbandry. *Veterinary Clinics of North America: Exotic Animal Practice* 7: 447-472.

Otras preguntas relacionadas

27. ¿Qué es la hibernación? ¿Hay que evitarla o es aconsejable?

55. ¿Es preferible un reptil tendente a la obesidad o bien tendente a la delgadez?

21. ¿Cómo saber la edad de una tortuga? ¿Hay algún método fiable?

Con frecuencia, hemos oído decir que los reptiles son muy longevos, y más concretamente las tortugas, de las cuales existen numerosos récords de edad, pero ¿Cómo podemos averiguar los años de vida en un quelonio? Existen básicamente dos métodos, aunque su resultado no es muy exacto en determinados casos.

Determinación de la edad por conteo de los anillos de crecimiento de las placas córneas

Este método para averiguar la edad de una tortuga se emplea de modo similar a la forma utilizada para determinar la edad de los árboles, partiendo del conteo de los anillos de crecimiento formados en el tronco una vez cortado. En el caso de los quelonios, el reptil no sufre ningún daño físico para aplicar el proceso, ya que este conteo se efectuará sobre una de las placas córneas del caparazón. Cada una de estas placas córneas que recubre el caparazón en una tortuga forman un anillo de crecimiento anual, partiendo del centro de cada una de ellas. Partiendo de la escama o placa embrionaria, es decir, la que conforma su caparazón en el momento de nacer, iremos contando los surcos concéntricos que van surgiendo alrededor de ésta, donde cada uno equivaldrá a un año de vida. Los surcos que forman los anillos corresponderan al período hibernal, momento de su ciclo biológico en el que no se produce crecimiento alguno, el espacio entre cada uno de ellos determina el período de actividad.

Pero existen inconvenientes en la aplicación del método. Así pues, podremos considerarlo válido para animales que no tengan más de 10 o 12 años de edad, por ejemplo, en el caso de *Testudo hermanni hermnanni*, pues en este momento los quelonios llegan a la madurez sexual y su crecimiento de ralentiza. Por otro lado, las tortugas mantenidas en cautividad como mascotas suelen tener crecimientos más acusados. Frecuentemente producen más de un anillo por año, debido que en muchos casos estos ejemplares cautivos no realizan hibernación, con lo cual su desarrollo no se detiene; en este caso, el

Otras preguntas relacionadas

13. ¿Cuáles son los récords físicos más destacados en reptiles?

27. ¿Qué es la hibernación? ¿Hay que evitarla o es aconsejable?

54. ¿Los reptiles comen siempre lo mismo durante su vida o cambian con la edad?

conteo va a inducirnos a falsear su edad. Por último, mencionar que el roce con la vegetación arbustiva o herbácea, unido a la ralentización del crecimiento una vez superada la madurez sexual, contribuye al desgaste o erosión del caparazón, que se torna en gran parte liso y difícilmente serán reconocibles los anillos de crecimiento. En definitiva, una tortuga de 57 años no tiene, ni mucho menos, 57 anillos. Con el tiempo se habrán gastado la mayoría y apenas contaremos más de 10.

Conteo de las líneas de crecimiento óseo

Éste es un método para averiguar la edad de un quelonio sólo aplicable en un proceso con técnicas de laboratorio y con huesos de las extremidades. Se precisa la obtención de una pieza ósea larga, como, por ejemplo, el fémur o el húmero, en el que se practicará un corte transversal para obtener una fina lámina de hueso. Posteriormente se realizarán unas tinciones especiales en el laboratorio con el fin de preparar la muestra para ser observado con un microscopio. El resultado de la preparación permite en este caso el conteo de las líneas de crecimiento óseo que se manifiestan también de forma concéntrica transversales al centro de los huesos. Éste es el método de determinación de edad más exacto que se conoce, pero con la limitación de ser aplicable sólo a especímenes muertos. La ventaja es que puede saberse, por ejemplo, qué edad tenía la última tortuga encontrada en una isla donde se han extinguido.

Otras técnicas

Otro método de reconocimiento del crecimiento del caparazón consiste en la detección de osificación de ciertas estructuras que sólo consolidan cuando

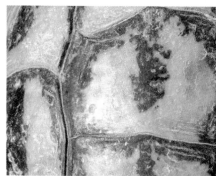

Detalle de las escamas en una tortuga terrestre joven (menos de 9 años) y vieja (más de 50 años)

el animal es muy viejo, como ciertas estructuras cartilaginosas del caparazón en tortugas de edad avanzada. Para ello, es necesario realizar una interpretación osteológica a partir de radiografías.

También existe la posibilidad de realizar el análisis de la relación tamaño-edad. Se trata de relacionar el tamaño en mm y la edad en años. Se puede así predecir la edad aproximada de una tortuga mediante la aplicación de su longitud en un gráfico o fórmula matemática. Pero existen algunos errores que hacen este sistema poco fiable:

1) Los animales en cautividad alcanzan tamaños más grandes en menos años.

2) Los machos son más pequeños que las hembras. Deben sexarse correctamente las tortugas antes de aplicar esta gráfica.

3) Los animales heridos o enfermos crecen más lentamente.

4) Al cabo de 15-20 años de vida el crecimiento es muy lento y puede motivar errores en el cálculo de edad.

5) Para los animales en cautividad podría estimarse que, con la misma edad, son entre un 10% y un 20% mayores que sus congéneres silvestres.

Sitios web de interés

www.bioone.org/bioone/?request=get-document&issn=0018-831&volume=059&issue=02&page=0178

Bibliografía

Castanet J. & Cheylan M. (1979). Les marques de croissance des os et des écailles comme indicateur de l'âge chez *Testudo hermanni* et *Testudo graeca* (Reptilia, Chelonia, Testudinidae), *Can. J. Zool.* 57: 1649-1664.

Galbraith, D. A. & Brooks, R. J. (1989). Age estimates for snapping turtles. *J. Wildl. Manage* 53(2): 502-508.

Guarino, F. M., Angelini, F., Giacoma, C., & Cavallotto, L. (1995). Age determination by skeletochronology in low and high elevcation populations of Rana italica. In: Llorente, G. A., Montori, A., Santos, X. & Carretero, M. A. (Eds.). *Scientia herpetologica.* Barcelona: AHE, 187-192.

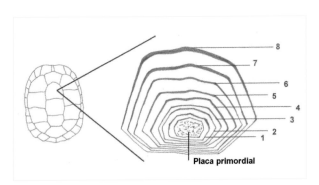

Placa primordial

22. ¿Qué importancia tienen la temperatura, la humedad y el fotoperíodo en la vida de un reptil?

Continuamente oímos hablar de la importancia de estos tres factores en la instalación de un reptil en su terrario. Pero, más allá de lo obvio (estar caliente, refrescarse o tener luz), estos tres factores se han visto relacionados en un sinfín de funciones básicas y enfermedades que vale la pena conocer.

Temperatura

Los cambios suaves de temperatura son perfectamente soportados por la mayoría de especies y en particular por las que invernan naturalmente. Sin embargo, los cambios bruscos pueden ser causa de enfermedades graves.

En invierno, muchas tortugas hibernan bajo placas de hielo. Si consiguen instalarse en áreas con agua líquida, nunca estarán más frías que en el exterior, sino que bajo el agua están más calientes que fuera, donde hiela.

El calor no sólo despierta el apetito, sino que activa la digestión. O sea, una serpiente puede estar suficientemente caliente como para tener hambre y cazar, pero ese calor puede ser insuficiente como para activar su digestión. En ese caso, a los pocos días puede tener problemas digestivos que le provoquen vómito, hinchazón ventral e incluso la muerte.

Humedad

La humedad en el alimento es determinante para la aparición de problemas renales a partir de los 2 a 3 años de vida de tortugas, lagartos e iguanas. Si alguna de estas especies no tiene fácil acceso a la humedad abundante, al llegar a esta edad es un candidato a padecer enfermedades de los riñones de muy difícil curación.

La muda es un proceso en el que se necesita tener la piel humedecida para desprenderse de ella de modo óptimo. Previo a la muda, el reptil siempre ha de tener acceso a un baño completo o a una humedad ambiental elevada.

Tanto en machos como en hembras, la humedad del alimento les provoca un estado de hidratación adecuado para la reproducción. Las bajas hu-

Otras preguntas relacionadas

14. ¿Puede ahogarse una tortuga de agua?

27. ¿Qué es la hibernación? ¿Hay que evitarla o es aconsejable?

80. ¿Es normal que un reptil esté mucho tiempo con la boca abierta, como jadeando?

medades nutricionales y ambientales están relacionadas con infertilidad o incapacidad de llevar a término las incubaciones.

Los ambientes húmedos incrementan considerablemente la resistencia de los reptiles a la anorexia. En efecto, las tortugas mediterráneas, cuando invernan están varios meses sin comer, pero necesitan estar en ambientes que les permitan la hidratación. Su metabolismo es tan bajo durante el invierno que apenas pierden peso por consumo de reservas. Sin embargo, y gracias al aprovechamiento de la humedad ambiental, en muchas ocasiones pesan más al salir de la hibernación que cuando entraron. En la mayoría de especies, pues, la principal causa de mortalidad durante el invierno mediterráneo no es el frío ni la ausencia de comida, sino la deshidratación.

Recientemente se ha descrito que el crecimiento en bloques piramidales que tienen muchas tortugas de tierra está muy relacionado con el grado de humedad en el alimento. Incluso se ha dicho que en él tiene más influencia la humedad que el contenido en proteínas de la dieta. Para que una tortuga crezca correctamente necesitará, pues, una humedad adecuada ambiental y en el alimento, así como un aporte proteico equilibrado.

Fotoperíodo

La duración del día no es algo sin importancia. Los reptiles miden el tiempo de horas de luz para así regular sus ciclos reproductivos. En primavera, cuando el día se alarga, entrarán en celo para criar. Si pueden prever la aparición de la primavera «interpretando» los fotoperíodos serán capaces de programar los apareamientos justo cuando haya más comida y calor.

Las horas de luz crecientes se han visto altamente relacionadas con la resistencia a sufrir enfermedades. Si el reptil tiene un fotoperíodo alto, su estado inmunitario está automáticamente muy estimulado.

Sitios web de interés

www.ccac.ca/en/CCAC_Programs/Guidelines_Policies/GUIDES/ENGLISH/V2_84/CHIII.HTM

Bibliografía

Álvarez, B. (2004). Termorregulación en reptiles: influencia en el comportamiento. *Congreso de Especialidades Veterinarias. AVEPA.* III: 196-197.

Hicks, J. W. & Wang, T. (2004). Hypometabolism in reptiles: behavioural and physiological mechanisms that reduce aerobic demands. *Respiratory Physiology & Neurobiology* 141: 261-271.

Lagarto de las palmeras *(Uromastix acanthinurus)* sirviéndose de todos los beneficios del sol en cautividad

23. ¿Qué capacidad auditiva tienen los reptiles? ¿Oyen la voz de su propietario y la reconocen?

Para responder primero deberíamos formular la pregunta de otro modo: ¿Oyen los reptiles? Y en caso afirmativo, ¿con cuánta agudeza discriminan los distintos sonidos?

Podríamos afirmar, a priori, que el sentido del oído en la clase reptilia no ha sido el más potenciado con la evolución. Al contrario, a muchas especies casi les ha desaparecido.

Simplificando, el oído de un mamífero consta de pabellón auricular y un conducto auditivo (que forman el oído externo), la cavidad timpánica con el tímpano y los huesos estribo, yunque y martillo (que forman el oído medio), y finalmente el laberinto anterior y posterior (que forman el oído interno).

Para entender el oído de los reptiles empezaremos eliminando el oído externo. Nos quedaremos tan sólo con un tímpano en contacto con el exterior. Así lo tienen los lagartos, las iguanas, etc. Las tortugas tienen ese tímpano recubierto por una fina lámina de piel, que, al estar pigmentada del color de la cabeza, es casi imperceptible. Tan sólo tienen algo parecido a un oído externo los cocodrilianos, en los que el tímpano queda protegido por un pabellón auditivo replegado que está siempre semicerrado a fin de controlar los cambios de presión que se producen durante las inmersiones.

El oído medio lo tienen casi todas las especies, menos los ofidios, que en su mayoría lo han perdido. El tímpano no está conectado por una cadena de huesecillos con el oído interno, sino con un único hueso llamado columella. Esto representa una desventaja, puesto que este pequeño hueso es un mero transmisor del sonido desde la membrana timpánica hacia el oído interno, mientras que los tres huesecillos de los mamíferos optimizan y amplifican ese sonido, dándole más «relieve» y capacidad de detección de los pequeños «detalles» acústicos.

El oído interno es mucho más sencillo que en los mamíferos. El laberinto es menos largo, menos complejo y, en conclusión, menos efectivo.

En general, podríamos decir que un reptil distingue perfectamente un trueno del silencio, pero es incapaz de distinguir entre una sinfonía y un rebuzno.

Dentro de los reptiles, sin embargo, hay diferencias. Las serpientes podríamos decir que son casi sordas. No tienen método alguno de detectar los sonidos de transmisión aérea. Sin embargo, tienen un oído interno conectado a un hueso mandibular: el hueso cuadrado.

Eso les permite detectar u «oír» de alguna manera los sonidos que se transmiten a través del suelo. Puesto que el sonido se transmite mucho más rápido en un medio sólido que en el aéreo, esta capacidad les permite detectar a una presa o un depredador mucho antes de lo que sería al «oírlo» o «verlo». Actúan de un modo parecido al clásico indio apache poniendo su oreja en la caliente vía para saber cuánto tiempo queda hasta que llegue el tren.

Los saurios «oyen» bastante bien los sonidos, separando con relativa eficacia los graves y los agudos. Pueden distinguir ligeramente de un hombre o de una mujer cuando llevan años viviendo con ellos. Pero no sabrán nunca si esa voz es la del propietario, la del televisor o la del cantante que suena en el aparato de música.

Las tortugas parece que tienen el oído de adorno. Oyen con una discriminación pésima. Tanto es así, que una de las principales enfermedades infecciosas de los quelonios, la otitis, forma abscesos que destruyen por completo el oído interno, dejando al

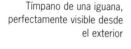

Tímpano de una iguana, perfectamente visible desde el exterior

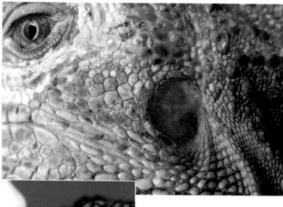

Momento en que levantamos el oído externo de un cocodrilo para poder observar el tímpano que se aloja bajo él

Otras preguntas relacionadas

24. ¿Los reptiles tienen olfato? ¿Cómo detectan a sus presas?

26. ¿Los reptiles ven los colores como las personas o ven en blanco y negro? ¿A qué responde el cambio de color de muchas especies (camaleones, iguánidos, gecos)?

90. ¿Puede considerarse a los reptiles animales domésticos?

animal sordo de por vida. Pues bien, nadie ha notado nunca un cambio importante en la conducta de la tortuga de antes a después de haber sufrido una otitis purulenta degenerativa.

Los cocodrilos tienen un oído fino, capaz de detectar sonidos en el agua (recordemos que también se transmiten mejor que en el aire) y se sirven de unos sistemas de detección de cambios de presión que tienen en la piel para optimizar de modo superlativo la capacidad de sensación de su entorno.

Al contrario de muchas aves, mamíferos e incluso anfibios, pocas especies de reptiles emiten algún tipo de sonido. Sirvan como loables excepciones los sonidos emitidos por los machos de las tortugas de tierra (familia Testudinidae) mientras copulan, o los sonidos guturales emitidos por los gecos tokay *(Geco geco)* hacia la puesta del sol en los días calurosos del año.

Estos sonidos parece que están relacionados con el mantenimiento del territorio o de la cohesión de grupo, aunque aún están siendo investigados.

En definitiva, la respuesta a si conocen la voz del amo es: con tiempo, a veces y con una enorme dificultad. No vale la pena dar órdenes a los reptiles, ni castigos orales, ni premios en forma de tonos de satisfacción. Eso debemos dejarlo a los perros, que, en comparación con los reptiles, son los dueños y señores del universo del sonido.

Pero no debemos pensar que los reptiles son unos seres atrasados. Simplemente están adaptados a esas condiciones. Antes de pensar en ellos como seres inútiles debido a que son incapaces de oír nada, pensemos que muchas especies detectan a la perfección la radiación infrarroja, o la luz ultravioleta, o la radiación electromagnética terrestre y otras muchas más cosas que la mayoría de mamíferos somos incapaces de ni tan siquiera soñar.

Sitios web de interés

www.zvert.fcien.edu.uy/reptiles.pdf

Bibliografía

De la Navarre, B. J. S. (2000). Diagnosis and treatment of aural abscesses in turtles. *Proceedings of the ARAV* 7: 9-13.

Mattison, C. (1995). *The Encyclopedia of Snakes.* (1ª ed.). London: Blandford Book.

24. ¿Los reptiles tienen olfato? ¿Cómo detectan a sus presas?

El olfato es un sistema de detección química. No todos los reptiles tienen igual olfato. Las tortugas, por ejemplo, poseen un olfato rudimentario, prácticamente han de estar encima del objeto para tener la sensación de que están oliendo. Los mejores husmeadores del reino de los reptiles son los escamosos (saurios y ofidios). Éstos han desarrollado una serie de adaptaciones en su boca.

En muchas especies de lagartos y serpientes la lengua tiene la función de aparato auxiliar del sistema olfativo. Recoge partículas olorosas que flotan en el ambiente (los mamíferos las recogemos con el aire inspirado) y las restriega contra el techo de la lengua. Aquí está alojado un grupo de células sensi-

tivas dedicadas a «saborear» esas partículas y hacerlas conscientes, de modo que el animal tiene una sensación similar al olfato de los mamíferos. Este grupo de células especializadas en el techo del paladar se denomina órgano de Jacobson (órgano descrito por primera vez en 1809, por el danés Ludwig Levin Jacobson). Veremos que muchos reptiles (serpientes, varanos, tejús...) tienen un ahorquillamiento de la lengua, que forma largos apéndices vibrátiles que siempre se mueven cuando están fuera de la boca. El ahorquillamiento de la lengua es parte del mecanismo de la olfacción, ya que sus puntas, cuando están dentro de la boca, se hallan situadas convenientemente cerca de las aberturas de los conductos del ór-

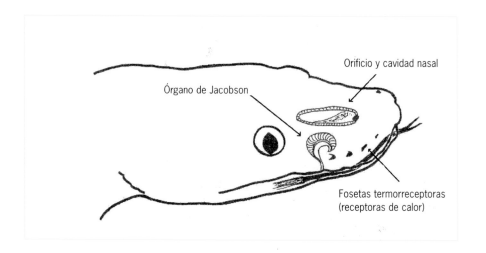

Órgano de Jacobson

Orificio y cavidad nasal

Fosetas termorreceptoras (receptoras de calor)

Otras preguntas relacionadas

26. ¿Los reptiles ven los colores como las personas o ven en blanco y negro? ¿A qué responde el cambio de color de muchas especies (camaleones, iguánidos, gecos)?

30. ¿Por qué el agua de las tortugas de agua huele tan mal? ¿Qué soluciones hay para evitarlo?

76. ¿Es normal que las iguanas estornuden a menudo y dejen unos restos blancos en el cristal del terrario?

gano de Jacobson. Tanto es así, que en las serpientes y varánidos la lengua se ha convertido en un instrumento sensible y delgado para investigar el mundo exterior y ha perdido totalmente su función alimentaria de captura o molturación del alimento que tiene en otras especies. Las especies que poseen esta estructura sensorial tan delicada son capaces de reconocer no sólo a su presa, sino a su pareja a varios kilómetros de distancia, a sus crías, el sexo de su presa e incluso ¡la especie y la edad! Imaginemos que alimentamos a una culebra del maizal (Elaphe guttata) con un ratón blanco. Pues bien, aunque la serpiente no ve con la misma claridad que nosotros el color blanco, sabe que lo que tiene delante es un ratón, que es hembra, que es adulta, que ha sido criada en una granja, que su última comida fueron pipas y que tiene una pequeña pero casi imperceptible herida que supura en sus orejas. No nos extra-

Lengua de un escinco de lengua azul (Tiliqua scincoides). Antes de acercarse a un alimento o a su pareja realiza un pequeño lametón: obtiene información olfativa de su entorno

Lengua bífida en acción en una culebra americana *(Lampropeltis getulus esplendida)*

ñe que, en algunas ocasiones, muchas serpientes parezcan tener preferencias a la hora de comer ciertas presas.

Sin embargo, no todos los reptiles tiene este especializado detector. Las tortugas carecen de él por completo y su olfato sigue las mismas vías de detección que en los mamíferos, por las fosas nasales, aunque con mucha menos eficacia. Los cocodrilos tampoco tienen este sistema tan desarrollado, pero tienen detectores de presión del agua que son capaces de sentir que un pez de cierto tamaño está a 3 m de su flanco derecho. Así pueden cazar con gran eficacia dentro del agua.

Por último, ciertas serpientes, por si tuvieran poco con el órgano de Jacobson, poseen un sistema de detección mediante receptores de calor. Tienen la capacidad de percibir las emisiones de infrarrojos que realizan los cuerpos calientes que existen a su alrededor, entre ellos sus presas. De este modo, pueden cazar sin ningún problema de noche, con frío o lloviendo.

Sitios web de interés

www.ias.ac.in/jbiosci/june2000/article_structure1.pdf

Bibliografía

Crabbe, M. (1998). Sistema sensorial de las serpientes. *Reptilia* 16: 10-12.

Shivik, J. A. (1998). Brown tree snake response to visual and olfactory cues. *J. Wildl. Manage* 62(1): 105-111.

25. ¿En qué consiste la muda y de qué depende?

Los reptiles y anfibios realizan un cambio de tejido cutáneo consecuente con su crecimiento en períodos regulares de tiempo y unido a una correcta alimentación. Según esta definición, se comprende que los reptiles jóvenes muden más frecuentemente que los adultos. Lo mismo ocurre con los mamíferos. Estableciendo un símil humano, la muda consiste en un cambio de talla del cuerpo del animal. Los niños cambian continuamente de talla. Los adultos apenas cambiamos en años.

El reptil, cuando cambia de talla, se desprende de su vieja camisa (en algunas zonas a la muda se la denomina «camisa») y se genera una nueva que va apareciendo bajo la antigua. El proceso de sustitución termina cuando la vieja epidermis se desprende y aparece la nueva. El color de la piel depende de las células alojadas en la dermis (cromatóforos, guanóforos y melanóforos, básicamente), así que la muda no tiene color y es casi siempre transparente. Una vez caída, tiende a descomponerse rápidamente en condiciones naturales de sol, lluvia, calor, etc. Algunos reptiles ingieren sus mudas, aunque se desconoce si es como fuente adicional de nutrientes o como mecanismo para evitar dejar rastros a los depredadores.

La temperatura y la humedad a las que está el animal ejercen un importante efecto beneficioso para la muda. Normalmente los reptiles cambian sus temperaturas durante momentos de su vida diaria. La muda parece ser que enfría al reptil y, por tanto, debería poder tener acceso a una zona más caliente. En efecto, se ha observado que la serpiente jarretera (Thamnophis sirtalis), en la que la Temperatura Corporal Óptima es de 20 a 32 °C, después de comer está de 24 a 31,6 °C y durante la muda puede encontrarse a 15,8 o 26 °C. Este factor se repite en numerosas especies, por lo que podría generalizarse diciendo que durante la digestión la temperatura corporal se eleva y durante la muda tiende a disminuir.

Para mudar necesitan el contacto con objetos abrasivos que se encuen-

Otras preguntas relacionadas

8. ¿Qué reptiles regeneran la cola y cuántas veces pueden hacerlo? ¿Regeneran algún miembro más?

16. ¿Los reptiles crecen durante toda la vida?

46. ¿Son superfluos o, por el contrario, deseables unos cuidados estéticos en los reptiles?

tren en su entorno y les faciliten el desprendimiento de la piel que están renovando. En consecuencia, una condición indispensable de la decoración es la de facilitar la muda del reptil. Si estas superficies rugosas no están en el terrario, les será difícil mudar y pueden darse persistencias del tejido cutáneo inservibles para el cuerpo del animal. Esto favorece la instauración de enfermedades de la piel de origen bacteriano y/o fúngico. Los objetos abrasivos que suelen utilizarse son rocas, ramas o similares (naturales, plásticas o de fibra de vidrio). La frecuencia de muda varía considerablemente entre especies, edad, período de crecimiento, ba-

Joven camaleón del Yemen (Chamaeleo callyptractus) mudando parte de su piel

Muda completa de una boa joven. Se aprecian perfectamente las escamas oculares

lance endocrino y factores externos al reptil.

Las enfermedades relacionadas con la muda se dan con mayor frecuencia en ofidios que en los demás reptiles. Los principales factores para que una muda falle son: un ambiente seco, humedad relativa demasiado baja, ausencia de lugar apropiado para el baño, nutrición desequilibrada, desórdenes endocrinos u otras enfermedades sistémicas. Como la muda está relacionada con el crecimiento y éste lo regula en parte la hormona tiroidea, cualquier anomalía en la glándula tiroides puede repercutir negativamente en el proceso de cambio de piel.

Sitios web de interés

www.anapsid.org/shedding.html

Bibliografía

Boyer, T. H. (1992). Preventing dysecdysis inlizards. *Bulletin of the Assotiation of Reptilian and Amphibian Veterinarians* 2(2): 8.

Harkewicz, K. A. (2001). Dermatology of reptiles: a clinical approach to diagnosis and treatment. *Veterinary Clinics of North America: Exotic Animal Practice* 4(2): 441-461.

Harvey-Clark, C. J. (1998). Dermatologic (skin) disorders. In: Ackerman, L. (Ed.). *The biology, husbandry and health care of reptiles*. New Jersey: TFH, 654-680.

26. ¿Los reptiles ven los colores como las personas o ven en blanco y negro? ¿A qué responde el cambio de color de muchas especies (camaleones, iguánidos, gecos)?

La visión del color depende de ciertos receptores que están presentes en los ojos: los conos y los bastones. Poseer un mayor número de conos representa tener una mayor capacidad de percibir los colores. Poseer un mayor número de bastones representa tener una mayor capacidad de percibir los contrastes en ausencia de luz. Los reptiles poseen los dos tipos celulares en distinta proporción dependiendo de su especie. La respuesta a la pregunta es, en consecuencia, que sí, los reptiles sí que ven los colores, lo que variará será la percepción que tiene cada especie en función de sus ojos adaptados a un hábitat concreto. Algunas especies incluso ven mejor que las personas, al ser capaces de percibir la franja ultravioleta del espectro de luz con absoluta claridad.

Los colores de los reptiles y su distribución a lo largo del cuerpo se deben a las distintas combinaciones de tres tipos de células pigmentarias. El cambio de color es causado por la migración de un pigmento oscuro, la melanina, desde estratos dérmicos profundos hasta los superficiales. Este pigmento se deposita dentro de unas células pigmentarias llamadas melanóforos. Si el pigmento se distribuye uniformemente por toda la célula, la pigmentación resultante será oscura; por el contrario, si se concentra en el centro del melanóforo, la pigmentación resultante será más clara. El color básico del reptil se produce por las células capaces de producir o acumular pigmento, los cromatóforos. Estas células se hallan en los estratos superiores de la piel y por encima de los melanóforos. Acumulan pigmentos de tipo carotenoide y el aspecto suele ser amarillento o rojizo. Otras células, los guanóforos, contienen una sustancia semicristalina llamada guanina. La guanina es en realidad incolora pero actúa como sustancia reflectora y cambia de modo decisivo la luz incidente. El color azul se produce debido a la dispersión de la luz de ciertas longitudes de onda específicas. Si encima de los guanóforos hay una capa de

Otras preguntas relacionadas

23. ¿Qué capacidad auditiva tienen los reptiles? ¿Oyen la voz de su propietario y la reconocen?

84. ¿Cómo saber si una tortuga tiene una enfermedad grave o no cuando moquea y hace ruidos al respirar?

cromatóforos el color resultante es el verde. Las combinaciones de estos tres tipos de células provocan la amplia gama de colorido en los reptiles que llamamos libreas. Además, ciertas especies, como los camaleones, son capaces de activar unas células y desactivar otras ante un mismo estímulo, con lo que es posible observar un lado del camaleón con una librea y el otro lado con otra.

El control de estas células es principalmente hormonal y nervioso. El siste- ma nervioso está directamente implicado en el cambio de color en situaciones como estrés, cambios de temperatura, temor, caza, saciedad o ciertas enfermedades. El sistema hormonal está por su parte implicado en cambios de color relacionados con el apareamiento, defensa del territorio, apetito, combates rituales, gestación, edad o sexo.

Los reptiles que más cambian de color son los camaleones y ello responde a un elaborado y específico sistema de comunicación.

Los estadios fisiológicos del camaleón común (Chamale chamaleon) pueden ser interpretados en función de su apariencia externa, cambios cromáticos y distribución de los mismos (libreas).

Las libreas son un sistema de comunicación entre congéneres. El mantenimiento de camaleones en cautividad imposibilita la aparición de li-

Camaleones con distintas libreas: A) macho tranquilo

B) hembra gestante

C) ejemplar joven acalorado

breas que sólo se dan en condiciones de libertad e interacción con individuos de la misma especie. Con sus colores, el camaleón común nos da mucha más información que cualquier otro reptil, sólo hace falta interpretarla adecuadamente.

Algunas de las libreas más importantes descritas en el camaleón común son las siguientes:

– Librea básica marrón en los machos. Las coloraciones básicas de los machos parecen más uniformes y con menor variación específica que las hembras. Están representadas por diseños de tonos pardos y grises con todo tipo de matices intermedios.

– Librea de camuflaje y ansiedad. Se observa asociada a una posición críptica, adoptada frecuentemente cuando el animal se siente asediado. Se coloca paralelo al tronco que le soporta e intenta colocarse tras él, de modo que el agresor no le vea o le confunda con el tronco.

– Librea de irritabilidad. Suele darse en animales que están siendo manipulados o molestados. En conjunto consisten en aclaramientos del tono general del cuerpo. Se presentan también diseños negruzcos muy visibles. Se observan claros contrastes entre fondos claros y líneas oscuras, principalmente en la zona cefálica, que son representativos de un estado de ánimo ansioso.

– Librea básica verde en las hembras. El color uniformemente verde aparece en hembras con mayor frecuencia que en machos.

– Librea de hembra gestante. Las coloraciones de gravidez de las hembras jóvenes son muy variables. Como regla general, todas las libreas de gravidez tienen una base oscura a negra salpicada de manchitas amarillas, verdes y azules. Durante la ovulación, este color aparece de fondo y si la hembra queda gestante, es cuando se potencia al máximo.

– Librea de cría con hipotermia. El color básico gris y marrón de las crías de camaleón se transforma en amarillo en estados de hipotermia, estrés, malestar o enfermedad. Las crías de esta especie son muy delicadas y propensas al estrés, con lo que los cambios de coloración son muy frecuentes en cautividad.

– Librea de enfermedad. Las coloraciones gris-negras corresponden fundamentalmente a animales enfermos. Estas tonalidades pueden tener con frecuencia combinaciones de amarillo pálido a excepción de zonas in-variables de coloración (área plantar de las extremidades y línea ventral). El negro y amarillo son señales de salud deplorable cuando se combinan, de forma predominante, con cualquiera de las otras libreas.

– Librea de muerte inminente. La coloración de muerte puede ser confundida con la de sueño. La de muerte tiene unos tonos más apagados y grises mientras que la de sueño es más amarillento. Los machos poseen colores de muerte algo más claros, siendo el fondo beis y crema y el de los diseños cromáticos algo más pálido. En algunos ejemplares, en el momento inmediatamente anterior a la muerte pueden producirse manchas irregulares negras. Horas después de la muerte, el animal suele tener un color amarillo-grisáceo.

Sitios web de interés

www.ladywildlife.com/animal/how-reptilessee.html

www.palaeo-electronica.org/2000_1/retinal/vision.htm 26

Bibliografía

Bergada, J. (1999). Camou flage: Nature's double pay. *Reptilia: the european herp magazine* 8: 16-26.

Martínez Silvestre, A. & Soler, J. (1998). *Chamaeleo chamaeleon:* interpretation of colours in the common chameleon. *Reptilia: the european herp magazine* 3: 54-57.

27. ¿Qué es la hibernación? ¿Hay que evitarla o es aconsejable?

La hibernación es la respuesta que algunos seres vivos desencadenan para superar períodos de clima desfavorables. Los factores determinantes son la temperatura, las horas diarias de luz y la presencia de alimento disponible. Los animales que son incapaces de mantener su cuerpo dentro de la Temperatura Corporal Óptima (TCO) por medio de mecanismos propios, van a depender en cada instante de su vida de factores ambientales.

Mamíferos y aves se aíslan del frío a través de su pelaje o plumaje y tam-

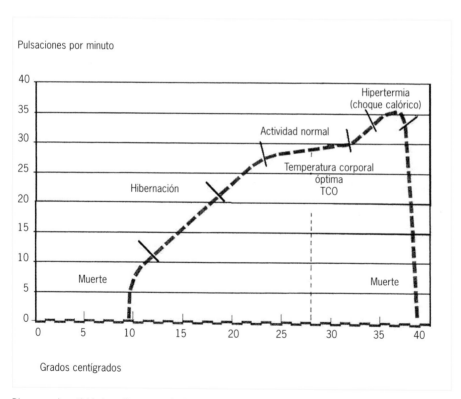

Diagrama de actividad cardíaca con relación a las temperaturas en la tortuga mediterránea (*Testudo hermanni hermanni*). Obsérvese que a la derecha encontramos el máximo térmico de la especie, situado en 35 °C, a partir de los cuales, si el quelonio no puede termorregularse mediante el desplazamiento a una zona más fría, le puede sobrevenir un choque calórico también llamado hipertermia

bién por medio de la grasa acumulada en su cuerpo; ello les va permitir mantener estable la temperatura corporal. Todos los vertebrados tienen también comportamientos dirigidos a combatir la pérdida de calor (gregarismo, búsqueda de focos calientes, recogimiento, etc.). Los reptiles, sin embargo, sufrirán los descensos térmicos con más rigor, dado que su piel escamosa no resultará eficaz como aislante. Tan sólo algunas tortugas marinas, como la laúd (Dermochelys coriacea), poseen un espesor de grasa subcutánea superior a los 10 cm que les permite, entre otros factores, nadar atravesando el Círculo polar ártico.

La respuesta de los reptiles a estas variaciones de temperatura es la llamada popularmente hibernación,

Otras preguntas relacionadas

15. ¿La tortuga de Florida y similares hibernan dentro o fuera del agua?

20. ¿Cuál es el peso aproximado que puede llegar a perder una tortuga terrestre durante su hibernación?

57. ¿Con qué frecuencia comen los reptiles? ¿Cómo se puede estimular el apetito a un reptil que no come?

89. ¿Cuál es el sistema mejor y más humanitario para realizar la eutanasia a reptiles enfermos terminales?

aunque en el caso de los herpetos este proceso biológico puede denominarse diapausa. Ésta comportará la reducción casi total de sus funciones fisiológicas. Este estado podrá ser más o menos prolongado en función de la persistencia de los factores climáticos adversos. Así pues, quelonios, ofidios y saurios de clima mediterráneo entrarán en diapausa durante un período no inferior a los 4 meses, correspondientes a parte del otoño, invierno, e incluso primeros días de primavera. Reptiles de zonas subtropicales o tropicales con variaciones termométricas menos acusadas, aunque evidentes, y acompañadas de períodos más secos o húmedos, desencadenarán diapausas bastante más cortas, generalmente de 1 a 2 meses.

La diapausa no podrá de todas formas llevarse a cabo por tiempo indefinido, ya que las reservas hídricas y lipídicas del reptil no son inagotables. Tengamos presente la nula existencia de reptiles, por ejemplo, en los círculos polares, la tundra o las altas cumbres, donde las temperaturas extremadamente frías durante todo el año harían imposible la actividad biológica de estos animales. Existen, sin embargo, algunos casos de reptiles con períodos de actividad reducidos debido a factores climáticos extremos, como, por ejemplo, la tortuga de cuatro uñas o af-

Galápago europeo *(Emys orebicularis)* hibernando entre hojas para mantener la humedad. En el exterior el ambiente estaba a 9 ºC bajo cero

gana *(Agrionemys horsfieldii)*. Esta tortuga vive en el altiplano centro-asiático, donde el frío seco del invierno y el calor tórrido del verano reducen su actividad a tan sólo 3 meses al año, en los cuales va a tener que completar todas las actitudes que permitan perpetuar su especie.

Vemos, pues, que este proceso biológico es natural, y consecuentemente necesario para el correcto desarrollo etológico de un reptil. Lleva siendo así millones de años y multitud de sus funciones biológicas NECESITAN una diapausa previa. La estimulación de las defensas del organismo, la ovulación de las hembras o la espermatogénesis de los machos son algunos de los ejemplos de funciones básicas que no se producen correctamente sin una hibernación previa.

La obligatoriedad de que los reptiles realicen un alto en su quehacer diario debido a los cambios climáticos va a requerir una preparación previa de su organismo, como, por ejemplo, en el caso de quelonios terrestres, que consiste básicamente en alimentación herbívora. Éstos tendrán que dejar de alimentarse y así detener el proceso digestivo. Todo ello necesita un paulatino, pero nunca brusco, descenso de temperaturas. Los cambios bruscos de temperatura pueden ser nefastos para

Nombre científico	Nombre vulgar	TCO (°C)
Alligator mississippiensis	Aligator	26-37
Sphenodon punctatus	Tuátara	17-20
Iguana iguana	Iguana	30-40
Anolis carolinensis	Anolis	22,6-30,4
Sceloropus sp.	Lagartos espinosos	34
Crotaphytus collaris	Lagarto de collar	37
Basiliscus vittatus	Basilisco	22-38
Heloderma suspectum	Monstruo de Gila	27
Eumeces fasciatus	Escinco lineado	28-36
Thamnophis sirtalis	Serpiente jarretera	20-32
Elaphe obsoleta	Culebra americana	18,2-38
Boa Constrictor	Boa constrictor	26-34
Cerastes cerastes	Crótalo cornudo	26
Testudo graeca	Tortuga mora	27-30
Testudo hermanni	Tortuga mediterránea	25-30
Gopherus agasizii	Tortuga desértica	26,7-29,4
Trachemys scripta	Tortuga de orejas rojas	20-30
Chelydra serpentina	Tortuga mordedora	24-25
Terrapene carolina	Tortuga de caja americana	25,6

muchos reptiles de climas mediterráneos.

También es de obligado cumplimiento para muchos reptiles un descenso de las temperaturas para desencadenar conductas sexuales de apareamiento. Muchos aficionados a los reptiles, con miras a la reproducción de sus ejemplares, desencadenan artificialmente un proceso de diapausa, bajando los termostatos de sus instalaciones o simplemente trasladando los reptiles a una zona más fría de su casa. Estos períodos suelen comprender unas ocho semanas aproximadamente, a partir de las cuales se elevarán las temperaturas gradualmente hasta alcanzar la TCO propia. De esta forma, se consigue desencadenar las pautas de apareamiento.

La hibernación, por tanto, va ser del todo necesaria para establecer una conducta y salud óptimas en nuestro reptil.

Sin embargo, si un reptil en condiciones artificiales no tiene períodos de diapausa, no necesariamente va a estar mal mantenido. La hibernación es importante pero no imprescindible para la vida. Una tortuga mediterránea puede vivir perfectamente sin hibernar.

Ante la duda de «qué hacer con un reptil de clima estacional», sugerimos el siguiente razonamiento:

1) Si está bien de salud, hidratado y óptimo de reservas grasas, es subadulto o adulto o pretendemos hacerlo criar, la hibernación es una buena opción.

2) Si está mal de salud, mal hidratado, sin reservas, es una cría o un reptil anciano y nos es indiferente hacerlo criar, podemos optar por no hacerlo hibernar.

3) Si está enfermo, traumatizado o en algún tratamiento, por supuesto que no ha de hibernar.

Bibliografía

Dutton, C. J. & Taylor, P. (2003). A comparison between pre- and post hibernation morphometry, hematology, and blood chemistry in viperid snakes. *Journal of Zoo and Wilflife Medicine* 34: 53-58.

Rautenstrauch, K. R., Rager, A. L. H., & Rakestraw, D. L. (1998). Winter behavior of desert tortoises in southcentral nevada. *J. Wildl. Manage.* 62(1): 98-104.

Tucker, J. K., Paukstis, G. L., & Janzen, F. J. (1999). Annual and local variation in reproduction in the red eared slider, Trachemys scripta elegans. *J Herp* 32(4): 515-526.

28. ¿Hay reptiles voladores? ¿Cómo consiguen volar y dónde viven?

La capacidad de dominar el medio aéreo permite desplazarse con efectividad, o sea, cubrir grandes distancias en poco tiempo, sin demasiado cansancio, sin estar pendientes de los accidentes geográficos ni de los depredadores terrestres.

En épocas evolutivas muy antiguas consiguieron dominar el vuelo dos grupos de vertebrados, los pterodáctilos y el archeopteryx. El primer grupo se extinguió y tan sólo el segundo dio lugar a las aves actuales. Durante el transcurso de la evolución, nuevas formas de vuelo aparecerían sin estar relacionadas con ninguna de estas formas primitivas.

En consecuencia, hay especies voladoras en un gran número de vertebrados. Al margen de las aves, existen peces voladores (capaces de desplazarse centenares de metros sobre el agua agitando sus aletas laterales modificadas) y mamíferos voladores (los murciélagos, curiosamente, pertenecen a la familia «quiróptera», el grupo que posee un mayor número de especies dentro de los mamíferos y todas ellas vuelan).

Sin embargo, los anfibios y reptiles han conseguido torpemente este objetivo. Ninguno de ellos vuela, pero sí que consiguen realizar largos planeos sobre el suelo de las selvas donde habitan. En el caso de los anfibios, tenemos a las ranas voladoras, que poseen unas membranas interdigitales muy desarrolladas y unas membranas que les unen el tronco y las extremidades, confiriéndoles el aspecto de una cometa. Los únicos lagartos voladores pertenecen al género Draco y habitan en las selvas del sur de Asia. Sus costillas están muy desarrolladas, tanto que protruyen hacia el exterior de su tórax y permanecen móviles. Entre ellas hay una fina capa de piel, formando un patagio extensible y muy coloreado. Al tensar y estirar las costillas, el patagio se queda tenso y le confiere también el aspecto de una cometa. Son capaces de desplazarse 5 m lineales por cada metro de caída vertical. O sea, si un Draco

Otras preguntas relacionadas

3. ¿Qué parentesco tienen los reptiles actuales con los dinosaurios? ¿Son todos ellos fósiles vivientes en los que se ha parado la evolución?

11. ¿Qué curiosidades anatómicas tienen los reptiles?

75. ¿Por qué nacen tantos monstruos dobles o deformes y reptiles de dos cabezas?

volans se deja caer 3 m de su árbol, puede llegar a agarrarse a otro árbol que esté 15 m separado del primero.

También en Asia existe el geco volador (*Ptychozoon* sp.), que utiliza un sistema parecido al de la rana voladora (*Rhacophorus* sp.; membranas que unen los dedos, tronco, cola y extremidades) y la serpiente voladora (*Chrysopelea* sp.), cuyo sistema se fundamenta en que separa todas las costillas quedando totalmente lisa y del-

Estudio de necropsia donde se aprecia el área de piel que forma el patagio o ala que le sirve a un *Draco volans* para planear entre las selvas del sur de Asia

gada, permitiéndole planear una cierta distancia entre ramas.

En los demás continentes no hay especies de reptiles que tengan estos comportamientos.

Parece ser que las selvas de Asia han propiciado estas especies debido a la especial conformación de los bosques lluviosos, altos y relativamente abiertos. Las distancias relativas entre los árboles propiciaron la selección evolutiva de estos reptiles que cambian de árbol saltando y no trepando.

Sitios web de interés

www.flyingsnake.org

www.gekkota.com/Caresheets/Ptychozoon_sp.html

www.wildherps.com/species/D.volans.html

Bibliografía

Cox, J. M., van Dijk, P. P., Nabhitabhata, J., & Thirakhupt, K. (1998). *A photographiv guide to snakes and other reptiles of peninsular malaysia, singapore and thailand.* (1ª ed.). London: New Holland.

29. ¿El agua corriente es apta para las tortugas de agua?

Esta pregunta parte de la extrapolación o experiencia constatada en otras situaciones, como la no idoneidad de las aguas cloradas para el mantenimiento de los peces en un acuario.

Pero no olvidemos que los reptiles son seres vivos pulmonados y los posibles efectos nocivos del medio acuático no se reducen a la presencia de cloro, sino a una contaminación profunda e irreversible del agua. Si bien tienen un cierto intercambio de sustancias por la piel, no lo hacen en el mismo grado que los anfibios, con lo que el riesgo de intoxicación percutánea es mínimo.

El mantenimiento de tortugas acuáticas continentales no representa ninguna dificultad con respecto al agua que debamos utilizar para su alojamiento.

Aunque siempre debamos tener la máxima prudencia en el manejo de nuestras mascotas y pretendamos buscar las condiciones de mantenimiento más cercanas a la realidad de cada especie, nunca va a ser necesario ir por agua a un manantial.

Lejos de estos extremos, reflexionemos sobre los hábitats que ocupan algunas de las tortugas acuáticas más comúnmente mantenidas como mascota.

Especies como la tortuga de Florida *(Trachemys scripta elegans)*, oriunda de las zonas pantanosas del sudeste de EE UU, habita en aguas que fluyen lentamente con elevada presencia de materiales en suspensión. Ello le confiere un aspecto turbio al agua. Esta imagen a nuestros ojos aparentemente poco atractiva proporciona seguridad y protección a la especie.

Por otro lado, la mayoría de especies de quelonios presentan una coloración críptica de su caparazón, acorde con el medio que ocupan. Diseños y coloraciones con tendencia a tener como base una gama de colores que van del verde al marrón pasando por el gris, denotan unas libreas que no tendrían sentido en aguas cristalinas donde las posibilidades de pasar desapercibidas serían nulas.

La tortuga mordedora *(Chelydra serpentina)* presenta un camuflaje perfecto mediante su coloración parda y la presencia en el caparazón de algas asociadas que utilizan éste como soporte ayudando aún más a la distorsión de su silueta en el entorno.

En un ambiente artificial como puede ser nuestro acuaterrario, los factores de camuflaje con vistas a la alimentación o la defensa ante predadores, por ejemplo, quedan del todo anuladas. Por esta razón, y por cuestiones de apariencia visual de la instalación, mantendremos el agua lo más clara posible, bien sea con la utilización de un filtro para acuarios o con la sustitución periódica de ésta. El agua utilizada en el llenado del acuario, puede ser de la red local de suministro, que, además, nos va a garantizar una calidad sanitaria óptima.

Si nuestras tortugas están alojadas en un estanque al exterior, y no nos importa demasiado la presencia de algas filamentosas en el agua (dando como resultado la visualización de un agua verdosa), podemos estar tranquilos. Incluso van a desarrollar conductas antiestrés al encontrar en el agua un buen refugio. Las reacciones, pues, de estas tortugas, serán más propias de ejemplares silvestres, esquivos y desconfiados, y reaccionarán lanzándose rápidamente al agua donde encontrarán escondite.

Por tanto, la necesidad de mantener las aguas cristalinas de nuestro acuario obedece a aspectos puramente estéticos e higiénico-sanitarios relacionados con nuestra vida diaria, pero no tanto con la vida de las tortugas.

Es lógico que no podamos mantener a nuestras tortugas en el acuario con unas aguas con alta presencia de algas (eutrofización), lo cual daría una imagen muy natural del habitáculo, pero en nuestra vivienda no encajaría estéticamente. Por otro lado, uniríamos al proceso de eutrofización, una concentración de excrementos sólidos o diluidos en el agua y restos de comida, con lo cual el hedor que desprendería el acuaterrario sería insoportable en el piso. Si se dan estos procesos en un estanque al aire libre de no menos de 4 m², quedarán reducidos al mínimo y realmente proporcionarán un hábitat muy parecido al propio de los quelonios acuáticos. Si nuestras tortugas están alojadas en el interior de nuestra vivienda, recomendamos firmemente la sustitución del agua casi a diario o la instalación de un sistema de filtraje para acuarios que tenga capacidad adecuada de bombeo.

Sitios web de interés

www.hypervision.com.au/aquarium/topics/creatures/tortoises/habitat-enemies.htm

Bibliografía

Niewiarowski, P. H. (2000). Aspects of reptile ecology. In: Sparling, D. W., Linder, G. & Bishop, C. A. (Eds.). *Ecotoxicology of am,phibians and reptiles.* Columbia: SETAC, 179-198.

Palmer, B. D. (2000). Aspects of reptilian anatomy and phisiology. In: Sparling, D. W., Linder, G. & Bishop, C. A. (Eds.). *Ecotoxicology of amphibiasns and reptiles.* Columbia: SETAC, 110-141.

Wright, K. (2001). A review of water quality parameters for aquatic larval amphibians. *Proceedings of the ARAV* 8: 259-262.

Instalación de exterior llenándose de agua corriente. En ella viven desde hace años tortugas de caparazón blando

30. ¿Por qué el agua de las tortugas de agua huele tan mal? ¿Qué soluciones hay para evitarlo?

En cualquier acuario existen varios elementos indispensables para la vida: agua, luz, nutrientes y tiempo. En consecuencia, cada día que pasa en un acuario proliferan miles de millones de bacterias, hongos y un largo etcétera de «invitados sorpresa» que van a complicar la existencia de las tortugas. Existe otro factor que ayuda a que proliferen estos organismos: la densidad de las tortugas. Un acuario inmenso con una sola tortuga nunca huele mal. Un acuario de reducidas dimensiones con cuatro tortugas huele mal al día siguiente de cambiar el agua.

Por ello, no sólo la cantidad, sino también la calidad del agua tienen una especial importancia como consecuencia del delicado equilibrio que existe en estos animales con respecto al ambiente en el que viven.

Sin embargo, si salimos por el campo, observaremos que en cualquier agua estancada se desarrolla una intensa actividad microbiana de modo natural. No debe pretenderse que el agua donde viva un reptil sea estéril. En condiciones normales, en el suelo, agua, etc. se encuentran una gran variedad de asociaciones simbióticas, parásitas y comensales entre diferentes grupos de microorganismos. Entre ellos cabe destacar bacterias heterótrofas de los géneros *Achromobacter, Flavobacterium, Brevibacterium, Micrococcus, Pseudomonas, Nocardia, Streptomyces, Micromonospora, Bacillus, Spirillium* o *Vibrio*, que están directamente implicados en el reciclaje de la materia orgánica en estos ambientes. Cualquiera de estas especies podría ser un potencial patógeno en un reptil débil de defensas, y, de hecho, agentes como *Pseudomonas, Vibrio, Flavobacterium* o *Nocardia* han sido ya asociados a enfermedades en tortugas y lagartos. La presencia de microorganismos potencialmente patógenos en el ambiente donde viven los reptiles es un hecho común. Todas estas reacciones ecológicas en nuestro acuario

Otras preguntas relacionadas

24. ¿Los reptiles tienen olfato? ¿Cómo detectan a sus presas?

45. ¿Qué precauciones han de tener los niños que tienen reptiles como mascotas?

85. ¿Cómo afecta la *Salmonella* a los reptiles? ¿Pueden transmitirla a las personas?

Acuario con proliferación de algas que enturbian mucho el agua en la zona mas iluminada

provocan una serie de residuos (proteínas, azúcares, etc.) que son los orígenes del mal olor.

Que el agua huela mal puede ser un aviso de que aparecerán, más tarde o más temprano, enfermedades infecciosas en los reptiles que en ella vivan. En efecto, el sistema inmunitario de los reptiles está sujeto a variaciones dependientes de la temperatura, el estrés, la humedad ambiental o la alimentación. Estos factores afectan de un modo más directo a las defensas naturales de los reptiles que a las de los mamíferos y aves. De este modo, se considera que un reptil recién importado, hospitalizado, recién comprado, recién transportado, hipotérmico, mal alimentado, mal instalado o mantenido en un espacio pequeño está immunodeprimido. La posibilidad de que este animal acabe manifestando una enfermedad infecciosa es muy elevada.

En la práctica diaria, debe pensarse que cualquier reptil que está recién comprado se encuentra potencialmente immunodeprimido y por ello deben tomarse las medidas oportunas de manejo e higiene del agua necesarias para evitar la enfermedad. Para combatir esta situación existen varios frentes:

1) Evitar aguas con luz excesiva. La luz artificial, aunque sea de una lámpara incandescente, potencia enormemente el desarrollo de algas en el acuario.

2) Filtrar el agua. Así evitamos que se acumulen las esporas, semillas, etc. que facilitarán la proliferación vegetal. Además, eliminaremos los restos que se van descomponiendo y ayudan al mal olor.

3) Disolver desinfectantes en el agua. La sal, yodo, cloro o verde malaquita son agentes que, en bajas concentraciones, eliminan la posibilidad de proliferación de algas, bacterias u hongos y, además, no resultan perjudiciales para el reptil.

4) Utilizar plantas como filtro natural. En acuarios donde no haya riesgo de que se las coman o de que vayan a proliferar demasiado, pueden usarse plantas cuya función sea purificar el agua y filtrar de modo natural el suelo del acuario.

5) Evitar densidades altas de reptiles acuáticos en espacios pequeños. Las elevadas densidades ayudan enormemente a la saturación de heces, restos de mudas, comida en descomposición, etc. Además, resulta en un elevado riesgo para la salud de los animales que conviven en ese espacio.

Sitios web de interés

www.peteducation.com/article.cfm-?cls=17&cat=1831&articleid=623

www.tortoisetrust.org/articles/epedemic.html

Bibliografía

Ferri, V. (1991). *El gran libro ilustrado de las tortugas.* (1ª ed.). Barcelona: Editorial de Vecchi, S. A.

Martínez Silvestre, A. (1996). *El Terrario.* Barcelona: GPE Edicions.

Rauh, J. (2000). Un biotopo en la sala de estar. *Reptilia* 24: 14-19.

31. ¿Es verdad que donde hay tortugas de tierra no hay ratas?

Con frecuencia asociamos a los animales conductas y hechos extraordinarios, más propios de fenómenos paranormales, de magia o del tradicionario popular. Por su carácter curiosos y extraño, algunos de los actores de estas leyendas son en muchas ocasiones reptiles.

En nuestra cultura occidental, los reptiles comúnmente se vinculan a hechos malignos. Sólo por poner algunos ejemplos mencionaremos a las serpientes como origen de toda la maldad en la tradición cristiana, cuna del engaño y la tentación en el paraíso, donde Eva sucumbió ante sus maquinaciones.

Si bien la mayoría de creencias o tradiciones populares sobre los reptiles son de origen fantástico, algunas son consecuencia de observaciones mal razonadas de su biología. Es sabido desde antiguo que mantener tortugas en patios y jardines repele ratas, pulgas o cucarachas. Esta espectacular formulación, que asocia a un quelonio terrestre con una dieta alimentaria básicamente herbívora, al hecho de ser el terror de los roedores, es poco menos que rocambolesca, aunque podemos dar una explicación plausible de tal especulación.

Observaciones de campo, científicamente documentadas, señalan como parte de la dieta de tortugas terrestres de la especie *Testudo hermanni hermanni* caracoles, lombrices, saltamontes e incluso cangrejos de río. Estos últimos son devorados ya muertos por los quelonios, dada la incapacidad de caza manifiesta en estas especies terrestres. También mencionaremos la conducta realmente espectacular de esta tortuga en su zona de distribución en la isla de Mallorca, donde ha sido observada comiendo cadáveres de palomas torcaces *(Columba palumbus)* que han quedado sin recoger después de una cacería. A partir de esta anotación, no hemos de extrañarnos si una tortuga terrestre ha sido vista comiendo un ratón muerto en un patio, o unas crías de rata recién nacidas e indefensas. De ahí a pensar que los roedores fueron cazados por ella no hay más que un corto paso. La

Otras preguntas relacionadas

61. ¿Existe el estrés en reptiles? ¿Qué efectos tiene?

63. ¿Se han de tener varios ejemplares en un terrario para que no se sientan solos? ¿Existen técnicas de enriquecimiento ambiental aplicables a los reptiles?

distancia en el tiempo y la tradición oral pude encargarse de elevar este aspecto de la dieta alimentaria del quelonio, a la categoría de falsa creencia aceptada popularmente.

Muchas tortugas terrestres, si tienen ocasión, incluyen en su alimentación algún tipo de proteína animal o un aporte suplementario de calcio. Especies de gran tamaño, como la tortuga leopardo (Stigmochelys pardalis), por ejemplo, consumen excrementos de animales carnívoros, como hienas, y también ingieren huesos y pieles de carroñas para aumentar el aporte de calcio, necesario para el crecimiento de su caparazón o calcificación de los huevos en el caso de hembras grávidas.

Contrariamente al dicho popular, los roedores son, con diferencia, los principales depredadores de quelonios durante el invierno. Se sabe, por ejemplo, que las poblaciones de Testudo hermanni boettgeri en el Peloponeso (Grecia) son víctimas de las ratas negras (Rattus norvegicus). Estas predan sobre los juveniles de la especie y lesionan de forma evidente a los adultos, royendo las partes del cuerpo expuestas fuera del caparazón. En la zona de Olimpia, se comprobó en el año 1978 que los ataques de las ratas a los juveniles de la especie eran muy comunes, tanto, que estudios realizados cuatro años después, en 1982, revelaron la casi desaparición de los ejemplares jóvenes. Este tipo de depredación tiene una especial incidencia en especies que efectúan un período de diapausa o hibernación, siendo utilizadas como despensas vivientes de proteína dado que apenas tienen energía para huir o defenderse. En cautividad, son muchos los casos de tortugas que acuden al veterinario entre los meses de octubre y febrero con graves roídas de ratas. En algunos casos, los propietarios tan sólo encuentran un caparazón medio roído sin nada dentro. Algunas de las tortugas localizadas vivas mueren por la grave hemorragia. Otras sufren posteriores enfermedades debidas a la contaminación de la herida con las bacterias presentes en la boca del roedor (por ejemplo, se ha diagnosticado tuberculosis en tortugas mordidas por ratas). Y tan sólo algunas pocas se salvan de esta grave interacción ecológica.

Lejos, pues, de la cualidad ahuyentadora de roedores e insectos que se atribuye a las tortugas, cabe pensar en la casualidad alimentaria como fuente de inspiración de tal creencia.

Sitios web de interés

www.tortoisetrust.org/articles/Basicmedcare.htm

Bibliografía

López Jurado et al. (1979). Las tortugas terrestres Testudo graeca y

Tortuga con graves lesiones en el caparazón producidas por una rata mientras invernaba

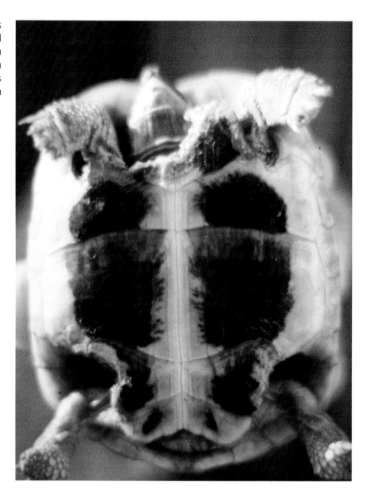

Testudo hermanni en España. *Naturalia Hispanica* [Madrid: ICONA] 17: 63.

Mason, M. C. (1999). Leopard Tortoise *(Geochelone pardalis)* in Valley Bushveld, Eastern Cape, South Africa: Specialist or Generalist Herbivores?

Chelonian Conservation and Biology 3(3): 435-440.

Willemsen, R. E. (1995). Status of *Testudo hermanni* in Greece. p. 110-118. *Reed Data Book on Mediterránean Chelonians*. Bolonia: Ed. Agricole della Calderini S.r.l.

32. ¿Cuál es el espacio necesario para albergar correctamente a un reptil?

Tengamos en cuenta que un terrario es una extrapolación a un espacio reducido de todos los parámetros que condicionan la vida de una especie en libertad. Así pues, el espacio vital adquiere gran importancia y adecuarlo a cada especie redundará en su longevidad, así como en las posibilidades de reproducción.

Se recomienda que el mínimo espacio para alojar un reptil sea dos veces la longitud total del espécimen, apuntando que esta medida la obtengamos de un ejemplar adulto. Como toda regla, tiene excepciones y no será válida para la mayoría de quelonios, algunos de los cuales pueden llegar a grandes tallas y desarrollar conductas de territorialidad muy acusadas. Por otro lado, las serpientes de gran tamaño, como las pitones, y en general todas las especies de la familia Boidae, van a necesitar unos terrarios que incluyan una riqueza ambiental que les permita esconderse o trepar.

Podremos diseñar diferentes tipos de instalaciones en función de cada reptil, e incluso combinarlas según la estación climática en que nos encontremos para obtener las condiciones más favorables de mantenimiento.

Terrarios (instalaciones) al aire libre

Estas superficies serán del todo adecuadas para quelonios tanto terrestres como acuáticos de climas con estaciones claramente marcadas, como podría ser el mediterráneo, por ejemplo, *Testudo hermanni*, *Testudo graeca*, *Mauremys leprosa*. Éstos contarán con una superficie aproximada de 20 m^2, sin olvidar la necesidad de tener un terrario para mantenimiento en el período otoño-invierno en caso de tratarse de especies de climas tropicales o cálidos, a las cuales en las temporadas de primavera y verano pretendamos dar un espacio exterior de campeo. En estas instalaciones al exterior deberemos vigiliar la presen-

Otras preguntas relacionadas

4. ¿Cuántas especies de reptiles hay actualmente y cuáles pueden tenerse en un terrario?

27. ¿Qué es la hibernación? ¿Hay que evitarla o es aconsejable?

61. ¿Existe el estrés en reptiles? ¿Qué efectos tiene?

62. ¿Cómo se combaten la agresividad y la territorialidad en las iguanas? ¿La castración puede solucionarlas?

Terrarios en batería. Instalaciones que ocupan el mínimo admisible para una especie

Instalaciones exteriores donde se proporciona un sobrado espacio vital

Especie		N° de ejemplares por terrario	Longitud (cm)	Anchura (cm)	Altura (cm)
Nombre común	Nombre científico				
Serpientes					
Pitón de Seba	*Python sebae*	1	200	80	80
Pitón angoleña	*Python anchietae*	2	150	60	50
Pitón real	*Python regius*	1	120	60	50
Pitón india	*Python molurus*	1	200	90	80
Pitón reticulada	*Python reticulatus*	1	250	100	80
Pitón sanguínea	*Python curtus*	1	60	30	50
	Elaphe persica	5	150	70	70
Serpiente del maizal	*Elaphe gutatta*	1	80	40	30
Pitón verde	*Morelia viridis*	1	200	100	220
Falsa coral	*Lampropeltis mexicana*	1	60	30	15
Falsa coral	*Lampropeltis getulus*	1	60	30	15
Falsa coral	*Lampropeltis*				
Boa	*Boa constrictor*	1	100	150	80
Serpiente toro	*Pituophys*	2	90	80	70
	Dasypeltis atra	2 hembras o 2 machos	50	40	60
Saurios					
Monstruo de Gila	*Heloderma horridum*	1	90	90	60
Escinco de las islas Salomón	*Corucia zebrata*	3	100	55	250
Geco diurno	*Phelsuma madagascariensis*	3	50	40	60
	Hemitheconyx condicinctus	4 hembras 1 macho	100	50	50
	Saltuarius cornutus	2 hembras o 2 machos	45	30	65
Geco	*Chondrodactylus angulifer*		60	40	30
Tejú	*Tupinambis sp.*	1	240	120	90
Lagarto de las palmeras	*Uromastix sp.*	2 hembras o 2 machos	150	60	50
Escinco de lengua azul	*Tiliqua scincoides*	1 hembra o 1 macho	100	100	60
	Alsophis cantherigerus		100	60	60
	Chamaeleo wiedersheimi	1	60	40	40
	Gerrhosaurus sp.	2 hembras o 1 macho	120	80	50
	Rhampholeon sp.	2 hembras o 2 machos	100	30	40
Varano de sabana	*Varanus exanthematicus*	2 hembras o 2 machos	200	70	60
		Terrario de exterior	400	500	

Especie		Nº de ejemplares por terrario	Longitud (cm)	Anchura (cm)	Altura (cm)
Nombre común	Nombre científico				
Varano del Nilo	Varanus niloticus	2 hembras o 2 machos	300	150	100
Iguana verde	Iguana iguana	2 hembras o 2 machos	200	100	250

Tortugas

Tortugas mediterráneas	Testudo sp.	2 hembras o 2 machos	400	500	......
	Chersina angulata	2 hembras o 2 machos	200	80	50
Tortuga caja	Terrapene sp.	2 hembras o 2 machos	240	80	50
	Kinixys sp.	1	200	40	80
Tortuga gigante africana	Centrochelys sulcata	2 hembras o 2 machos	1000	500	......
Tortuga leopardo	Stigmochelys pardalis	2 hembras o 2 machos	1000	500	......
Tortuga de patas rojas	Geochelone carbonaria	2 hembras 1 macho	600	500	
	Chelodina longicollis	2 hembras o 2 machos	150	70	70
Matamata	Chelus fimbriatus	1	200	100	60
	Mauremys mutica	2 hembras o 2 machos	180	50	50
Tortuga de Florida	Trachemys scripta spp.	2 hembras o 2 machos	150	70	70
Galápago pintado	Chrysemys picta spp.	2 hembras o 2 machos	150	70	70
Tortugas de caparazón blando	Apalone sp.	1	200	70	80

cia de nuestro perro o de ratas y ratones. Todos ellos provocan graves incidentes con tortugas de tierra, serpientes o iguanas.

Terrarios de interior (para especies de climas tropicales)

Estos terrarios son los más populares en el mundo de los aficionados al mantenimiento de reptiles en cautividad. Básicamente, son estructuras tipo caja fabricadas con diferentes materiales, en las cuales se recrean los parámetros necesarios de luz y temperatura necesarias para el correcto mantenimiento de cada especie en particular. Sus medidas van a variar mucho en función del inquilino del mismo y para su diseño tendremos que consultar la bibliografía necesaria referente a la biología del reptil que pretendamos adquirir.

Los terrarios tropicales van a estar profusamente acondicionados con ramas o troncos, rocas escondrijos y la ambientación necesaria para conformar un terrario con una riqueza ambiental que permita al reptil sentirse protegido. En el caso de ser arborícola, como las especies de camaleónidos (*Chamaeleo* sp.), iguánidos *(Iguana iguana)* o serpientes como las boas *(Boa constrictor)*, ha de disponer de una considerable altura o verticalidad útil. Las temperaturas y humedades se adaptarán en función de la especie alojada. Reptiles como los dragones de agua *Phisignatus* sp., o las pitones indias *(Phyton molurus)*, necesitarán una humedad comprendida entre el 80 y el 90%, y en general estas instalaciones tendrán unas temperaturas sin demasiadas fluctuaciones, oscilando entre los 28 °C y los 32 °C, con períodos cortos algo más fríos si pretendemos estimular la reproducción de nuestras mascotas. Estos terrarios van a disponer de al menos un tercio de su espacio dedicado a alojar una cubeta con agua u otro recipiente de fácil acceso. Algunos habitáculos dispondrán incluso de una superficie mayor (dos terceras partes del terrario), si van a ser destinados a alojar caimanes (*Caiman* sp.) o quelonios palustres como las tortugas caja asiáticas *(Cuora amboi-*

nensis). Estas instalaciones son denominadas generalmente acuaterrarios.

Un segundo tipo de terrario será el destinado a mantener especies de climas desérticos, como el varano del Sáhara *(Varanus griseus)*, el lagarto de las palmeras (*Uromastix* sp.) o las tortugas de desierto americanas (*Gopherus* sp.). Estas instalaciones, de diseño más horizontal que vertical, contendrán un sustrato fácil de escarbar o tendrán oquedades y madrigueras donde sus moradores puedan esconderse. La humedad será baja, y se obtendrá mediante pulverizaciones; serán necesarios también una alta luminosidad y períodos diurnos de 12 horas.

Sitios web de interés

www.monanimal.net/principal.htm
www.tortoisetrust.org/articles/lighting.html

Bibliografía

Aresté, M. (1998). Nuevas instalaciones para reptiles en el Parque zoológico de Barcelona. *Reptilia* 4(14): 56-59.

Raiti, P., Jarchow, J., Heard, D., Mitchell, M. A., & Innis, C. J. (2001). Improving the quality of care offered to reptilian and amphibian patients. *J. Herp. Med. Sur.* 11(1): 17-25.

Vosjoli, P. (1999). Designing environments for captive amphibians and reptiles. *Veterinary Clinics of North America: Exotic animal practice* 2(1): 43-67.

33. ¿Pueden tenerse diferentes especies juntas? ¿Puedo poner peces con tortugas de agua?

Antiguamente, las instalaciones zoológicas se caracterizaban por no tener en cuenta al animal y presentar una mera exposición de una rareza en cautividad. En ellos predominaban las rejas, estructuras antiestéticas y no educativas. No estaban naturalizadas y ni mucho menos eran seguras. En el presente, las instalaciones para reptiles en las colecciones zoológicas serias son cómodas y seguras, tanto para el animal como para sus manipuladores. Son amplias, naturalizadas y con abundante mobiliario que sirve para optimizar el alojamiento de la especie en cuestión. Se presta además una especial atención a fomentar técnicas de enriquecimiento ambiental, por lo que los terrarios tienen un fin educativo claro. En esta corriente de racionamiento siempre se dice que las instalaciones mixtas enriquecen no sólo en estética, sino en comportamiento y tranquilidad de los animales que allí viven. Sin embargo, es recomendable no sobrepasar la cifra de cinco especies compatibles conviviendo en un mismo terrario.

En todos los ecosistemas se mantiene un equilibrio entre presas y predadores. Por su parte, los reptiles ocupan diferentes estadios de la que sería una pirámide alimentaria. Algunas especies pertenecerían a la base del polígono por ser eminentemente herbívoras (tortugas terrestres), otras ocuparían pisos intermedios con su carácter omnívoro (lagartos barbudos australianos) y sólo unas pocas estarían en la cima como superpredadores (cocodrilos del Nilo).

Estas consideraciones biológicas y de conducta van a ser tenidas en cuenta en el caso que pretendamos tener reptiles diferentes juntos.

Desde el punto de vista de un aficionado que desee dedicarse exclusivamente a la cría de reptiles, no será muy aconsejable mantener especies diferentes juntas. Cualquier elemento distorsionador de la tranquilidad necesaria para la cría debe eliminarse, ya que podrían darse competencias por el alimento, por el espacio vital e incluso intentos de cópula entre distintas especies. Todo ello supondría un retraso en el programa o la no consecución de la reproducción.

Pero en ocasiones, de forma temporal o por el hecho de tener reptiles en exposiciones permanentes no dirigidas a la cría, podemos mantener reptiles diferentes en una misma instalación. Tendremos presente, por descontado, la no inserción de especies predadoras en un terrario donde habiten reptiles que pudieran ser presa, como una pitón reticulada junto a un varano, o un varano junto a una iguana joven.

Cabe advertir también de los posibles riesgos sanitarios derivados del mantenimiento de herpetos diferentes, que habrá que minimizar con un riguroso control veterinario e higiénico de la instalación.

Mantenimiento de serpientes juntas

El mantenimiento de ofidios de especies diferentes resulta complicado y nada aconsejable. Recordemos que estos reptiles pertenecen al ámbito de los predadores o superpredadores: algunos dan caza incluso a sus mismos congéneres, otras serpientes son ofiófagas, por tanto, predan sobre otros ofidios de distinta especie. No obstante, se pueden tener diferentes serpientes de la familia boidae juntas con relativa tranquilidad, procurando que su tamaño sea equiparable. Boas y pitones reticuladas conviven en un mismo terrario sin aparente disgusto, al igual que la pitón india con las anteriormente mencionadas. El proceso de alimentación de cada ejemplar tendrá que ser observado con minuciosidad y en alerta, dado que si ya es complicado alimentar dos serpientes en el mismo terrario siendo de la misma especie, lo será aún más

cuando éstas sean diferentes, con técnicas o conductas de caza ligeramente distintas.

Mantenimiento de ofidios y saurios

No es posible mantener en la misma instalación a una serpiente con un saurio, dado que existe entre los dos grupos faunísticos una relación de predador-presa en ambas direcciones. Por ejemplo, los varanos predan con asiduidad sobre serpientes y la gran mayoría de los ofidios no desdeñan la captura de un saurio o similar: una anaconda dará muerte a un caimán si tiene la ocasión.

Mantenimiento de serpientes y quelonios

Podría decirse que esta relación no tendría que ser problemática, tanto si se trata de quelonios acuáticos como terrestres, aunque sí añadiría un trabajo suplementario en el mantenimiento higiénico del terrario, dada la cantidad superior y regular de excrementos sólidos y líquidos que depositan las tortugas, tanto en el agua como en el sustrato. Por ello, también es desaconsejable su relación.

Mantenimiento de distintos saurios

En la mayoría de los casos no será aconsejable tener en la misma insta-

Convivencia pacífica en una gran instalación con iguanas comunes y tortugas de agua y terrestres

Otras preguntas relacionadas

56. ¿Se puede alimentar a las serpientes con presa muerta, como trozos de carne o embutidos, aunque sean cazadoras de presa viva?

63. ¿Se han de tener varios ejemplares en un terrario para que no se sientan solos? ¿Existen técnicas de enriquecimiento ambiental aplicables a los reptiles?

lación saurios de diferente especie, dado que existe un evidente riesgo de predación, por ejemplo, entre lagartos carnívoros. Excepcionalmente pueden tenerse especies herbívoras en convivencia, como lagartos de las palmeras (*Uromastix* sp.) y lagartos del desierto australiano (*Pogona vitticeps*). Será del todo equivocado juntar camaleones de especies diferentes, dado que ya de por sí resulta conflictivo mantener ejemplares de la misma especie en un mismo espacio, por las relaciones de territorialidad que se establecen entre ambos y que eleva su nivel de estrés.

Mantenimiento de quelonios y saurios

Ésta es una de las pocas combinaciones específicas que no representa un conflicto a priori y va a suponer un enriquecimiento ambiental, proporcionando la sensación a los especímenes de encontrarse en un miniecosistema. Pueden tenerse iguanas junto a tortugas terrestres o acuáticas sin aparente conflicto de intereses. Caimanes y tortugas de tamaño mediano o grande, tanto de agua como de tierra pueden convivir en el mismo terrario. La única regla será no mezclar quelonios de corta edad y de menos de 6 cm con reptiles que en el medio natural depredan sobre neonatos de quelonios, como, por ejemplo, los cocodrilos y varanos. Siempre que las especies de saurios o tortugas tengan un régimen alimentario herbívoro las precauciones no van a ser necesarias.

Mantenimiento de tortugas acuáticas y terrestres

Instalaciones al aire libre podrán alojar indistintamente especies diferentes sin ningún conflicto de interacción. Siempre y cuando garanticemos suficientes espacios para la termorregulación, en el caso de quelonios acuáticos, y tengamos cuidado en el proceso de alimentación, dado que ambos grupos de quelonios tienen hábitos alimentarios sensiblemente diferentes. También tendremos presente la posibilidad de hibridación entre especies o subespecies del mismo género, como tortuga mediterránea (*Testudo hermanni*) con tortuga mora *(Testudo graeca)*, situación que en libertad no se produce, ya que las tortugas descritas explotan nichos diferentes dentro de un mismo hábitat.

La conveniencia de mezclar diferentes especies de reptiles debe obligarnos en todo caso a un control exhaustivo de la instalación, ya que puede representarnos el aumento de excrementos, posibilidad de transmisión de patologías o interacciones conductuales no previstas.

Mantenimiento de tortugas acuáticas y peces

Sí, pero con matices. Por causas de depredación directa, no introduciremos nunca peces en un acuaterrario o acuario donde habiten, por ejemplo, tortugas de las especies siguientes: Tortugas de caparazón blando del género *Apalone* o *Pelodiscus*, tortugas mordedoras *(Chelydra serpentina)* o tortugas aligator *(Macroclemys teminki)*. Las especies acuáticas tienen una alimentación omnívora, no desdeñando en absoluto la ingestión de carne, que en el medio natural obtienen de animales muertos, sean mamíferos, aves, reptiles, anfibios o peces. Prescindiendo ya de la depredación, la presencia de quelonios y peces vendrá definida, sobre todo, por la existencia del suficiente espacio vital para todos ellos. En cualquier caso, no podremos mantener una densidad elevada de tortugas, dado que la suciedad que provocan modificará los valores del agua fundamentales para la vida de los peces, como la concentración en amoniaco, el pH, etc., lo que conducirá a la muerte de los peces. Por tanto, deberá proporcionarse refugios adecuados, limpieza exhaustiva y filtraje periódico del agua.

Sitios web de interés

www.le–monde–des–reptiles.com/-docs/article/article.php?id=3

Bibliografía

Divers, S. J. (2000). Reptile behavior. *Proceedings of the ARAV 7*: 183-184.

Rossi, J. V. (1998). Practical iguana psychology. *TNAVC Proceedings* 798–799.

34. ¿Qué son las radiaciones ultravioletas, cuántas clases hay y para qué sirven?

La luz ultravioleta es una banda de energía electromagnética entre 100 y 400 nm de longitud de onda. Es una forma invisible de luz, la cual afecta de modo sustancial muchas especies animales tanto en funciones fisiológicas como psicológicas.

Existen tres divisiones de las bandas dentro de la radiación ultravioleta (UV). Éstas son: la UVA (desde 320 a 400 nm), UVB (desde 290 a 320 nm) y UVC (desde 100 a 290 nm). Este último nivel de radiación es totalmente absorbido por la capa de ozono de la estratosfera, llegando a la superficie terrestre tan sólo los UVA y UVB.

Otras preguntas relacionadas

26. ¿Los reptiles ven los colores como las personas o ven en blanco y negro? ¿A qué responde el cambio de color de muchas especies (camaleones, iguánidos, gecos)?

40. ¿Cómo se hace una cuarentena en reptiles, cuánto ha de durar y qué hemos de hacer durante ese tiempo?

78. ¿Cómo se produce el raquitismo en iguanas y cómo se cura? ¿Por qué no se da el raquitismo en las serpientes? ¿Puede confundirse con otras enfermedades?

La luz UVB está disponible por todos los reptiles y anfibios en la naturaleza y tiene efectos tanto beneficiosos como contraproducentes. Los efectos beneficiosos incluyen su importante papel en la foto-biosíntesis de la vitamina D_3 en la piel de los reptiles diurnos. También se han propuesto posibles efectos desinfectantes de patógenos externos e incluso parásitos de la piel del reptil. Los efectos indeseados son las lesiones cutáneas producidas por sobreexposición, degradación de ciertas vitaminas, como la A o la D, y lesiones cutáneas irreversibles en anfibios que pueden llevarlos a la muerte. Esta longitud de onda es visible para algunos lagartos.

La luz UVA es visible también para muchos lagartos y desempeña un importante papel en la comunicación social y en el comportamiento de grupo. Cuando la luz UVA se refleja en la piel del reptil, le da un aspecto distinto al que nosotros percibimos (la especie humana no podemos ver este espectro de luz). En consecuencia, se ha documentado que la luz UVA es beneficiosa en comunicaciones sociales dentro de la misma especie (principalmente en saurios), pero también puede ser vista por ciertos depredadores que así detectan mejor a sus presas. Los efectos compor-

Lagarto de cola espinosa *(Uromastix sp.)* tomando una sesión de ultravioletas

tamentales de la luz UVA se observan en el momento de la reproducción, reconocimiento de parejas o competidores, comportamiento agonista o de señalización de áreas de influencia o territorios. Por otro lado, la luz UVA puede causar degradación de la vitamina A en la piel, factor que puede ayudar a la aparición de la deficiencia de vitamina A.

En definitiva, una exposición adecuada y controlada a la luz ultravioleta es del todo imprescindible en la mayoría de especies de reptiles. Incluso se han descrito experiencias en las que los reptiles se vuelven más activos, vigorosos y despiertos después de la exposición a este tipo de luz.

La ausencia de luz ultravioleta puede actuar como un factor estresante crónico y contribuir a la inadaptación o a la inmunodepresión en reptiles cautivos.

Además, la luz ultravioleta parece ser un desencadenante del apetito necesario en reptiles en tratamientos prolongados (hospitalizaciones y similares).

¿Cómo proporcionarla?

La exposición solar directa es la fuente ideal de radiación ultravioleta. Sin embargo, durante la mayoría del año no es posible, debido al frío o a las inclemencias del tiempo. Por ello, es aconsejable una fuente artificial de luz ultravioleta en la mayoría de los terrarios. Los tipos de emisores de luz UV que existen en el mercado son muy variables. Son característicos varios modelos de tubos de la marca ZOOMED (Reptiglo 2,0; Reptiglo 5,0 o Reptiglo 8,0), EXO TERRA o (Sylvania UVB 350), lámparas de vapor de mercurio; etc. Se pueden adquirir en potencias variables de 14, 15, 20, 25, 30 y 40 watios.

Todos ellos están especialmente fabricados para su uso en terrarios y herpetología. Únicamente deben tenerse en consideración los siguientes aspectos:

– Todos los tubos tienen una vida determinada. Normalmente se asume que de 6 meses a 12 meses después de adquirir un tubo fluorescente ha de pensarse en su reposición. Aunque el fluorescente siga emitiendo luz visible, la proporción de ultravioletas ha descendido a un mínimo inapreciable.

– Las lámparas de vapor de mercurio producen más UV que los fluorescentes, además de calor, por lo cual parecen ser una excelente elección en reptiles tropicales, desérticos o templados. Los fluorescentes serían una opción alternativa en reptiles de montaña en los que una fuente de calor adicional no es importante.

– Existe una pérdida de efectividad con la distancia de emisión que equivale al cuadrado inverso de la distancia. En otras palabras, imaginemos que colocamos un reptil a 1 m del foco y, de este modo, recibirá 1 unidad de ultravioleta. Si colocamos ese reptil a 3 m del foco, no recibirá 3 unidades menos, sino 9 unidades menos (el cua-

Algunas marcas y modelos de fluorescentes ultravioletas especiales para reptiles

drado de 3). Con ello, la efectividad de la exposición a la luz ultravioleta disminuye mucho con la distancia. Lo recomendable es que el animal se sitúe entre 50 y 100 cm del foco emisor.

– Los fluorescentes o lámparas indicados anteriormente pueden estar todo el día conectados y desconectarlos de noche. Así se sigue un ciclo solar completo. Otras marcas usadas antiguamente o los tubos que se emplean como bronceadores no deben usarse más de 30 minutos al día, porque tienen un alto riesgo de irradiación excesiva.

– La numeración que algunas marcas comerciales tienen acerca de 2.0, 5.0, etc. hace referencia al porcentaje de UVB en la emisión de ese fluorescente. Una proporción baja (2.0) podría usarse en las instalaciones con serpientes o cocodrilos u otros reptiles alojados en terrarios estándar, en los que se necesite un bajo rendimiento de emisión. La intermedia (5.0) se aconseja para iguanas y la mayoría de reptiles tropicales y subtropicales. La gama alta (8.0) se aconseja en reptiles de desierto o incluso en los reptiles que están hospitalizados en tratamientos de osteopatía metabólica (la enfermedad metabólica de los huesos). Podría decirse que los reptiles que más necesitan de luz UVB son aquellas especies de dieta con un importante componente herbívoro y/o de crecimiento muy acelerado en los primeros tres años de vida. Incluiría

esta definición las iguanas, dragones barbudos australianos, ciertos camaleones y tortugas gigantes, entre otras.

– Los rayos UV no atraviesan bien los cristales convencionales ni el plexiglás. Tan sólo existen ciertos cristales acrílicos permeables a la luz ultravioleta. Estos materiales se utilizan en ciertos zoológicos, pero no en todos los terrarios comerciales. Desgraciadamente, estos cristales son muy caros y su capacidad de transmisión de la luz UV tiende a disminuir con el tiempo.

Sitios web de interés

www.arcadia-uk.com
www.exo-terra.com
www.zoomed.com

Bibliografía

Aucone, B. M., Gehrmann, W. H., Ferguson, G. W., Chen, T. C., & Holick, M. F. (2003). Comparison of two artificial ultraviolet light sources used for Chukwalla, Sauromaulus obesus, husbandry. J. Herpet. Med. Surg. 13: 14-17.

Gyimesi, Z. S. & Burns, R. B. (2002). Monitoring of plasma 25-hydroxyvitamin D concentrations in two Komodo dragons, Varanus komodoensis: a case study. J. Herp. Med. Sur. 12(2): 4-9.

Adkins, E., Driggers, T., Fergurson, G., Gehrmann, W., Gymesi, Z., May, E., Ogle, M & Owens, T. (2003). Ultraviolet light and Reptiles, Amphibians. J. Herp. Med. Sur. 13(4): 27-37.

35. ¿Cuál sería el terrario ideal para alojar un reptil desértico de gran tamaño?

Con frecuencia, el aficionado al mundo de los reptiles se siente tentado de comprar una especie de gran tamaño, cuyo mantenimiento va a resultar conflictivo en la mayoría de los casos si no se dispone del espacio suficiente para alojarlo.

Especies como las tortugas gigantes africanas Geochelone *(Centrochelys sulcata)*, con tamaños máximos registrados cercanos a los 90 cm y un récord de peso de 98 kg –en un ejemplar macho que vivía en el «Jardin des Plantes» de París–, hacen de este quelonio un ejemplo de reptil no apto para mantener en un terrario convencional en el interior de un domicilio. También saurios como los varanos de sabana *(Varanus exanthematicus)* desarrollan tamaños considerados grandes, llegando a medir 132 cm de hocico a punta de la cola. Muchos de estos reptiles ocupan zonas del planeta consideradas de clima desértico, con lo cual desarrollan conductas biológicas ligadas a los rigores calóricos del medio. Estas condiciones desfavorables, que en determinados períodos del año se acentúan, son resueltas con la excavación de madrigueras o cubiles en el sustrato. Por ejemplo, las tortugas gigantes africanas llegan a perforar túneles de hasta 15 m, que las aislarán de temperaturas superiores a 35 °C en el exterior durante nueve meses (la estación seca), entrando en un estado de diapausa llamado estivación.

Una consideracion de carácter general para tener presente es la no idoneidad de los terrarios de interior para ejemplares adultos. Podrán ser mantenidas las crías de tortuga gigante en una instalación típica, mientras no sobrepasen los 20 cm, y también varanos de sabana subadultos que no excedan 0,5 m. A partir de ese momento, debemos tener diseñado un recinto exterior para los meses más favorables del año en la latitud en que vivamos, en la cual habrá que anexar un habitáculo con calefacción suficiente para los meses invernales.

Las características técnicas de estos terrarios al aire libre, dependiendo de que sean para alojar quelonios o saurios, tendrían que ser:

– Para tortugas gigantes o de mediano tamaño, como Geochelone *(Centrochelys sulcata, Stigmochelys pardalis* o *Astrochelys radiata)*. La superficie mínima para una pareja tendría que ser de 50 m^2 en el exterior y de al menos 9 m^2 en el interior. La instalación exterior contará con un sustrato terroso de fácil perforación, pero que no se desmorone al ser excavado (tierra vegetal y arena a partes iguales), con una profundidad de por lo menos 1 m. La tortuga gigante africana, en el momento de depositar la puesta, realiza en el terreno un gran hoyo de unos 30 cm de hondura, con capacidad para albergar su cuerpo; a posteriori, perforará allí el nido donde depositará su puesta, que puede oscilar entre los 13 y los 31 huevos, con un peso medio de 55 g. Por otro lado, todas estas grandes tortugas gustan de buscar refugio en taludes donde excavan escondrijos de menor o mayor profundidad. Las vallas que delimiten el recinto exterior deberán ser de materiales resistentes, como paneles de madera o de construcción de 80 cm como mínimo. El recinto interior o caseta para los períodos desfavorables contará con iluminación y un foco de calor para termorregular el ambiente. También sería adecuado instalar en un rincón un suelo irradiante de calor, como los usados en calefacción doméstica. El recinto exterior, aun tratándose de reptiles de climas desérticos, deberá contener una pequeña charca donde los quelonios podrán bañarse o beber.

– Para varanos de sabana *(Varanus exanthematicus).* Los varanos pueden

Tortuga de desierto *(Geochelone sulcata)* en un túnel excavando en el terrario, comportamiento natural de la especie en la estación seca

129

Otras preguntas relacionadas

27. ¿Qué es la hibernación? ¿Hay que evitarla o es aconsejable?

55. ¿Es preferible un reptil tendente a la obesidad o bien tendente a la delgadez?

61. ¿Existe el estrés en reptiles? ¿Qué efectos tiene?

62. ¿Cómo se combaten la agresividad y la territorialidad en las iguanas? ¿La castración puede solucionarlas?

ser alojados durante los primeros años de vida, hasta que alcancen un tamaño de 50 cm, en terrarios convencionales, de unas medidas no inferiores a 200 cm x 70 cm x 60 cm (es mucho más importante el espacio útil horizontal que vertical) para una pareja. Esta instalación, aunque puede considerarse de gran formato, nos va a resultar insuficiente cuando los varanos de sabana alcancen 80 o 90 cm. Por ello, sería aconsejable un terrario al aire libre durante los meses de bonanza climática. Recordemos que estos saurios son espléndidos marchadores, que no dudan en recorrer largas distancias para encontrar sustento o refugio. Un cercado de unos 50 m^2, con un sustrato de arena y escondrijos a base de pequeñas cuevas, daría un aire más desértico a la instalación, sin olvidar un pequeño estan-

que donde bañarse y beber. También habrá que tener muy presente el carácter excavador de estos saurios, que en su medio natural pueden realizar madrigueras con sus fuertes uñas o trepar sin problemas a los árboles y palmeras; por esto, la valla del terrario tendrá que estar debidamente cimentada y sus paredes habrán de rematar en una superficie lisa y resbaladiza de 30 cm como mínimo (por ejemplo, fabricada en chapa metálica o metacrilato), para impedir la fuga en caso de que el varano trepe por la pared. Deberán también podarse los árboles o arbustos del interior del recinto desde los cuales el saurio pudiera acceder al exterior del mismo.

Sitios web de interés

www.peteducation.com/article.cfm-?cls=17&cat=1797&articleid=2434

Bibliografía

Cary Paul, R. (1997). *Great African Spur-thighed or Sulcata tortoise* (Geochelone sulcata): *a care guide*. (2ª ed.). Homestead: Green Nature Books.

Fleming, G. J., Isaza, R., & Spire, M. F. (2001). Evaluation of reptile thermoregulation and enclosure design using digital thermography. *Proceedings of the ARAV* 8: 5-6.

Schmidt, M. (2000). Terrario interior sin complicaciones. *Reptilia* 24: 20-24.

36. ¿Es bueno que se bañen las iguanas?

Los reptiles de climas húmedos y cálidos, popularmente llamados de clima tropical, desarrollan su ciclo biológico dentro de unos parámetros de humedad y temperatura muy específicos, que genéricamente se enmarcan en los llamados bosques húmedos, distribuidos a lo largo del ecuador terrestre y cuyos exponentes más famosos son las selvas.

La familia Iguanidae cuenta entre sus integrantes con algunos de los saurios más representativos de este medio selvático, como, por ejemplo, los basiliscos *(Basiliscus basiliscus)* o las iguanas verdes *(Iguana iguana)*. Ambos son habitantes de los bosques del centro y sur del continente americano, región biogeográfica ocupada todavía por extensas selvas, sustentadas por un régimen hídrico de gran generosidad. Los bosques tropicales húmedos reciben anualmente no menos de 2.000 mm de lluvia y con mucha frecuencia puede llegar a los 10.000 mm. Si bien las temperaturas diurnas alcanzadas no suelen superar los 33 °C, a causa de la extrema humedad, la sensación de calor bochornoso y pegajoso, producto de la evaporación, hace difícil de sobrellevar el clima. Existen en esas latitudes dos estaciones: la húmeda y la seca. En la estación seca llueve cada tres días aproximadamente y en la estación húmeda llueve torrencialmente cada tarde.

Los reptiles habitantes de semejante sauna natural van a tener una relación muy estrecha con el concepto de humedad. No será de extrañar que el mantenimiento de saurios como las iguanas tenga como premisa en nuestro terrario el evitar la deshidratación por culpa de una baja humedad.

Las iguanas verdes *(Iguana iguana)* son los reptiles tropicales por excelencia, muy habituales entre los aficionados a la herpetocultura. Con unas dimensiones en estado adulto de hasta 1,5 m, suponen para cualquier propietario un reto para su manejo. El tamaño mínimo del terrario para una pareja de iguanas no debería ser inferior a 200 x 100 x 250 cm; de ello podemos deducir que la altura es un factor importante para tener presente, dado que las igua-

Iguana tomando un refrescante baño

nas desarrollan parte de su actividad diaria en las ramas de los árboles de la selva, a las que acceden con tremenda facilidad gracias a sus afiladas uñas en forma de hoz. Una parte muy importante de la instalación la ocupará la cubeta para el agua, que deberá ser lo más espaciosa posible (la mitad de la superficie del terrario), dado que va a ser la pieza clave para proporcionar la humedad necesaria. La temperatura diurna del terrario deberá ser de entre 25 a 35 °C, favoreciendo así la evaporación del agua. En caso de no poder mantener un grado de humedad cercano al 80%, podemos pulverizar diariamente el terrario.

Importancia del mantenimiento de la humedad en el terrario

Los baños regulares van a facilitar la muda de la piel en la iguana, evitando retenciones de piel en la punta de la cola, los dedos o las escamas que recubren la espectacular cresta de los machos, así como grandes pedazos que se desprenderán fácilmente de la iguana. Este aspecto también es de importancia en serpientes de climas tropicales, como la pitón reticulada, la pitón india o la boa constrictor.

El baño también va a impedir la deshidratación de los animales, que de no tener un ambiente húmedo no tardarán en tener los síntomas siguientes:

Instalación para iguanas con una gran piscina dentro

Otras preguntas relacionadas

29. ¿El agua corriente es apta para las tortugas de agua?

67. ¿Cómo se sabe que los huevos se han estropeado o que evolucionan bien durante la incubación?

1) Piel apergaminada, sin elasticidad.

2) Ojos hundidos en las cuencas orbitales.

3) Secreción mediante propulsión periódica a través de los orificios nasales.

4) Función incorrecta del riñón y anomalías del filtrado renal.

El espacio de agua para el baño tambien va a contribuir a la calidad ambiental del terrario, proporcionando un aspecto más natural y permitiendo a la iguana el ensayo de chapuzones en la cubeta, para refrescarse y termorregularse. La humedad ambiental será además la ideal para que los huevos se incuben, de modo que eso facilitará que las iguanas se pongan a criar (aunque una vez puestos recomendamos que los huevos se incuben aparte en una incubadora). Si la instalación donde alojamos a las iguanas es suficientemente grande como para situar un estanque de unos 1,5 m^2, podremos observar que estos saurios son unos buenos nadadores, que se desplazan con su robusta cola aplanada lateralmente, tanto en superficie como bajo ella. De hecho, una de las conductas usadas para escapar de los predadores en su medio natural es la de lanzarse al agua, donde pueden permanecer durante largo tiempo.

La necesidad de proporcionar humedad a una iguana, sea por medio de la pulverización del habitáculo, o dándole la posibilidad de sumergirse en una cubeta de agua tibia, será de vital importancia para el buen mantenimiento y salud de este reptil.

Sitios web de interés

www.veterinarypartner.com/Content.plx?P=A&A=1293&S=4&SourceID=56

Bibliografía

Niewiarowski, P. H. (2000). Aspects of reptile ecology. In: Sparling, D. W., Linder, G. & Bishop, C. A. (Eds.). *Ecotoxicology of amphibians and reptiles.* Columbia: SETAC, 179-198.

Vosjoli, P. (1999). Designing environments for captive amphibians and reptiles. *Veterinary Clinics of North America: Exotic animal practice.* 2(1): 43-67.

37. ¿Es posible tener como mascota una serpiente venenosa?

La pregunta debería formularse de otro modo: ¿Es sensato tener como mascota una serpiente venenosa?

El concepto de mascota ha evolucionado mucho en los últimos 20 años. Hoy en día, cualquier ser vivo que tenga una cierta dependen-

cia del ser humano y al que se le puedan confiar secretos sin riesgo de que los vaya diciendo por ahí puede considerarse una mascota. Y así encontraremos no sólo a reptiles, sino a insectos, orquídeas, gorilas, bonsais, ballenas o babosas. Además, con la

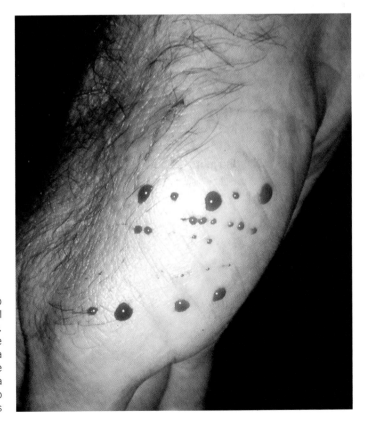

Mordisco efectuado por una cobra real a su manipulador. Por suerte se le había realizado una cirugía de extracción de la glándula del veneno cuatro años antes

aparición de los «tamagochis» como mascotas virtuales, incluso se tambalea aún más la definición que acabamos de dar.

Visto así, la respuesta al enunciado de la pregunta es que, obviamente, sí.

Pero cuando hablamos de especies venenosas hemos de cambiar ligeramente nuestra amplitud de miras. ¿A alguien le gustaría que un vecino fuera cada día por la escalera con una pistola cargada y apuntando indiscriminadamente, eso sí, sin disparar a nadie? Algún día pasaría algo. Nadie toleraría este comportamiento. A alguien le gustaría que un vecino tuviera una serpiente capaz de matar con sólo un mordisco instantáneo y casi indoloro en un terrario de donde, eso sí, nunca se escapa? Algún día de su larga vida se escaparía. Nadie toleraría esta mascota.

Otras preguntas relacionadas

42. ¿Qué se debe hacer ante un mordisco de un reptil? ¿Y si es venenoso?

90. ¿Puede considerarse a los reptiles animales domésticos?

94. ¿Qué preguntas básicas hemos de hacernos antes de comprar un reptil?

95. ¿Es legal/ético tener reptiles peligrosos en un domicilio (pitón reticulada, caimán, serpiente venenosa)?

Por este motivo, existe una legislación sobre especies peligrosas que regula la tenencia de las mismas. Muchos países la cumplen rigurosamente y otros sólo la tienen sobre el papel.

El problema es dónde poner la frontera entre las especies que son venenosas y las que no. Consideremos *Ahaetulla nasuta*, una serpiente de dentadura opistoglifa con el veneno suficiente para matar sus presas, que son pequeños artrópodos. Esta serpiente es venenosa y, sin embargo, es absolutamente inofensiva para la especie humana.

Existen verdaderamente problemas de gestión de qué especies deberían ser las permitidas y cuáles no. No existe ninguna lista que contenga en ella todas las especies permitidas en función de su peligrosidad.

Del mismo modo, existe una cirugía cuyo fin es inutilizar la capacidad inoculadora de veneno de los ofidios peligrosos. Se denomina venomadenectomía y es una operación en la que se extraen las glándulas venenosas de las serpientes. Funciona muy bien en las familias Elapidae, Viperidae y Crotalidae. Tras esta operación se ha de introducir un microchip a la serpiente para que no haya confusión comercial con otra no operada. Además, deberán hacerse anualmente pruebas de inoculación, en las que la serpiente ha de morder a un ratón; si no puede inyectarle nada, éste no muere. La serpiente deberá alimentarse siempre con presas muertas o preparados comerciales precalentados. Una vez confirmada la inocuidad de la serpiente se extiende un certificado veterinario que asegure su naturaleza inofensiva para la especie humana. Sin embargo, tampoco está legislado este aspecto de la tenencia de especies venenosas.

Muchos propietarios de serpientes venenosas están tranquilos porque tienen los antisueros específicos. Sin embargo, esto nunca ha de ser un consuelo: una serpiente vive bastantes años (entre 5 y 25 años dependiendo de la especie) y en ese tiempo el suero habrá caducado con toda seguridad. Por ello, ha de reabastecerse cada uno a dos años de antídotos específicos. Además, los antídotos están hechos en animales (casi siempre en caballos) y su administración a personas puede provocar un shock anafiláctico que acabe con la muerte. Y por si eso fuera poco, no existen antisueros específicos de todas las especies venenosas, por lo que normalmente se administran sueros polivalentes (útiles para varias especies de serpientes). Por todo ello, no es ninguna garantía que una serpiente venenosa esté acompañada de su antisuero cerca del terrario.

En definitiva, para tener una especie venenosa en cautividad hemos de cumplir primero unos mínimos requisitos legales, y seguidamente, unos mínimos requisitos de sensatez.

Sitios web de interés
www.gencat.net/sanitat/portal/cat/-serum.htm
www.venomousreptiles.org

Bibliografía
Atrox (1995). Serpientes venenosas. *Reptilia* 1(1): 18-23.

Funk, R. S. (2001). Venomoid surgery in snakes. *Proceedings of the ARAV* 8: 31-32.

García-Guereta, L., Hevia, E., & Arroyo, G. (1983). Aspectos médicos y forenses de los emponzoñamientos por mordedura de serpientes en nuestro medio. *Práctica médico forense* 243: 75-81.

38. ¿Es aconsejable cambiar las temperaturas del terrario según las distintas épocas del año?

En condiciones naturales, la climatología ejerce uno de los papeles más importantes en el ritmo biológico de los reptiles. Como puede verse en otros capítulos, la hibernación es una parte más de su conducta natural, que responde a una variación paulatina pero profunda e intensa de las temperaturas ambientales.

La imitación en nuestro terrario de los parámetros térmicos a los cuales una especie esté sometida en su medio natural va a ser de vital importancia para un correcto mantenimiento de ésta. Así, mediante el control de las temperaturas deberemos conseguir inducir la ejecución por parte del reptil de su completo ciclo biológico. Esta circunstancia tendrá especial interés cuando el aficionado pretenda conseguir la reproducción de sus especímenes.

Para poder realizar una correcta extrapolación en nuestra instalación del clima que soporta una determinada especie de reptil en su zona de origen, podemos utilizar un modelo climático de los existentes en los atlas geográficos, aunque teniendo en cuenta las posibilidades de que existan microclimas específicos en determinadas regiones del planeta. Las conductas reproductoras de muchos reptiles irán directamente ligadas a las temperaturas estacionales.

Las especies de climas mediterráneos están marcadas por la estacionalidad de su clima. Desarrollarán la conducta reproductiva después del período hibernal, con el aumento gradual de las temperaturas, llegando en primavera al punto óptimo para desencadenar las pautas de apareamiento. La elevación de la temperatura, el incremento de horas de sol y la abundancia de alimento son los factores fundamentales en la producción de un shock hormonal que provocará que los reptiles estacionales entren en su período de reproducción. Las temperaturas para el mantenimiento de reptiles de climas mediterráneos deberán copiar estos gradientes. Los terrarios ajustarán sus termostatos en caso de tenerlos, a menos de 15 °C durante un período de como mínimo 12 semanas, o en su defecto desenchufarán las esterillas y cables calefactores de la instalación, no olvidando mantener la humedad del recinto en los valores que garanticen la no deshidratación del animal, que entrará en un período de diapausa. Transcurrido este tiempo, aumentaremos progresivamente la temperatura hasta alcanzar la Tem-

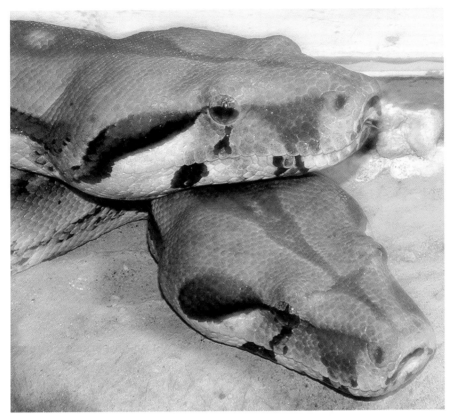

Dos boas apareándose tras haber pasado un periodo de frío moderado. En este caso, la subida de temperaturas fue crucial para que se iniciara la reproducción

peratura Corporal Óptima (TCO), generalmente por encima de los 25 °C. En esas circunstancias, nuestro reptil mediterráneo deberá iniciar pautas de comportamiento precopulatorio. En muchos zoos del mundo, con contrastado éxito reproductor de sus especies, introducen un par de meses a sus reproductores en un frigorífico, donde estarán todo ese tiempo a 4 °C. Es un modo curioso pero útil de sincronizar y regular los celos y las pautas reproductoras de los reptiles.

Las especies de climas tropicales, donde las variaciones en la temperatura del ambiente son mínimas a lo

Otras preguntas relacionadas

22. ¿Qué importancia tienen la temperatura, la humedad y el fotoperíodo en la vida de un reptil?

27. ¿Qué es la hibernación? ¿Hay que evitarla o es aconsejable?

largo del año, no superior a dos o tres grados, tienden a no tener un período definido para su reproducción, pudiendo desarrollar esta conducta reproductiva durante gran parte de él. No obstante, factores como la humedad o la mayor duración del día (horas de luz) van a preferenciar ciertos meses del año para este proceso. Una combinación de estos parámetros es obligada en un terrario para desencadenar el proceso.

Para finalizar, otro proceso de gran importancia en el que está implicada la temperatura: la nutrición. Se sabe con toda certeza que un incremento de temperatura 12 a 36 horas antes de alimentar a un reptil provoca un incremento del apetito. Este fácil estímulo suele usarse en serpientes con anorexia o en reptiles curados de una enfermedad y que aún no se alimentan con regularidad. Una vez el animal esté saciado, decidirá siempre estar en la zona más caliente del terrario para estimular adecuadamente su digestión.

Sitios web de interés

www.anapsid.org/warwick3.html
www.tortoisereserve.org/Sundry/Hibernate_Body2.html

Bibliografía

Arena, P. C. & Warwick, C. (1995). Miscellaneous factors affecting health and welfare. In: Warwick, C., Frye, F. L. & Murphy, J. B. (Eds.). *Health and welfare of captive reptiles:* 263-283. London: Chapman & Hall.

Gillingham, J. C. (1995). Normal behaviour. In: Warwick, C., Frye, F. L. & Murphy, J. B. (Eds.). *Health and Welfare of captive reptiles.* London: Chapman & Hall, 131-164.

López del Castillo, C. (1995). Sistemas de calefacción. *Reptilia* 2(2): 6-8.

39. ¿Cómo capturar a una serpiente o lagarto que se han escapado? ¿Hay algún truco o cebo? ¿Y si es un reptil peligroso?

Es muy habitual que las pequeñas culebras o pitones se escapen, que algunas personas se encuentren serpientes en su casa de campo o que algún lagarto entre en el gallinero. Siempre surge la misma duda: ¿cómo puedo capturarlo?

En primer lugar debemos decir que hoy por hoy no existen cebos fiables para estos animales. En una ocasión, el CRARC intentó hacer pruebas con una conocida casa comercial de productos para animales de compañía a fin de conseguir un repulsivo para que las serpientes no se acercaran a ciertas zonas. El repulsivo estaba compuesto de diversas cenizas mezcladas con líquidos fuertemente aromáticos. La intención era que el ofidio sintiera asco o repulsión y no se acercara a las casas, gallineros, etc. Pues bien: no funcionó. Las serpientes se paseaban por encima del repulsivo, incluso dormían sobre él. Pues lo mismo ocurre con atractivos o cebos. El único cebo que funciona es la comida. Los problemas que existen cuando queremos capturar a una serpiente con cebo son los siguientes:

1) La mayoría de serpientes se alimentan de presa viva.

2) La serpiente puede estar varias semanas (incluso meses) sin comer.

3) La presa viva no puede estar tanto tiempo sin comer.

Si tuviéramos que hacer alguna trampa para coger serpientes deberíamos conocer el tamaño y costumbres de la serpiente y colocar un ratón u otra presa en el interior de un tubo de modo que la serpiente entrara y no saliera. Lo mismo se utiliza en la captura de lagartos, que se lanzan al fondo de un cubo a alimentarse de tomates o grillos y después no pueden salir. Muchos pozos o cisternas abandonados en el campo son verdaderas trampas donde los reptiles que allí caen nunca pueden salir y mueren por inanición. Su atractivo es el propio pozo: frescor y sombra en verano, así como refugio todo el año.

Cuando vamos a capturar una serpiente o lagarto sin trampa o cebo se han de cumplir las siguientes condiciones:

1) Cerrar puertas y ventanas de la estancia.

Otras preguntas relacionadas

37. ¿Es posible tener como mascota una serpiente venenosa?

61. ¿Existe el estrés en reptiles? ¿Qué efectos tiene?

2) Intentar que no se atrinchere en áreas inaccesibles o peligrosas para nosotros (maderas apiladas para leña, tras los cables de aparatos eléctricos, interior de motores, etc.).

3) Disponer de guantes de cuero (de soldador, de cetrería, de motorista...).

4) Disponer de un artefacto largo y resistente. Una barra metálica puede servir. Si la barra está doblada en su punta facilitará mucho la aprehensión, captura y transporte de la serpiente.

Con la barra larga metálica obligamos al animal a desplazarse hacia donde nos interesa a nosotros. Una vez que está en una zona accesible, vamos a capturarlo con los guantes por su área escapular (lagartos) u occipital (serpientes). Una serpiente puede asirse momentáneamente por la cola para que no se escape, aunque rápidamente deberemos acceder a su nuca para capturarla con seguridad. Al capturarla podemos usar igualmente una toalla o abrigo que dejamos caer sobre ella. Tenderá a quedarse en su interior al parecerse a un refugio. En situaciones de peligro las serpientes acuden siempre al refugio más cercano. No sería la primera vez que una serpiente que intenta ser capturada se refugia bajo los pies, entre los tacones, del que quiere apresarla.

Otras propuestas que se hacen a veces tienen sus ventajas e inconvenientes:

– El humo: Así provoca una repulsión y asfixia que hará que salga de su

Tubo –refugio con comida– en el que se ha capturado un lagarto

refugio. Pero, como no son mamíferos, las serpientes pueden provocarse una apnea (dejar de respirar) que puede hacerse eterna. Y aún más eterna si nosotros estamos tragando el mismo humo mientras esperamos a que salga el reptil de su madriguera.

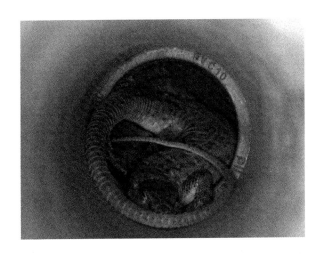

– La goma elástica. Disparando una goma elástica sobre la cabeza de lagartos y lagartijas podemos aturdirlos momentáneamente y cogerlos. Eso parece que es útil en especies pequeñas, en lagartos de gran tamaño no lo es. Además, hay riesgo de hacer daño al animal si el impacto es fuerte y seco.

– Pan, azúcar y aceite. Un excelente cebo si queremos fotografiar de cerca lagartos salvajes. Sin embargo, no se dejan capturar, tan sólo aproximar. Hay que ser muy hábil para capturarlos cuando se acercan a comer.

– Dejar un ratón en la sala: Así la serpiente saldrá de su escondite para cazar. Pero si sale de noche y nosotros no estamos para capturarla, lo único que hemos conseguido es alimentarla y animarla a que se quede a vivir en la sala donde está.

Sitios web de interés

www.asih.org/index.html

www.lvwash.org/being_done/progress/reptilesrv.html

Bibliografía

Castilla, A. M., Gallén, M., Tena, V. L., & Verheyen, R. (1994). Nueva técnica de captura de lacértidos para trabajos científicos. *Bol. Asoc. Herp. esp.* 5: 32-33.

Cooper, J. E. & Williams, D. L. (1995). Veterinary perspectives and techniques in husbandry and research. In Warwick, C., Frye, F. L. & Murphy, J. B. (Eds.). *Health and welfare of captive reptiles*. London: Chapman & Hall, 98-112.

Román, J. & Ruiz, G. (2004). Un modelo de trampa para la captura en vivo de culebrillas ciegas. *Boletín de la asociación herprtológica española* 14: 55-57.

40. ¿Cómo se hace una cuarentena en reptiles, cuánto ha de durar y qué hemos de hacer durante ese tiempo?

El concepto de cuarentena es muy antiguo y se aplicó siempre a mamíferos y personas. Se trata de esperar un tiempo prudencial ante un animal aparentemente sano para que manifieste alguna enfermedad si la tiene. Durante ese tiempo se le recogen muestras y se practican algunos tratamientos para evitar que enferme y ayudar a su adaptación a unas posibles nuevas condiciones. Las cuarentenas se dirigen básicamente a prevenir que las enfermedades infecto-contagiosas puedan entrar en una instalación controlada.

En el caso de los reptiles este concepto es difícil de asumir. Hay enfermedades que se manifiestan con rapidez, como ciertos abscesos cutáneos que aparecen en menos de una semana. Sin embargo, otras patologías son realmente complejas, como la enfermedad por paramixovirus en boas y pitones, que puede llegar a tener un período de incubación de hasta 8 meses.

Además, deben tenerse en cuenta estos puntos:

1) La mayoría de importaciones de reptiles (tanto legales como ilegales) va asociada a una elevada mortalidad (supera el 50%).

2) Nunca se hacen necropsias de estos animales muertos, sino que se eliminan los cadáveres de inmediato.

3) Las necropsias realizadas en grupos de reptiles decomisados por las autoridades han permitido constatar la elevada presencia de enfermedades infecciosas, entre ellas, algunas que se transmiten a las personas.

4) Las importaciones se realizan en grandes grupos, en los que no sólo hay contacto directo, sino bajada de defensas por estrés, dos puntos clave para la transmisión de enfermedades.

5) Debido a exigencias comerciales, los reptiles se venden de inmediato, sin realizar períodos de espera en los comercios o importadores.

En consecuencia, la realización de cuarentenas en reptiles debería ser un hecho cotidiano, al menos cuando llegan a su destino definitivo (un domicilio, un zoo, una reexposición...).

Sin embargo, la duración de una cuarentena en reptiles no está establecida y se ajusta al criterio de cada clínico. Normalmente se considera que las

Otras preguntas relacionadas

82. ¿Cuáles son los principales síntomas de enfermedad en los reptiles?

87. ¿Cómo son las heces normales y anormales de los diferentes grupos de reptiles?

tortugas deberían estar un mínimo de dos semanas, extendiéndolo a dos meses para las tortugas terrestres sospechosas de ser portadores asintomáticos de herpesvirus. Para los lagartos se considera que dos semanas puede ser suficiente, extendiéndolo a un mes si se sospecha la posibilidad de *Salmonella*, virus eritrocitario de los lagartos o *Cryptosporidium*. En serpientes, las cuarentenas deberían ser de tres meses como mínimo, conocidas las transmisiones de agentes letales como paramixovirus, adenovirus o *Cryptosporidium*.

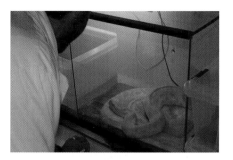

Observando el comportamiento de un reptil recién adquirido, una de las pautas que seguir en una cuarentena

Durante la cuarentena se realizarán las siguientes actuaciones:

1) Recogida de muestras de heces, orina, mudas y sangre para su análisis (control de estado general, parásitos o infecciones).

2) Observación comportamental del animal.

3) Control de la alimentación.

4) Obtención de constantes mínimas (temperatura corporal, ritmo de crecimiento, frecuencia de muda, frecuencia alimentaria y control de peso).

5) Examen clínico general: observación de las mucosas, reflejos, equilibrio, colores o libreas principales, palpación y examen de ojos.

6) Administración de fármacos (según criterio veterinario):
   – Antiparasitarios o antivirales.
   – Vitaminas.
   – Estimulantes del apetito.
   – Estimulantes de las defensas.

En definitiva, la cuarentena ha de hacerse siempre en cualquier incorporación de un reptil a una instalación y las actuaciones que se realicen han de decidirlas entre el clínico veterinario y el director de la instalación, basándose en los puntos anteriormente descritos.

Sitios web de interés

www.pizards.com/hbd/hall.html

Bibliografía

Miller, R. E. (1999). Quarantine: a necessity for zoo and aquarium animals. En Fowler (Ed) *Zoo and Wild Animal Medicine: Current Therapy 4*. Saunders Company (Philadelphia): 13-17.

Soler, J. & Martínez Silvestre, A. (1998). El papel de los Centros de Recuperación de Fauna Salvaje en la conservación de los reptiles y anfibios. *Animalia* **102**: 38-43.

41. ¿Cuáles son los mejores métodos de identificación de los reptiles que se tienen como mascotas?

Los sistemas de identificación que existen son muy variados y se ajustan a las necesidades de cada momento. Se identifican reptiles para control urbano de mascotas, para trabajos de campo, para estudios de laboratorio, etc. Por tanto, cada uno de estas finalidades tendrá un sistema de identificación individual adecuado.

Muescas

La realización de unas muescas en las escamas córneas de ciertos reptiles permite establecer un código arbitrario equivalente a una numeración. En tortugas se realiza una pequeña incisión en la parte más externa de las placas marginales (en la periferia del caparazón). Considerando que pueden imaginarse cuatro cuadrantes en cada animal, pueden marcarse hasta 9.999 tortugas. Se usa principalmente en tortugas que se sueltan en parques naturales y de las que se hacen seguimientos individuales de adaptación. También se realizan estas indentaciones en las escamas córneas dorsales de las colas de los cocodrilos en granjas donde hay un gran número de ejemplares y así quedan individualizados. Este sistema no es de por vida, puesto que el crecimiento y el desgaste natural de las placas hacen que puedan perderse las señales. Una marca dura entre 5 y 10 años, dependiendo de la especie y el hábitat donde se mueva.

Microchip

Se trata de un sistema de identificación electrónica, indoloro y biocompatible que se introduce en el interior del reptil, normalmente bajo la piel. Cada microchip posee un código interno que debe leerse mediante un lector apropiado al tipo de microchip. Los microchips actuales más utilizados son los de varias marcas comerciales. La identificación mediante este tipo permite la recuperación del animal en caso de extravío y posterior localización, su

---

Otras preguntas relacionadas

39. ¿Cómo capturar a una serpiente o lagarto que se han escapado? ¿Hay algún truco o cebo? ¿Y si es un reptil peligroso?

92. ¿Se está introduciendo alguna otra especie no autóctona, como las tortugas de Florida, que sea una amenaza para nuestra fauna?

93. ¿Cuáles son las especies más amenazadas de extinción en Europa? ¿Cuáles son las causas y qué proyectos hay para evitarla?

censo en los archivos de identificación de animales de compañía así como su identificación individual cara a la elaboración de permisos para establecer grupos reproductores, comercio legal de especies, etc. El microchip debe estar conforme a las normas ISO 11784 o 11785. Además, ha de especificarse bien el lugar donde ha sido inyectado para facilitar su localización y lectura. En las tortugas se introduce en la base del cuello o la base de la cola. En lagartos se introduce en la arcada escapular y en serpientes en el lateral craneal, cercano al cuello, o bien cercano a la cola.

Algunos microchips, una vez puestos, pueden moverse bajo la piel y cambiar de sitio con el tiempo. Para evitar esto, la mayoría de microchips actuales tienen un recubrimiento antimigratorio.

Los lectores han de usarse a una distancia determinada. Los más pequeños han de colocarse a unos 10 cm del chip. Otros, de mayor tamaño y potencia, permiten la lectura hasta a 100 cm.

Pintura

Un sistema llamativo pero perecedero. Se trata de pintar escamas en los caparazones a fin de diferenciar cada individuo según la situación de la mancha de pintura. Se usa mucho en crías de tortuga de menos de dos años, donde el pequeño tamaño hace imposible practicar otros sistemas de identificación. Para este fin se han usado desde pinturas acrílicas hasta pintaúñas o rotuladores indelebles. El inconveniente principal es que al cabo de poco tiempo (como mucho un año) desaparece y ha de volver a repintarse para no perder el código.

Anillas/crotales

Suelen usarse en grandes especies y su aplicación aún está en cierta discusión. Entre los reptiles se utilizan estas marcas plásticas clavadas en los pliegues cutáneos de las extremidades de las tortugas marinas.

Tatuajes

Poco utilizados en los reptiles y más en los anfibios, donde ya hace tiempo se aplica el sistema de «Panjet» para inyectar bajo la piel una solución de azul de metileno que permanece durante mucho tiempo y permite identificar al animal. La dura piel de los reptiles ha desestimado el tatuaje en la mayoría de las especies, pero sí que se ha usado alguna vez en el paladar de las serpientes. Actualmente apenas se utiliza.

Corte de dedos

Aunque parezca una barbaridad, es el sistema más usado por los biólogos en trabajos de campo. Barato y sencillo. Eso sí, ciertamente cruel. Se trata de amputar dedos de las cuatro extremidades de modo que cada extremidad se

Usando un lector en una tortuga marcada con microchip para su identificación

convierte en un número aleatorio, según la clave de identificación usada.

Collares

Usados tan sólo en animales a los que se les va a hacer un seguimiento. Existen collares coloreados y collares con transmisores. Incluso el collar puede usarse como soporte para instalar aparatos de detección o sistemas para impedir que un reptil se escape de un cierto perímetro.

Transmisores

Se aplican en seguimientos científicos. Se trata de un transmisor unido a una antena y a una pila. El transmisor emite una señal continuamente hasta que se acaba la pila. Los hay de más de un año. El alcance de esta se-ñal dependerá del tipo de transmisor y de la longitud de la antena. La persona que realiza el control lleva consigo un detector de la señal y así sabe donde se encuentra el reptil. Mediante este sistema se hacen incluso estudios de desplazamientos de tortugas marinas en los que el seguimiento se realiza mediante satélites.

Los sistemas de identificación son además obligatorios en caso de viajar con la mascota por territorio europeo. El anexo del reglamento 998/2003 especifica claramente las especies animales que estarán sometidas a la posesión de un «pasaporte para desplazamientos intracomunitarios». En dicho reglamento, aparte de perros y gatos, se cita a los invertebrados (excepto abejas y crustáceos), peces tropicales decorativos, anfibios y reptiles.

Sitios web de interés
www.wsava.org/Site1099.htm

Bibliografía
Godley, B. J., Broderick, A. C., & Moraghan, S. (1999). Short-term effectiveness of Passive Integrated Transponder (PIT) tags used in the study of mediterránean marine turtles. *Chelonian Conservation and Biology* 3(3): 477-479.

Nelson, W. (1998). Microch ip identification. In: Ackerman, L. (Ed.). *The biology, husbandry and health care of reptiles, Vol. III*. New Jersey: TFH, 572-573.

42. ¿Qué se debe hacer ante un mordisco de un reptil? ¿Y si es venenoso?

Cualquier mordisco, sea o no de un reptil venenoso puede acarrear varios riesgos:

1) Hemorragia.
2) Infección.
3) Envenenamiento (sólo en los reptiles venenosos).
4) Transmisión de enfermedades.

Los cortes producidos por los afilados y finos dientes de los reptiles suelen ser muy sangrantes. Las hemorragias de la mano y dedos son especta-culares. La pauta a seguir en ese caso es la de empezar lavando con abundante agua, inmediatamente se para la hemorragia con presión duradera en la zona afectada y finalmente se aplica una solución yodada que se dejará secar sobre la piel, pues el yodo actuará como desinfectante.

La enfermedad transmisible más comúnmente es la salmonelosis. Está causada por una bacteria que se transmite a partir del manejo de galápagos (prin-

Tipos de venenos ofídicos y sus efectos patológicos

Venenos	Sintomatología
Proteolíticos	Provocan en la zona de mordedura una reacción local de dolor intenso, con edema, rubores y necrosis. También se presentará hipotensión.
Coagulantes	Se provoca una coagulación masiva del sistema circulatorio que desencadena en pocos minutos la muerte del afectado. Son portadoras de este veneno las especies del género *Bothops*.
Hemorrágicos	Producen un edema con hemorragia en el lugar de afectación. En los casos más graves, las hemorragias afectan a órganos como los pulmones, intestinos, riñones, cerebro y corazón. Víboras y especies pertenecientes a los crotálidos son portadoras de este veneno.
Hemolíticos	Destrucción de los glóbulos rojos (eritrocitos). Cese de la creación de orina, y aparición de disfunción renal. Si se produce la muerte, será entre el tercer día y el decimocuarto. Son portadoras de este veneno las especies del género *Naja* y las víboras.
Neurotóxicos	Disminución de la sensibilidad en la zona afectada que se extenderá al resto del cuerpo, parálisis general y parada cardio-respiratoria. Especies pertenecientes a los Elápidos.

cipalmente las tortugas de orejas rojas, (*Trachemys scripta elegans*). Aunque la gran mayoría de estas especies tiene a las bacterias en su aparato digestivo como flora normal y no patógena, bajo determinadas condiciones pueden eliminarlas de forma patógena para el hombre. La deshidratación, malnutrición y lugar inadecuado de cautividad predisponen a infecciones bacterianas y a la eliminación de agentes zoonóticos como *Salmonella*. En EE UU la incidencia de salmonelosis humanas causadas por la manipulación, arañazos y mordiscos de tortugas es de un 18% a un 24% según regiones. Otras enfermedades transmisibles o zoonosis son la micobacteriosis (causada por el mismo agente que la tuberculosis humana

Un lagarto canario (*Gallotia* sp.) ha sorprendido a su manipulador. Como es un ejemplar joven, la herida apenas es dolorosa

pero de menor patogenicidad) que en la especie humana provoca lesiones cutáneas y en los reptiles suele provocar la muerte. Existen otras bacterias y agentes patógenos como *Pseudomonas*, *Edwarsiella*, *Serratia* o ciertos parásitos, pero la probabilidad de que se transmitan al hombre y provoquen una enfermedad es muy baja.

Las precauciones necesarias para evitar un contagio de estas enfermedades son las siguientes:

– Procurar un estado de salud óptimo en los reptiles cautivos.

– Higiene estricta en los lugares donde viven, así como del manipulador del animal (higiene personal siempre que se ha manejado un reptil).

– Manipular a los reptiles con respeto y seguridad.

– Evitar el contacto de personas inmunodeprimidas, niños o ancianos con reptiles que se sospeche que están enfermos.

– Desparasitar y realizar controles de salud rutinarios por veterinarios especializados.

– En caso de mordisco, aplicar el protocolo antes descrito.

Si el mordisco es de serpiente venenosa el caso es distinto, puesto que dependerá de la especie, persona afectada (estado de defensas), lugar donde se realice el mordisco (en un zoo, en una casa de una gran ciudad o en medio de la sabana...), capacidad de transporte a un centro hospitalario adecuado, etc.

En consecuencia tan sólo indicamos los pasos mínimos ante tal accidente.

1) Evitar la tenencia de especies venenosas.

2) Si se tienen especies venenosas, inscribirlas en un registro y solicitar la reposición de su antídoto regularmente (caducan).

3) Evitar cortes, succiones y torniquetes propios de películas de ficción.

4) Los primeros auxilios tan sólo aconsejan torniquetes realizados con conocimientos hospitalarios.

5) Mantener la calma y dirigirse a un centro hospitalario.

6) En el hospital, identificar con el máximo de seguridad la especie que ha mordido (mediante fotografía, o el animal en un recipiente, vivo o muerto).

7) En el centro hospitalario administrarán con toda seguridad antibióticos y antinflamatorios. El uso de antídotos no es seguro y lo decidirán los médicos responsables.

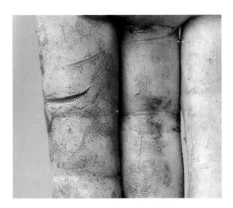

Mordisco de dragón de Komodo *(Varanus komodoensis)* juvenil: la infección es segura si no se aplica la pauta de desinfección descrita

Sitios web de interés

www.arkive.org/species/GES/reptiles/Heloderma_suspectum/more_info.html#Statu

www.library.sandiegozoo.org/Fact%-20Sheets/komodo_dragon/Komodo.htm

Bibliografía

Martínez Silvestre, A., Soler Massana, J., & Medina, D. (2001). Hygiene and the prevention of zoonosis transmision from reptiles to humans. *Reptilia: The European Herp Magazine.* 15: 10-16.

Mermin, J., Hutwagner, L., Vugia, D., Shallow, S., Daily, P., Bender, J., Koehler, J., Marcus, R., & Angulo, F. J. (2004). Reptiles, Amphibians, and human salmonella infection: a population-based, case control study. *Clinical Infectious Diseases* 38: 253-261.

Otras preguntas relacionadas

37. ¿Es posible tener como mascota una serpiente venenosa?

62. ¿Cómo se combaten la agresividad y la territorialidad en las iguanas? ¿La castración puede solucionarlas?

43. ¿Es conveniente o aconsejable sacar a pasear a la calle a las serpientes, iguanas u otros reptiles?

La respuesta a esta pregunta depende de si a un reptil lo consideramos mascota o no. Los motivos para sacar a pasear un reptil pueden ser varios, por lo que vale la pena analizarlos:

1) Por que toma el sol y el aire. Evidentemente, éste es un motivo positivo para sacar fuera de su terrario a un animal. Tanto el sol como un ambiente aireado son factores muy positivos para el estado de salud del reptil. En cualquier caso, ha de realizarse cuando las condiciones de temperatura lo permitan. Los reptiles tropicales nunca deberían salir de sus terrarios en otoño e invierno y tan sólo debería practicarse el paseo en las primaveras cálidas y veranos. Muchos reptiles (iguanas, varanos, agamas) se escapan aprovechando esa «aparente libertad». Por ello, deben tomarse las debidas precauciones (colocar un arnés, evitar que la iguana suba a un árbol...). Un lugar bueno para todo esto es la playa, aunque muchas legislaciones locales impiden el paseo con animales salvajes en espacios públicos.

2) Porque es mi mascota. Como sabemos, hay gente que saca los geranios a la calle cuando llueve. No podemos decir nada sobre el concepto de «mascota». Pero cabe recordar que la mascota de una persona puede no ser tolerada por el resto de ocupantes de la vía pública. No es lo mismo sacar a un perro que a una pitón india. Hemos de asegurarnos de que sacamos a un reptil que no sea peligroso para los demás y que además tenga sus documentos legales en regla, a fin de evitar sustos, denuncias o situaciones indeseadas con el vecindario.

3) Porque le es beneficioso para su comportamiento. Es muy discutible. La mayoría de reptiles se estresarán mucho al salir ante nuevas condiciones absolutamente hostiles para ellos. No son animales domésticos y sus necesidades de hábitat nada tienen que ver con el hábitat construido por y para los humanos.

4) Porque ve otros animales. Eso no es demasiado bueno. Si es un reptil cazador (como una pitón reticulada),

---

Otras preguntas relacionadas

22. ¿Qué importancia tienen la temperatura, la humedad y el fotoperíodo en la vida de un reptil?

27. ¿Qué es la hibernación? ¿Hay que evitarla o es aconsejable?

90. ¿Puede considerarse a los reptiles animales domésticos?

Paseando una iguana por el parque

puede traer problemas al sentir «demasiado» interés por los animales de pequeño tamaño que se le crucen (como un caniche). Si es un reptil presa (como una iguana), puede salir despavorido cuando vea a un cazador (como un pastor alemán o la serpiente del vecino). En cualquier caso, vale la pena volver a insistir en que no son animales domésticos y que no acuden a la llamada de su amo.

5) Porque la gente me mira. Ante este motivo tampoco podemos decir nada. Muchas personas sacan sus reptiles a pasear no para bien del reptil, sino para fortalecer vínculos sociales y explorar nuevas posibilidades de relación en su grupo de amigos y vecinos.

En definitiva, sacar a pasear un reptil no es necesario si las condiciones del terrario donde habita son las óptimas requeridas por la especie.

Sitios web de interés

www.veterinarypartner.com/Content.plx?P=A&A=1293&S=4&SourceID=56

Bibliografía

Castilla, A. M. (1991). Ética, ciencia y cautividad. *Bol. Asoc. Herp. esp.* 2: 8-9.

Cooper, M. E. & Cooper, J. E. (2001). Legal cases involving reptile and amphibians. *Proceedings of the ARAV* 8: 241-248.

Molina Artraloitia, F. (1998). La dominación de la naturaleza y lo deseable desde la ética: aspectos éticos y legales de la terrariofilia y la cautividad. *Reptilia* 4(14): 64-67.

44. ¿Cuánto tiempo tarda en adaptarse un reptil a las nuevas condiciones desde el momento de su compra? ¿Hemos de mimarlo mucho?

El mantenimiento de especies de fauna salvaje en cautividad presenta dificultades técnicas y de manejo de diversa índole. Pero el primer obstáculo que todo aficionado a los reptiles tendrá que superar será el proceso de adaptación del espécimen recién comprado a su nueva instalación.

En la actualidad, la mayoría de los reptiles vendidos en los comercios especializados son ejemplares nacidos en cautividad, tanto en sus zonas de origen, como es el caso de las iguanas nacidas en granjas de Costa Rica o Colombia, o en instalaciones de terrariófilos en países occidentales, donde especies como las pitones indias (Phyton molurus), lagartos barbudos australianos (Pogona vitticeps), camaleones del Yemen (Chamaeleo callyptractus), serpientes del maizal (Elaphe guttata), falsas corales (Lampropeltis triangulum), tortugas de patas rojas (Geochelone (Chelonoidis) carbonaria), etc. tienen su origen en instalaciones de cría.

La gran ventaja de adquirir ejemplares no procedentes de la captura en su medio natural radica en la mayor adaptabilidad de los especímenes, los cuales no tendrán que superar el estrés de la captura y el proceso de asimilación del cautiverio.

La compra de un reptil debe realizarse siempre en comercios especializados o también directamente a los criadores de reptiles que tengan programas de cría específicos para sus especies. Tanto unos como otros nos van a facilitar la información necesaria para su correcta adquisición.

Los pasos que habremos de seguir una vez adquirida nuestra mascota son:

1) Alojar el ejemplar en un terrario de cuarentena. Si ya disponemos de reptiles de la misma especie en nuestra colección, no juntaremos nunca al recién llegado con los demás. Éste permanecerá por un período de tiempo prolongado en un terrario aparte y en condiciones parecidas a las que encontrará al ser trasladado a la instalación definitiva. Habrá que considerar previamente la idoneidad de la introducción de un nuevo espécimen en el grupo, respecto a equilibrio de sexos, espacio vital y jerarquías, ya que incluso podrían desaconsejar su introducción. Prestaremos especial atención a su dieta, observando si ésta es ingerida regularmente, o si realiza las conductas normales derivadas de la termorregulación y el fotoperíodo. No tocaremos en exceso el ejemplar, a fin de que se encuentre cómodo dentro

del recinto. No realizaremos manipulaciones bruscas ni ruidos, prestaremos atención a sus defecaciones y controlaremos, en la medida de lo posible, la presencia de parásitos en exceso.

2) Si el ejemplar adquirido es el primero de su especie en nuestro terrario, podrá instalarse directamente en éste, asegurándonos de que las condiciones que le ofrecemos son las apropiadas para él. Evitaremos realizar cambios de última hora en el terrario que pudieran alterar la tranquilidad del ejemplar. La instalación debe estar terminada en el momento de introducir el reptil.

3) Tanto si se trata del primer ejemplar que hemos adquirido como si ya disponemos de otros, facilitaremos un enriquecimiento ambiental al terrario que le permita sentirse seguro.

4) Es recomendable tener muy clara la conducta social de los reptiles que vamos a adquirir. Las luchas por el territorio son frecuentes en muchos de ellos y determinan estructuras jerárquicas que regulan el acceso a los espacios vitales, a la alimentación o al apareamiento. Especies como las iguanas *(Iguana iguana)*, los varanos *(Varanus exanthematicus)*, cocodrilos del Nilo (*Crocodylus niloticus*), caimanes *(Caiman crocodilus)* o las tortugas mordedoras *(Chelydra serpentina)* son especialmente susceptibles a los equilibrios territoriales. Por ello, es preferible no adquirir un solo ejemplar, sino un grupo reproductor, que puede estar compuesto de un macho y una hembra o de un macho y dos hembras. Siempre que queramos ampliar nuestra colección, deberemos construir nuevos espacios y no alterar la jerarquía existente en los terrarios ya estables.

5) Para conseguir un grado de aceptación de las nuevas condiciones por parte del reptil, podemos potenciar la alimentación con el ofrecimiento de los productos más apetecibles por parte de éste.

6) Podremos considerar que el ejemplar adquirido está plenamente adaptado a las condiciones del terrario cuando se alimente con la regularidad propia de su especie, se haya integrado en el grupo social y tolere nuestra presencia sin sobresaltos. Este proceso de

Imagen de terrarios de cuarentena donde se instalan los recién llegados a la colección

Otras preguntas relacionadas

60. ¿Conocen los reptiles a sus propietarios, obedecen órdenes, se les puede hablar y entienden? ¿Por qué mi tortuga viene a morder mis zapatillas?

62. ¿Cómo se combaten la agresividad y la territorialidad en las iguanas? ¿La castración puede solucionarlas?

81. ¿Hemos de acudir al veterinario con nuestros reptiles únicamente cuando surjan anomalías o hemos de seguir un plan de medicina preventiva, lo mismo que con otras mascotas, como perros o gatos?

adaptación al terrario generalmente no suele ser inferior a las dos semanas y en especies más sensibles a los cambios puede ser bastante dificultosa, como, por ejemplo, en tortugas africanas de espaldar articulado (*Kinixys* sp.), pitones reales (*Pitón regius*), o para los dragones de agua (*Physignathus* sp.), todas ellas especies de conductas retraídas y asustadizas. Algunas de estas especies pueden tardar casi un año en adaptarse a la vida en el terrario definitivo.

7) Si habiendo seguido las indicaciones preceptivas para evitar el rechazo a las nuevas condiciones del reptil, éste no se adapta, el espécimen deberá trasladarse a un terrario clínico. Este terrario deberá estar desprovisto de sustrato específico y en su lugar colocaremos papel de periódico o similar. No existirán adornos que dificulten la limpieza y proporcionaremos agua limpia, extremando el control de las defecaciones, así como una desinfección regular. Todo ello lógicamente será supervisado por un veterinario especializado en reptiles, quien prescribirá el tratamiento que ha de seguirse o el traslado del reptil a una clínica veterinaria.

Si para la adquisición de un reptil criado en cautividad tenemos que seguir unas pautas de ayuda a la adaptación, en el caso de comprar un ejemplar procedente de la captura en su medio natural, es mucho más dificultosa y en la mayoría de las ocasiones sin éxito.

Sitios web de interés

www.helodermahorridum.com/neonate.php

www.home.earthlink.net/~fridjian/id17.html

www.vhs.com.au/pages/CareSheet_FreshWaterTurtles.html

Bibliografía

Jordi, X. (2000). Manejo clínico de la pitón real (*Python regius*) de origen salvaje. *Congreso Nacional de AVEPA* 35: 321.

Mattison, C. (1995). *The Encyclopedia of Snakes*. (1ª ed.). London: Blandford Book.

45. ¿Qué precauciones han de tener los niños que tienen reptiles como mascotas?

Con cierta frecuencia nos planteamos la pregunta arriba reseñada, aunque habría que hacerla extensible a todos los sectores de la población, desde el más joven al más anciano. De todas formas, el primer contacto en muchas ocasiones con el mundo de los reptiles se produce a muy corta edad, en la infancia, directa o indirectamente, y en la juventud. Desgraciadamente, aún con demasiada frecuencia, un animal salvaje, como es el caso de los reptiles, es regalado a un niño como si fuese un objeto decorativo o un juguete vivo. Los problemas comenzarán con el mantenimiento diario del animal, con todos los deberes y riesgos que comporta para su propietario, y son estos últimos los que intentaremos dilucidar.

La seguridad en el manejo de un reptil es una condición innegociable cuando un aficionado se inicia en el trato de esta fauna salvaje

Existen especies desaconsejables de ser utilizadas como mascotas por niños y jóvenes, de no ser un experto conocedor de los riesgos de su manejo. Un ejemplo podrían ser las pitones reticuladas *(Phyton reticulatus)*,

boido de carácter especialmente agresivo, tanto por defensa de su espacio vital, como por impaciencia en la obtención del alimento. Esta especie llega fácilmente a confundir la mano del cuidador, el gancho de manipulación o los guantes de protección, con su presa. Todo esto, unido al gran tamaño que estos ofidios pueden llegar (casi 10 m), hace del todo desaconsejable la posesión de uno de ellos por parte de una persona poco experimentada en su manejo. También especies menos comunes dentro de la terrariofilia, como los cocodrilos y caimanes, no deben ser nunca compradas para un niño. Su peligrosidad hace a esta mascota un animal exclusivo de personas adultas con recursos materiales y experiencia dilatada en su mantenimiento. Algunos saurios del género *Tupinambis*, como el tejú, de las especies *Tupinambis rufescens*, o *Tupinambis merianae*, pueden resultar difíciles de tratar, aunque algunos se muestren dóciles en apariencia y nada desconfiados, ya que llegan a conocer los hábitos horarios de los cuidadores, ruidos, formas y demás actuaciones a su alrededor indicadoras de las situaciones diarias de su mantenimiento. Más aún si se mantienen varios ejemplares juntos, momento en que la competencia por el acceso al alimento desencadenará reacciones rápidas de captura de la comida. Un descuido por parte del propietario puede suponer una dolorosa mordedura. También especies de varánidos, como el varano del Nilo, *Varanus niloticus*, resultan desaconsejables para los no iniciados. Estos reptiles no dudan en defender su espacio vital a golpes de cola, a modo de látigo. Incluso quelonios como las tortugas mordedoras *(Chelidra serpentina)* deben considerarse no apropiados para ser mantenidos por un niño, dada su manifiesta irritabilidad y conducta defensiva caracterizada por el ataque disuasorio poco predecible.

Es del todo desaconsejable la manipulación por parte de niños de las

especies potencialmente conflictivas en su manejo. Se recomienda la compra de reptiles de fácil mantenimiento, como, por ejemplo, serpientes del género *Lampropeltis*, las falsas corales, o saurios especialmente dóciles, curiosos y siempre agradecidos como son los lagartos barbudos australianos *(Pogona vitticeps)*. La prudencia y la información previa a la compra de nuestra mascota garantizarán nuestra seguridad y la de los nuestros.

La higiene en el trato diario de nuestro reptil

La manipulación de cualquier especie animal, salvaje o doméstica, pasa siempre por la observancia de unas normas higiénicas estrictas y, por otro lado, de absoluta lógica.

Estas pautas de limpieza son especialmente imprescindibles cuando los propietarios de reptiles son niños o jóvenes. De todos es sabida la especial predilección de los menores a sentarse a la mesa para comer sin haberse limpiado las manos, a comer con los dedos e incluso chuparlos ávidamente al comer ciertas golosinas. En las manos de los adultos está la salud de los hijos y, cuando se trata de manipular reptiles que son mantenidos como mascota, la salud puede estar especialmente amenazada si no se siguen unas normas es-

Otras preguntas relacionadas

30. ¿Por qué el agua de las tortugas de agua huele tan mal? ¿Qué soluciones hay para evitarlo?

60. ¿Conocen los reptiles a sus propietarios, obedecen órdenes, se les puede hablar y entienden? ¿Por qué mi tortuga viene a morder mis zapatillas?

85. ¿Cómo afecta la *Salmonella* a los reptiles? ¿Pueden transmitirla a las personas?

Demostrar el cariño besando a un reptil (a él le es absolutamente igual) ha de ir acompañado de una extrema higiene o abandonar este comportamiento

trictas de limpieza hacia nuestra persona y también hacia el terrario y sus inquilinos.

Los terrarios, acuaterrarios y cualquiera de las variantes utilizadas para el mantenimiento de reptiles deben observar una pulcritud llevada siempre al máximo. Se han de eliminar las heces, restos de comida y mantenimiento del agua de balsas.

Esta agua ha de estar siempre limpia, conjuntamente con una adecuada luz y temperatura. Sólo así se garantizará la salud de sus inquilinos que, en caso contrario, podrían sufrir carencias en su organismo que llevarían al desarrollo de enfermedades, algunas de ellas de transmisión a los humanos (zoonosis). Entre los reptiles que con mayor asiduidad son mantenidos como mascotas, y que presentan más posibilidades de contagio a los seres humanos a través de la interacción diaria, encontramos a las iguanas *(Iguana iguana)* y los galápagos americanos de los géneros *Trachemys*, *Graptemys* y *Pseudemys*, llamados popularmente tortugas de Florida. Muchos de ellos son portadores de la bacteria de la *Salmonella*, que puede causar graves diarreas en los niños.

Es importante, pues, incidir en la correcta higiene personal después de la manipulación de los reptiles, evitando conductas de riesgo evidente, como demostrar el cariño que se tiene a una mascota dándole besos. Se ha de alertar especialmente acerca de iguanas, tortugas de tierra y tortugas de Florida, profusamente extendidas entre los aficionados más jóvenes, como especies de alto riesgo.

Hoy en día no existe ningún plan vacunal para las personas que conviven con reptiles. La vacuna antitetánica sería la única que puede recomendarse al estar presente el riesgo de aparición de la enfermedad ante mordiscos o arañazos. Sin embargo, esta vacuna se recomienda a todos los grupos de población, tengan o no reptiles en casa.

Sitios web de interés

www.fda.gov/bbs/topics/NEWS/2003-/NEW00997.html

www.tortoise.org/general/salmon1.html

Bibliografía

Martínez Silvestre, A., Soler Massana, J., & Medina, D. (2001). Higiene y prevención de zoonosis entre reptiles y humanos. *Reptilia* 28: 10-16.

Mermin, J., Hutwagner, L., Vugia, D., Shallow, S., Daily, P., Bender, J., Koehler, J., Marcus, R., & Angulo, F. J. (2004). Reptiles, Amphibians, and human salmonella infection: a population-based, case control study. *Clinical Infectious Diseases* 38: 253-261.

Sun, H. (1998). Human parasitic diseases originating from reptile consumption or contact. In: Ackerman, L. (Ed.). *The biology, husbandry and health care of reptiles.* New Jersey: TFH, 629-649.

46. ¿Son superfluos o, por el contrario, deseables unos cuidados estéticos en los reptiles?

Muchos propietarios de reptiles se plantean si es necesario o no realizar ciertas prácticas acerca del aspecto de su mascota. Existen varias puntualizaciones que enunciar al respecto.

Hay prácticas que satisfacen al propietario y son inocuas e incluso superfluas para reptil. Otras son perjudiciales al reptil pero el propietario lo desconoce. Otras son necesarias para el reptil y el propietario no las realiza nunca. Vamos a repasar la mayoría de las actuaciones que han sido motivo de consulta y las analizaremos valorando su utilidad, su dificultad y su necesidad.

Corte de uñas en tortugas acuáticas

– Utilidad: Evitar que arañen y sean «peligrosas» según los propietarios.

– Dificultad: Ninguna, se cortan por el tercio medio para que no sangren.

– Necesidad: Ninguna, las tortugas acuáticas norteamericanas suelen tener uñas largas como distintivo sexual entre machos (uñas largas) y hembras (uñas cortas). Son inofensivas. Sólo las usan para realizar una danza precopulatoria ante la hembra. No las usan para clavar ni desgarrar. Como ejemplo, ver también la foto de la pregunta 12, donde se ven las uñas largas de un macho de tortuga de Florida. Éstas no se han de cortar.

Corte de uñas en tortugas terrestres

– Utilidad: Combatir el sobrecrecimiento.

– Dificultad: Ninguna, se cortan por el tercio medio para que no sangren.

– Necesidad: Muchas tortugas mal alimentadas o mal mantenidas tienen sobrecrecimiento de uñas. Es aconsejable en ese caso recortar las uñas.

Corte de uñas en iguanas

– Utilidad: Evitar que arañen y sean peligrosas.

– Dificultad: Ninguna, se corta el garfio final de cada uña. Si sangra,

---

Otras preguntas relacionadas

25. ¿En qué consiste la muda y de qué depende?

74. ¿Cómo saber si un reptil es macho o hembra?

79. ¿Cómo se cura en las tortugas una fractura de caparazón?

debe hacerse presión uno o dos minutos con una gasa.

– Necesidad: Muy elevada. Las iguanas proporcionan verdaderos cortes cada vez que se suben por los brazos del manipulador. Ellas no tienen intención de dañar, pero sus afiladas uñas son de elevado riesgo. Es aconsejable cortar sus uñas una vez al mes.

Pintar el caparazón

– Utilidad: Identificar a la tortuga, plasmar una señal de identidad del propietario.

– Dificultad: Ninguna. Suelen pintarse banderas de equipos de fútbol, combinaciones de colores, etc.

– Necesidad: Ninguna. El respeto a la dignidad del animal desaconseja

Tortuga que ha recibido una sesión de aceite en el caparazón para que quede lustrosa

Pico excesivamente largo en una tortuga acuática (*Graptemys* sp.). Debería cortarse

esta práctica. Si se hace, evitar pinturas nocivas o perennes.

Enganchar señuelos y objetos en el caparazón

– Utilidad: Reconocer o encontrar a la tortuga para que no se pierda por el jardín.

– Dificultad: Ninguna. Se trata de instalar dispositivos (banderitas, vibradores, alarmas, localizadores, buscas, emisoras...).

– Necesidad: Normalmente es innecesario, pero en muchas casas de grandes extensiones pueden instalarse aparatos localizadores para tener controlada a la tortuga. Han de evitarse los aparatos de gran tamaño o peso que dificulten el comportamiento natural del animal.

163

Extracción de mudas retenidas

– Utilidad: Estética (dejar la piel más bonita). Sanitaria (evitar retenciones e infecciones).

– Dificultad: Ligera. Se trata de aplicar cremas hidratantes sobre la piel retenida, esperar unos minutos y ejercer ligera presión. También puede humedecerse con agua tibia. No se ha de arrancar ni forzar la piel en ningún momento.

– Necesidad: Importante cara a prevenir infecciones. Ha de procurarse facilitar la muda humedeciendo al animal cuando el cambio de piel es inminente.

Recorte de picos de tortuga

– Utilidad: Mejorar calidad de vida y estética.

– Dificultad: Ligera, lo ideal es que lo haga un veterinario que disponga del material adecuado. El pico no sangra, pero puede agrietarse o fracturarse si se hace mal.

– Necesidad: Muchas tortugas mal alimentadas o mal mantenidas tienen sobrecrecimiento de pico. Es aconsejable en ese caso recortar el pico una vez al año aproximadamente.

Extracción de residuos de hemipenes

– Utilidad: Vaciar los hemipenes de contenidos semiduros molestos y antiestéticos.

– Dificultad: Variable. Ha de realizarse un pequeño masaje en la base de la cola ejerciendo a la vez una suave tracción para que el contenido del hemipene salga al exterior. Es muy típico en iguanas.

– Necesidad: Algunos machos acumulan en el interior de los hemipenes residuos de piel, orina y semen que forman un molde interior que acaba asomando al exterior. Puede ser causa de infecciones o de problemas reproductivos. Es conveniente sacarlos.

Limpieza periódica de caparazón

– Utilidad: Que no haya escamas medio rotas, moho verde o algas.

– Dificultad: Ninguna, las escamas se han de sacar siempre y cuando casi salten solas. No se han de arrancar con fuerza. Las algas y el moho pueden eliminarse con un paño untado en yodo (betadine, topionic, etc.) una vez al mes.

– Necesidad: Conveniente puesto que los restos de placas muertas, algas y moho favorecen el crecimiento de microorganismos que pueden provocar enfermedades del caparazón e incluso podredumbre.

Dar lustre al caparazón

– Utilidad: Que el caparazón esté brillante y lustroso.

– Dificultad: Ninguna, se trata de aplicar aceites o enjuagues que dejan el caparazón realmente brillante y con aspecto de «limpio». Se puede realizar dos o tres veces al mes.

– Necesidad: Ninguna, los caparazones de las tortugas están adaptados a ensuciarse sin repercutir en su salud. Por motivos estéticos puede realizarse, pero siempre y cuando no se utilicen barnices sintéticos, aceites o líquidos industriales que puedan resultar tóxicos.

Sitios web de interés

www.reptilecare.com/iguanas.htm

Bibliografía

Brunetti, L. & Millefanti, M. (1999). SCUD-Septicaemic cutaneous ulcerative disease in the turtle. *EJCAP* 9 (1): 69-75.

Harvey-Clark, C. J. (1998). Dermatologic (skin) disorders. In: Ackerman, L. (Ed.). *The biology, husbandry and health care of reptiles*. New Jersey: TFH, 654-680.

47. ¿Por qué comen piedras algunos reptiles?

Uno de los problemas más temidos por los propietarios de reptiles es que éstos ingieran piedras u otros cuerpos extraños y tengan graves problemas intestinales. Antes de proceder a explicar las terapias de tratamiento, deberemos entender bien por qué se dan estos comportamientos.

Podemos atribuir a esta pauta de conducta dos motivos principales: fisiológicos (normales para la especie) y patológicos (anormales o consecuencia de enfermedad).

Motivos fisiológicos

Existe un sinfín de especies que ingieren piedras de manera natural. Los cocodrilos poseen un estómago dividido en dos grandes espacios: un área glandular, donde se segregan los ácidos de la digestión, y un área muscular donde se moltura y tritura la comida. En esta última área se alojan comúnmente piedras y otros objetos que ayudan a la trituración, de modo parecido a lo que hacen las aves con el grit (piedrecillas alojadas en su molleja usadas en la trituración del grano). Los cocodrilos instalados en zoos o recintos abiertos al público están continuamente tragando objetos que les arrojan, como monedas, latas de bebidas, relojes o pulseras.

En otros casos, la ingestión de lodos y tierras es un sistema de adquisición de fuentes de mineral, protectores de mucosa digestiva o lubricantes digestivos naturales. Así, muchas tortugas como *Cuora amboinensis* (tortuga caja asiática) están acostumbradas a comer lodos de los pantanos donde viven. En un acuario también mantendrán ese mismo comportamiento, pero ello les provocará la ingestión de gravilla que puede serles perjudicial. Otras tortugas que de vez en cuando ingieren pequeñas cantidades de cuerpos extraños son todas los integrantes del género *Testudo* (piedrecillas, cáscaras de caraco-

Otras preguntas relacionadas

10. ¿Cómo es anatómicamente un reptil? ¿Cómo son sus vísceras y qué funciones tienen?

11. ¿Qué curiosidades anatómicas tienen los reptiles?

87. ¿Cómo son las heces normales y anormales de los diferentes grupos de reptiles?

les, etc.) y sólo son perjudiciales cuando sobrepasan cierto límite.

Motivos patológicos

En este caso, los reptiles ingieren cuerpos extraños cuando no es éste su comportamiento esperable. Los motivos son variados: estrés, superpoblación, monotonía, confusión de presa, etc. En algunas serpientes que han vivido durante mucho tiempo en cautividad puede darse una activación del estímulo de caza y alimentación con objetos no apropiados. Puede desencadenarse una grave obstrucción intestinal, con lo que está en peligro la vida del animal. Ge-

neralmente, los cuerpos ingeridos quedan durante tiempo en el estómago, por lo que el animal pierde el apetito al no poder digerirlo. Los cocodrilianos son propensos a ingerir materiales no digestibles a causa de su comportamiento innato, hecho que en cautividad les puede provocar úlceras gástricas según lo que ingieran. Puede ser útil administrar laxantes o protectores de la mucosa gástrica en caso de ulceraciones provocadas por cuerpo extraño. El tratamiento más rápido es el quirúrgico. Se ha de averiguar radiográficamente o por endoscopia la localización de la obstrucción e intervenir para sacarla.

Sitios web de interés

www.anapsid.org/substrates2.html
www.tortoisetrust.org/articles/Feeding_FAQ.htm

Bibliografía

Bradley, T. (2000). Plastron osteotomy and intestinal foreign body removal in an african spur thighed tortoise, *Geochelone sulcata. Proceedings of the ARAV* **7**: -199-203.

Kombert, M. & Junge, R. E. (1999). Surgical and medical management of a gastrointestinal obstruction in an aldabra tortoise, *Geochelone gigantea. Proceedings of the ARAV* **6**: 164-165.

Martínez Silvestre, A. & Ramis, A. (2001). Anatomía patológica macroscópica en reptiles. *Canis et Felis* **49**: 69-82.

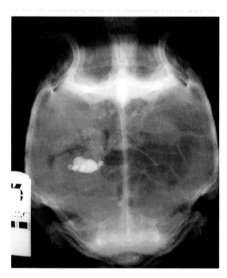

Radiografía de una tortuga que ha ingerido piedras. Se observa gas tras las piedras en todo el recorrido intestinal: signo de que éstas han originado un problema de digestión

48. ¿Perjudica a un reptil herbívoro comer insectos o carne?

Podríamos decir que la mayoría de especies no son estrictamente carnívoras o herbívoras. Según esta idea, no es malo que de vez en cuando las especies herbívoras ingieran alimentos de origen animal y viceversa. Además, muchas especies modifican sus hábitos alimentarios con la edad.

La tasa metabólica de cada especie se rige por la capacidad de digestión y del aprovechamiento energético de cada nutriente. En este caso, los riñones de un reptil herbívoro como la tortuga gigante africana (*Geochelone (Centrochelys) sulcata*) no están preparados para recibir y eliminar una gran cantidad de proteínas de origen animal, tampoco el digestivo de un camaleón (*Chamaeleo* sp.) está prepa-

rado para alojar grandes volúmenes separados mucho tiempo, ni una anaconda (*Eunectes murinus*) tiene un hígado preparado para recibir o metabolizar toxinas de origen vegetal.

En consecuencia, hay tortugas (género *Terrapene*) que resisten las toxinas de ciertos hongos tóxicos mientras que sus congéneres son incapaces, y hay serpientes que comen exclusivamente huevos (género *Dasypeltis*) y, sin embargo, no pueden cazar pájaros que acaban de salir de ese huevo. Las enzimas quitinasas (imprescindibles para digerir la cubierta de los artrópodos) no las poseen la mayoría de reptiles herbívoros. Las enzimas encargadas de digerir la celulosa no las poseen los reptiles carnívoros, y así podríamos encontrar un gran número de especificaciones que imposibilitan incluir «extras» en la dieta común de cada especie.

Pero la mayoría de especies que se tienen en cautividad pueden tomarse un «extra» de vez en cuando. Las tortugas de tierra se alimentan ocasionalmente de gusanos, carroña o artrópodos. Las tortugas de agua carnívoras no rechazan un nenúfar, un tubérculo o una flor si las condiciones son las adecuadas.

Por ello, y a fin de evitar o prevenir problemas de salud, es bueno no so-

Otras preguntas relacionadas

18. ¿Cuáles son las características biológicas principales de las 10 especies más comunes de reptiles?

54. ¿Los reptiles comen siempre lo mismo durante su vida o cambian con la edad?

78. ¿Cómo se produce el raquitismo en iguanas y cómo se cura? ¿Por qué no se da el raquitismo en las serpientes? ¿Puede confundirse con otras enfermedades?

Tortuga de tierra comiendo con avidez una porción de carne que se le suministra ocasionalmente

brepasar la norma del 5%. Si un reptil es herbívoro, no debemos darle más de un 5% de su dieta en forma de proteína animal. Si un reptil es carnívoro, no deberemos darle más de un 5% de alimento vegetal.

Pero ello no significa que podemos dejar de procurar una dieta equilibrada, completa y variada. Por ejemplo, una iguana, eminentemente herbívora, no ha de recibir más de un 5% de alimentos de origen animal (huevo, carne o gusanos), pero si el 95% restante es lechuga estará muy mal alimentada. Sin embargo, si la misma iguana recibe un 100% de dieta variada de origen vegetal (frutas, flores, verduras, hojas...), estará perfectamente alimentada.

Sitios web de interés

www.home.earthlink.net/~red-nine/nutrient.htm

Bibliografía

Stahl, S. J. (2000a). Feeding carnivorous and omnivorous reptiles. *Proceedings of the ARAV* 7: 177-180.

Stahl, S. J. (2000b). Feeding herbivorous reptiles. *Proceedings of the ARAV* 7: 181-182.

49. ¿Qué relación existe entre la temperatura del terrario y el apetito del reptil?

De igual forma que las temperaturas bajas desencadenan mecanismos en el organismo del reptil que les inducen a una estado de hibernación o diapausa, y las temperaturas excesivamente altas determinan la estivación para superar los rigores climáticos, las variaciones térmicas en el ciclo biológico de todo reptil van a marcar claramente sus necesidades alimentarias.

En libertad, la fauna salvaje se ve sometida a un control demográfico, entre otras muchas causas, por el acceso fácil o no a la alimentación diaria. Esta biomasa tendrá fluctuaciones estacionales, que dependerán de los regímenes climáticos de las zonas donde habiten. En los desiertos norteamericanos se producen explosiones demográficas de roedores cuando las lluvias aparecen repentinamente y con ellas la germinación por doquier de todo tipo de plantas y semillas que los alimentan. Este acceso fácil al alimento influye en los roedores, los cuales a su vez serán presa fácil de los crótalos, que aprovecharán este período de abundancia para reunir gran cantidad de grasas, con el fin de sobrellevar mejor los períodos de escasez venideros.

La simulación en nuestro terrario de las condiciones térmicas propias de cada especie va a condicionar su correc-ta alimentación y digestión. Para obtener la temperatura correcta o Temperatura Corporal Óptima (TCO), habrá que profundizar bibliográficamente en el ciclo biológico del herpeto en cuestión.

Las especies denominadas de climas tropicales y desérticas van a ser más sensibles a las variaciones de temperatura en el terrario. Así pues, reptiles como las iguanas, van a dejar de alimentarse correctamente por debajo de los 25 °C, entrando en una apatía que no se debe prolongar, ya que le inducirá a un proceso de estrés que puede generar la aparición de patologías ligadas a la anorexia, como la deshidratación o la explosión de parásitos tanto externos como internos. Especies desérticas como *Pogona vitticeps*, o *Uromastix acanthinurus*, dejarán de alimentarse regularmente si la temperatura del habitáculo no llega como mínimo a los 28 °C. Si bien en condiciones naturales estos saurios realizan períodos de diapausa y estivación, es conveniente tener un control riguroso de estos períodos que van a establecer un alto en la alimentación y que, por otro lado, van a estimular también la aparición de las pautas de conductas reproductoras. El descenso brusco de las temperaturas puede puede producirse cuando el reptil se encuentra en un estado de digestión del alimento no completado, y consecuentemente la no eliminación de la materia ingerida correctamente tratada en el digestivo, pudiendo generar la fermentación de la misma, con el consecuente peligro para el animal.

Las pitones reales *(Phyton regius)* se encuentran entre los ofidios que con más frecuencia se niegan a comer, aunque las razones de esta conducta no deben ser achacadas únicamente a la temperatura. Estas serpientes son reptiles fácilmente estresables, acusando los cambios producidos en su entorno. Una pitón real recién comprada necesitará un período de adaptación a su nuevo ambiente, que a menudo puede alargarse varias semanas, incluso meses. Dentro de este período será importante mantener la temperatura del te-

rrario dentro de los gradientes descritos para la especie, no molestarla mucho, mantener una correcta higiene del terrario y conocer sus ciclos biológicos vitales. En efecto, esta especie rehúsa comer también por el hecho de encontrarse dentro del período de celo, comprendido entre los meses de noviembre y enero en su zona de origen, y en cautividad responde de igual forma.

La reproducción más fidedigna posible de los parámetros de temperatura para cada especie nos va a facilitar mucho su adaptación a las condiciones de cautividad en el terrario. Especies que en sus zonas de origen soportan temperaturas claramente diferenciadas entre el día y la noche, como, por ejemplo, los camaleones de montaña, van a sufrir estrés de adaptación si son mantenidas a temperaturas constantes a lo largo de las veinticuatro horas de cada jornada. Esta nulidad del gradiente térmico obligará al reptil a un consumo excesivo de sus reservas energéticas, para poder adap-

Crías recién nacidas de dragón barbudo *(Pogona vitticeps)*. Se concentran en el punto de máximo calor para estimularse a su primera comida

tarse a una situación que no es la correcta en su especie. En consecuencia, aparecerán estrés y un debilitamiento progresivo del espécimen, rehusando comer y acabando por morir.

Para la obtención de la temperatura adecuada para cada especie, nos serviremos de aparataje generalmente eléctrico (resistencias, cables calefactores, esterillas, bombillas, etc.) controlados por termostatos y programadores horarios. Todos estos artilugios deben ser revisados con asiduidad a fin de evitar una muerte por culpa de una avería en la instalación. Tanto la hipertermia como la hipotermia conducen a una inhibición de las pautas de alimentación. Especialmente sensibles a esta casuística son los reptiles de climas tropicales como las iguanas, los basiliscos o los escincos gigantes de las islas Salomón (Corucia zebrata). Aunque reptiles de clima mediterráneo están adaptados a sufrir períodos de hibernación, es del todo negativo que sufran hipotermia durante las epocas de más actividad biológica (primavera y verano). Un descenso de su Temperatura Corporal Óptima (TCO), provoca el nulo funcionamiento de los enzimas digestivos y, por tanto, mala digestión de los alimentos ingeridos, que provocarán diarreas y retención de gases. La anorexia y desfallecimiento general van a inducir a la inmunodepresión del espécimen, facilitando la aparición de enfermedades.

Otras preguntas relacionadas

22. ¿Qué importancia tienen la temperatura, la humedad y el fotoperíodo en la vida de un reptil?

44. ¿Cuánto tiempo tarda en adaptarse un reptil a las nuevas condiciones desde el momento de su compra? ¿Hemos de mimarlo mucho?

57. ¿Con qué frecuencia comen los reptiles? ¿Cómo se puede estimular el apetito a un reptil que no come?

El correcto control de la temperatura del terrario va a predisponer favorablemente la alimentación de nuestro reptil y, en consecuencia, su salud.

Sitios web de interés

www.anapsid.org/parietal2.html
www.prestigeherps.co.uk/is_vivarium.html

Bibliografía

Gianopoulos, K. D. & Rowe, J. W. (1999). Effects of short-term water temperature variation on food consumption in painted turtles (Chrysemys picta marginata). Chelonian Conservation and Biology 3(3): 504-507.

Jacobson, P. W. & Jacobson, E. R. (1999). The effect of environmental temperature on the feeding response of baby corn snakes, Elaphe guttata guttata. Proceedings of the ARAV 6: 7-8.

50. ¿Las tortugas acuáticas se vuelven agresivas si les damos carne?

Éste es un tópico que persiste entre las personas que se inician en el mantenimiento de tortugas como mascotas. Posiblemente fue generado en su momento por un comercio no especializado, una empresa distribuidora de alimentos para tortugas o algún terrariófilo poco conocedor de la ecología de los quelonios acuáticos.

Esta afirmación carece de todo rigor científico, como podremos comprobar si analizamos las conductas alimentarias de los quelonios acuáticos.

La mayor parte de las tortugas de aguas continentales responden a un régimen de alimentación básicamente carnívoro, aunque algunas especies en ciertas fases de su vida sean omnívoras, consumiendo plantas acuáticas, como es el caso de las tortugas de Florida *(Trachemys scripta elegans)*.

La ingesta de las tortugas de agua puede desarrollarse de tres formas: activa (persiguiendo a la presa), pasiva (a la que llamaríamos caza al acecho) y una tercera opción nada despreciable de su conducta alimentaria: oportunista o carroñera.

Caza activa

Las tortugas de Florida, quelonio ampliamente difundido como animal mascota, desarrollan conductas de seguimiento y caza de sus presas (invertebrados acuáticos, larvas y adultos de anfibios, peces, neonatos de culebras de agua, pollitos de aves acuáticas y crías de roedores). Estos recursos tróficos se complementan ocasionalmente con aportes vegetales. Tal régimen alimentario es compartido por especies como el galápago leproso *(Mauremys leprosa)*, el galápago europeo *(Emys orbicularis)*, todas las especies del género *Trachemys, Pseudemys, Graptemys*, algunos galápagos africanos *(Pelusios castaneus, o Pelomedusa subrufa)*, así como especies asiá-

Otras preguntas relacionadas

59. ¿En qué especies es peligroso juntar dos machos y por qué?

62. ¿Cómo se combaten la agresividad y la territorialidad en las iguanas? ¿La castración puede solucionarlas?

78. ¿Cómo se produce el raquitismo en iguanas y cómo se cura? ¿Por qué no se da el raquitismo en las serpientes? ¿Puede confundirse con otras enfermedades?

Tortugas de Florida *(Trachemys scripta)* abalanzándose sobre un trozo de carne en una instalación al aire libre

ticas como la tortuga dentada *(Cyclemys dentata)*.

Caza pasiva

Algunas especies presentan una conducta de caza de sus presas a la que denominamos «captura al acecho». Las tortugas de la familia Trionichidae (llamadas de caparazón blando) o las tortugas mordedoras *(Chelydra serpentina)* permanecen in-

móviles entre las algas del estanque, o en el fondo del curso de agua enterradas en el limo, esperando la llegada de su posible presa, sobre la que se abalanzarán repentinamente cuando se encuentre a su alcance. En su medio natural, es frecuente incluso la captura de pollitos de anátidas. La corpulencia de este quelonio le confiere gran capacidad de predación. La tortuga matamata *(Chelus fimbriatus)*,

175

tiene una alimentación exclusivamente a base de peces vivos, con lo que la dificultad de manutención en cautividad aumenta. Ello convierte a este quelonio en una especie sólo apta para aficionados con gran experiencia. Si bien la posibilidad de alimentarla con pescado muerto existe, hacerlo viable constituye un reto para todo terrariófilo. La tortuga aligator *(Macroclemys teminckii)*, uno de los mayores quelonios de aguas continentales del planeta, con ejemplares de hasta 90 cm, da caza a sus presas utilizando la técnica de caza con señuelo. Para ello, permanece posada en reposo en el fondo del río, marisma o estanque. Con la boca abierta, queda a la vista la lengua del quelonio, en la que se encuentra un apéndice carnoso de color rosado intenso, el cual mueve rítmicamente como si fuese un apetitoso gusano. El falso invertebrado será el señuelo para el pez más atrevido, que al acercarse al cebo, activará el resorte que ha de cerrar las mandíbulas de la tortuga sobre él.

Alimentación oportunista

En mayor o menor grado, todas las especies acuáticas aprovechan el acceso a una fuente de alimento fácil, como podría ser un animal muerto. Las llamadas carroñas son una fuente proteínica de fácil acceso, al que ninguna tortuga va a renunciar. Peces muertos entran a formar parte de la dieta regular de muchos quelonios, contribuyendo éstos así a un correcto estado sanitario de los cursos de agua.

Como podemos deducir, queda descartada la supuesta aparición de la

Alimentos básicos (suministrar crudos)	Alimentos ocasionales
Arenque, merluza, todo tipo de pescados	Congelados de pasta alimentaria
Carne de ternera con cartílagos	Invertebrados
Carne magra	Lombrices, caracoles
Hígado (cualquier especie)	Mejillones, crustáceos (gambas peladas)
Pollo (cualquier parte)	Ostras, almejas
	Pienso de perro y gato

agresividad en un quelonio acuático tras haber ingerido carne. La conducta agresiva que un quelonio puede demostrarnos al ser manipulado obedecerá a una respuesta de estrés o defensa frente al trato que sufra en ese instante. Cierto es que algunas especies presentan un carácter más irascible ante el trato humano. Las tortugas de Florida en estado adulto o las tortugas de caparazón blando tienden a morder al ser mínimamente molestadas. Idéntica conducta realiza la tortuga mordedora *(Chelydra serpentina)* o la tortuga aligator *(Macroclemys teminckii)*, a causa de la permanente exposición al medio de las extremidades y la cola, debido a la nimiedad de su caparazón con relación a su masa corporal, haciéndola vulnerables a la depredación.

La aportación del alimento a nuestras tortugas acuáticas puede realizarse mediante suministro de preparados específicos para ellas, conocidos como pienso para tortugas, generalmente en forma de gránulos o *sticks*. Éstos aportan los componentes vitamínicos y de calcio necesarios para su correcto crecimiento. Muchas veces la agresividad se debe al intenso apetito que tienen las tortugas con una vida aburrida en un acuario. Proporcionarles dietas variadas y entretenidas ayudará a evitar esta agresividad o «glotonería» que acaba con un mordisco a nuestras manos. La dieta de un reptil debe estar basada en un amplio espectro de posibilidades, a ser posible no centrando en un solo alimento su nutrición.

Sitios web de interés
www.anapsid.org/reslider.html
www.austinsturtlepage.com/Articles/howmuchhowoften.htm

Bibliografía
Stahl, S. J. (2000). Feeding carnivorous and omnivorous reptiles. *Proceedings of the ARAV 7*: 177-180.

Ware, S. K. (1998). Nutrition and nutritional disorders. In: Ackerman, L. (Ed.). *The biology, husbandry and health care of reptiles*. New Jersey: TFH, 775-802.

51. ¿Todas las plantas de jardín pueden ser ingeridas por los reptiles herbívoros?

Los reptiles herbívoros, básicamente tortugas terrestres y algunos saurios, cuentan entre su dieta con un amplio muestrario de especies vegetales. Algunas les alimentan, otras les proporcionan entretenimiento, otras las utilizan para limarse los picos, otras les confieren protectores gástricos para evitar intoxicarse al alimentarse de otras plantas, y un largo etcétera. Con demasiada frecuencia, el aficionado proporciona a su mascota una alimentación monótona, basada en un solo producto comercial que, aunque tenga todos los elementos necesarios para un co-

Tortuga rusa *(Agryonemys horsfieldii)* alimentándose de pétalos de rosa

rrecto mantenimiento (calcio, fósforo, proteínas, etc.), debería complementarse con especies vegetales que enriquezcan su alimentación. Las situaciones de monotonía alimentaria suelen darse en reptiles mantenidos en terrarios, y no tanto en los que viven en instalaciones al aire libre o jardines.

Con frecuencia surge la duda sobre si todas las plantas de un jardín, o las que tenemos instaladas en el terrario como decoración, son comestibles para sus inquilinos.

Lo cierto es que algunas especies que para otro animal resultarían poco apetecibles (e incluso tóxicas) son ingeridas sin más consecuencia por un reptil herbívoro. La preciosa amapola (*Papaver rhoeas*), una papaverácea muy extendida en campos de cultivo, márgenes de caminos y zonas de

Plantas, árboles y arbustos tóxicos para los quelonios terrestres

Género	Especie	Nombre común
Aechmea	fulgens	Bromeliacea
Aloe	sp.	Aloe
Anthurium	backeri	Cola de cerdo
Billbergia	nutans	
Caladium	sp.	
Carex	sp.	
Dieffenbachia	picta	
Ficus	pumila	Ficus
Hedera	sp.	Hiedra
Maranta	bicolor	Maranta
Monstera	deliciosa	Costilla de Adán
Pellaea	sp.	
Philodendron	surinamense	Filodendron
Pteris	crética	Helecho
Scindpsus	pictus	
Strelitzia	reginae	Ave del paraíso
Tradescantia	sp.	

Plantas, árboles y arbustos, cuyas partes pueden ser consumidas por los quelonios terrestres

Género	Especie	Nombre común/partes a consumir
Cichorium	intybus	Achicoria (hojas)
Convolvulus	arvensis	Correhuela (Flores y hojas)
Cynodon	dactylon	Césped mediterráneo (todo)
Diospyros	kaki	Caqui (fruto)
Eriobotrya	japonica	Níspero (frutos)
Ficus	carica	Higuera (Fruto)
Medicago	sativa	Alfalfa (hojas y tallo)
Morus	alba&nigra	Morera (hojas y fruto)
Opuntia	ficus indica	Higo chumbo (fruto y tallo)
Rosa	sp.	Rosa (flor)
Sedum	sediforme	Sedum (tallo)
Taraxatum	officinale	Diente de león (hoja, tallo y flor)
Trifolium	sp.	Trébol (hojas y tallo)

prado, resulta ser para la tortuga rusa (*Agrionemys horsfieldii*) uno de sus platos favoritos. Tanto es así, que en su zona de origen natural, las repúblicas centroasiáticas, representa hasta un 60% de su dieta. Esta planta consumida en su totalidad, tallo y flor, por cualquier otro animal resultaría poco apetecible e incluso provocaría algún cuadro de toxicidad. La tortuga rusa también ha sido observada alimentándose de las duras hojas de hiedra (*Hedera helix*).

Podemos encontrar entre las plantas más consumidas por los reptiles herbívoros a la mayoría de gramíneas y leguminosas, pétalos de flores, o el famoso diente de león. Este amplio espectro vegetal, con frecuencia puebla el jardín donde hemos alojado a nuestro reptil, y va a resultar del todo aconsejable mantenerlo como digna opción alimentaria en su dieta base. La recolección de plantas silvestres para añadirlas al consumo de saurios como la iguana, el dragón barbudo australiano o el lagarto de las palmeras (*Uromastix* sp.), resultará del todo recomendable. Incluso las especies del género *Uromastix* consumen ávidamente semillas como las lentejas (en crudo), que rompen sin dificultad antes de ingerirlas.

Algunos árboles ornamentales plantados con asiduidad en los jardines, como las moreras *(Morus alba)*, cuyas hojas han sido utilizadas desde la antigüedad para la alimentación de los gusanos de seda *(Bombix mori)*, resultan también apetecibles para las tortugas terrestres como *Testudo marginata*, *Testudo graeca*, *Centrochelys (Geochelone) sulcata*, o *Stigmochelys (Geochelone) pardalis*, por mencionar algunas. De igual forma, devoran con avidez sus frutos: las dulces moras.

Las especies de plantas denominadas popularmente como aromáticas, entre las que encontramos ae romero *(Rosmarinus officinalis)*, el tomillo *(Thymus vulgaris)* o el espliego *(Lavandula stoechas)*, no son consumidas por ningún quelonio terrestre. Sin embargo, sí suelen utilizarlas como refugio nocturno, para sestear

Otras preguntas relacionadas

18. ¿Cuáles son las características biológicas principales de las 10 especies más comunes de reptiles?
88. ¿Qué debe hacerse cuando en una colección de reptiles, uno de ellos enferma o se muere?

en las horas álgidas de sol veraniego, o para realizar en sus proximidades el nido donde depositar la puesta.

En los terrarios de interior suelen utilizarse plantas exóticas como ambientación, las llamadas ornamentales; éstas con frecuencia son tóxicas.

Sitios web de interés

www.enciclopedia.us.es/index.php/-Taraxacum_officinale

www.jardibotanic.bcn.es/index-2.html

www.rjbalcala.com/otrasmenu.htm

Bibliografía
Frye, F. (1991). *Reptile Care, an Atlas of Diseases and Treatments*. New Jersey: TFH Publications.

52. ¿Cuáles son los mejores alimentos para las tortugas de agua, iguanas y tortugas de tierra?

La alimentación de cada especie es distinta y responde a las necesidades que tiene en el lugar de origen. En este capítulo se generalizan todas las necesidades nutritivas de los reptiles y en las descripciones de las especies principales se verán las dietas más ajustadas a cada grupo.

En general todas las tortugas terrestres son herbívoras, a excepción de algunas especies como las del género *Terrapene*, que han mantenido el régimen carnívoro del grupo de los Emididos del que provienen. Casi todas las tortugas acuáticas son carnívoras cazadoras y/o necró-fagas. Los sistemas de consecución del alimento son muy variados según las especies. Así, nos encontramos con sistemas de búsqueda y seguimiento de la presa (propio de galápagos como *Emys, Mauremys, Trachemys...*):

– Caza al acecho: El animal está inmóvil durante largo tiempo y disimulado en el fondo del lodo *(Trionix, Apalone, Aspideretes)* o su cuerpo está recubierto por un tegumento amorfo que lo disimula en el fondo *(Chelus fimbriatus)* y cuando la presa está al alcance la caza rápidamente.

– Caza con señuelo: *Macroclemmys temmincky* es la tortuga más conocida por estar quieta en el fondo con la boca abierta y exponiendo su lengua en forma de gusano para atraer a los peces. En cuanto éstos se acercan lo suficiente la tortuga se los come. Las iguanas, por su parte, tienen una dieta estrictamente herbívora, aunque de jóvenes pueden «jugar» a complementar su dieta base con pequeñas presas invertebradas.

En todos los reptiles la época de crecimiento es la que requiere mayor cantidad de nutrientes básicos. Las tortugas y saurios, por la dieta que siguen en cautividad, deben recibir su-

Otras preguntas relacionadas

18. ¿Cuáles son las características biológicas principales de las 10 especies más comunes de reptiles?

48. ¿Perjudica a un reptil herbívoro comer insectos o carne?

53. ¿Son recomendables los piensos comerciales para las distintas especies de reptiles?

66. ¿Qué trucos hay para criar reptiles en cautividad? ¿Cómo estimular a un reptil para la reproducción?

plementos minerales y vitamínicos. Los minerales como el calcio y las vitaminas liposolubles, como la A, D_3 y E, deben ser aportados frecuentemente en la dieta.

En general, los reptiles tienen unas dietas básicas comunes para los grandes grupos de alimentación. Según este concepto podemos separar los siguientes tipos de comida:

Alimentación para la mayoría de especies de tortugas de tierra y saurios herbívoros (iguanas)

Alimentos básicos	Alimentos ocasionales
Acelgas	Ajos y cebollas hervidas
Alfalfa	Carnes y pescados
Arroz hervido	Coliflor
Banana (con piel)	Fresas, grosellas y frutas dulces
Berzas	Guisantes con vaina
Cereales	Gusanos de harina, zophoba, larvas de insectos
Diente de león	Judías, habichuelas
Espinacas	Melocotón
Hierba, césped	Pétalos de flores
Higos	Pienso de perro y gato
Lechuga	Ranúnculos
Legumbres	
Manzana	
Pan integral humedecido con agua o zumo de frutas	
Pera	
Semillas, soja germinada	
Tomate	
Trébol	
Zanahoria	

Suplementos: Aceite de hígado; conchas; harina de huesos; hueso de sepia (jibia); pescado; suplementos cálcicos o vitamínicos comerciales.

En casi todos los reptiles cazadores el factor principal para la caza es la activación del estímulo, por lo que si una presa está demasiado tiempo (más de dos horas) cerca del predador y éste no la caza, ya no lo hará. Debe retirarse y probarse unas horas después.

Sitios web de interés

www.iespana.es/tortuga/tablasnutricionales.htm

www.infotortuga.com

Bibliografía

Donoghue, S. (1999). Nutrition of captive reptiles. *Veterinary Clinics of North America: Exotic animal practice* 2(1): 69-91.

Martínez Silvestre, A. (1996). *El Terrario*. Barcelona: GPE Edicions.

Ware, S. K. (1998). Nutrition and nutritional disorders. In: Ackerman, L. (Ed.). *The biology, husbandry and health care of reptiles*. New Jersey: TFH, 775-802.

Ofreciendo flores a una iguana, una suculencia ocasional y nutritiva

53. ¿Son recomendables los piensos comerciales para las distintas especies de reptiles?

En primer lugar debemos decir que sí, con toda seguridad. Sin embargo, cabe plantear algunas precauciones o detalles que pasamos a desglosar:

1) Los piensos han de ser para reptiles. La mayoría de problemas de salud observados en iguanas y tortugas se deben a que los propietarios les proporcionan piensos de perro y gato como dieta base u ocasional. Esto es un grave error. El pienso ha de estar formulado para el aparato digestivo de un reptil. Hace algunos años no había alternativa y se tenía que poner imaginación en la alimentación del reptil, combinando piensos de perro bajos en calorías con verduras, frutas, etc. Pero eso ya es obsoleto. Actualmente existe una inmensa variedad de piensos para reptiles. Hay piensos específicos para iguanas en crecimiento e iguanas adultas, dragones barbudos en crecimiento y dragones barbudos adultos, tortugas de agua, tortugas de tierra, varanos, insectívoros, tortugas gigantes o tortugas medianas, entre otros.

2) Algunos piensos aún están en experimentación. No pretendemos aconsejar unas marcas sí y otras no. Sencillamente opinamos que algunas formulaciones no están suficientemente comprobadas en las especies a las que van dirigidas. Por ello, es recomendable que el reptil siempre esté controlado sanitariamente por veterinarios especializados. Un control sanguíneo anual permite conocer el ritmo de crecimiento y el grado de mineralización de los huesos o la función hepática y renal.

3) Adaptarlo a la edad y ritmo de crecimiento. Las necesidades del reptil cambian mucho más con la edad que las de otras especies de vertebrados. Algunos piensos ya están preparados para ello (pienso para crecimiento y pienso para adultos), pero, por si acaso, hemos de adaptarnos a la edad de nuestra mascota proporcionándole lo más ajustado a su edad en función de los controles veterinarios o

Otras preguntas relacionadas

18. ¿Cuáles son las características biológicas principales de las 10 especies más comunes de reptiles?

78. ¿Cómo se produce el raquitismo en iguanas y cómo se cura? ¿Por qué no se da el raquitismo en las serpientes? ¿Puede confundirse con otras enfermedades?

la bibliografía especializada a la que tengamos acceso.

4) La formulación varía considerablemente con la marca comercial. Por ello, en algunas ocasiones hay piensos más recomendables que otros y deben compararse siempre las distintas marcas. Entre ellas suele haber diferencias considerables.

La tabla siguiente expresa la formulación de algunas marcas comerciales. En la parte inferior están anotadas las recomendaciones establecidas en la bibliografía especializada sobre nutrición de reptiles (citada en el apartado de bibliografía).

5) Los complementos nutricionales no deben confundirse con piensos. Las gambitas secas o los grillos deshidratados son tremendamente apetecibles, pero no son el elemento básico de una dieta, sino el complemento a la misma. O sea, si alimentamos a nuestros hijos, no les vamos a ofrecer únicamente dulces y pasteles; aunque sí que los tendrán en su dieta, no serán la parte fundamental.

6) Los piensos son muy aburridos. Imagínense una iguana que va comiendo por la selva, patrullando y deambulando por unas pocas hectáreas de terreno para ingerir 1.000 calorías. Gasta más de medio día, consume energía en ello y se entretiene, en definitiva, se mantiene en forma física y psíquica. Ahora imaginemos una iguana en su terrario que recibe una ración de pienso de 1.000 calorías. En un par de minutos la ingiere sin apenas moverse. No gasta tiempo, ni consume energía y tampoco se entretiene. El único modo de matar el rato será comiendo más. En definitiva, engorda y se aburre.

Ésta es la gran asignatura pendiente de los piensos: cubren necesidades nutricionales pero no cubren las necesidades comportamentales. Por ello, hemos de poner imaginación a la

Pienso	Proteína (%)	Grasa (%)	Proporción Ca: P
Kaytee	13,21	1,55 ± 0,12	1,24:1
ZooMed	27,15	1,46 ± 0,44	1,88:1
Tetra/Terrafauna	15,33	1,47 ± 0,12	1,65:1
RepCal	19,96	4,82 ± 0,22	1,56:1
T-Rex	14,96	3,09 ± 0,09	1,31:1
Fluker	13,21	10,25 ± 0.05	0,98:1
Recomendado(*)	26	3,0	1,9:1

Tortugas acuáticas alimentándose de pienso específico para su crecimiento

hora de la comida: repartir el pienso por el terrario, esconderlo dentro de flores grandes, espaciar el tiempo entre comidas, etc.

7) Existen piensos y complementos dirgidos a alimentar a las presas de los reptiles (alimentación de grillos enriquecida en calcio, por ejemplo). Estos complementos son recomendables en reptiles que únicamente se alimentan de un tipo de insecto (grillos rubios, por ejemplo) y no quieren otras presas.

Sitios web de interés

www.e-animales.com/exoticos/ficha.php3?seccion=reptiles&id_sel=9
www.e-animales.com/exoticos/ficha.php3?seccion=reptiles&id_sel=14

Bibliografía

Finke, M. D., Dunham, S. U., & Cole, J. S. (2004). Evaluation of various calcium fortified high moisture commercial products for improving the calcium content of crickets, *Acheta domesticus. J. Herpet. Med. Surg.* 14: 17-20.

Hurty, C. A., Diaz, D. E., Campbell, J. L., & Lewbart, G. A. (2001). Chemical analysis of six comercial adult iguana diets. *J. Herp. Med. Sur.* 11(3): 23-27.

McArthur, S. & Barrows, M. (2004). Nutrition. In: McArthur, S., Wilkinson, R. & Meyer, J. (Eds.). *Medicine and Surgery of Tortoises and turtles.* Iowa: Blackwell Publishing Ltd., 73-86.

54. ¿Los reptiles comen siempre lo mismo durante su vida o cambian con la edad?

Si hay cerca de 7.000 especies de reptiles, es concebible que haya cerca de 7.000 modos distintos de alimentarse. Muchos de ellos son variables, es decir, no se mantienen con la edad. Hay varios motivos para que existan cambios de preferencia con la edad.

Nutricionales

Los requerimientos dietéticos de un individuo varían con la edad. Y esto es más acusado en los reptiles, en los que el tamaño adulto es normalmente 150 veces el tamaño al nacer. Una tortuga de Florida (*Trachemys scripta*), por ejemplo, naciendo carnívora necrófaga (básicamente se alimenta de restos muertos), más adelante es capaz de cazar pequeñas presas (peces, crustáceos...) y al llegar a su edad adulta se vuelve omnívora, alimentándose de nenúfares, raíces o flores de superficie. Si siempre se alimenta con carne o pescado, su longevidad disminuye y se vuelve obesa muy fácilmente.

Ecológicos

No hay nada peor que la competencia por el alimento. Si además los competidores son de la misma especie, entonces se da un conflicto grave. Una de las soluciones consiste en cambiar la dieta con la edad, de modo que las edades jóvenes no compitan por el alimento con las adultas en un mismo hábitat. Un ejemplo claro de esta característica son las grandes serpientes. La mayor serpiente de Europa, la culebra bastarda (*Malpolon monspessulanus*), cuando nace (24 cm) tiende a alimentarse de invertebrados o juveniles y crías de vertebrados (lagartijas, ratones, etc.). Durante su juventud (100 cm) empieza a alimentarse de pajarillos, pequeños mamíferos y reptiles, incluyendo otras serpientes. En su edad adulta (200 cm) llega a depredar

Otras preguntas relacionadas

10. ¿Cómo es anatómicamente un reptil? ¿Cómo son sus vísceras y qué funciones tienen?

21. ¿Cómo saber la edad de una tortuga? ¿Hay algún método fiable?

47. ¿Por qué comen piedras algunos reptiles?

63. ¿Se han de tener varios ejemplares en un terrario para que no se sientan solos? ¿Existen técnicas de enriquecimiento ambiental aplicables a los reptiles?

76. ¿Es normal que las iguanas estornuden a menudo y dejen unos restos blancos en el cristal del terrario?

sobre conejos, liebres e incluso aves de gran porte, como las garcillas.

Aprovechamiento general de recursos

Los omnívoros son comúnmente mal alimentados por sus propietarios. Un omnívoro debería interpretarse como aquel herbívoro que de vez en cuando come carne. Así pues, el dragón barbudo australiano *(Pogona vitticeps)* se alimenta de una gran variedad de vegetales, flores y frutos, que complementa con insectos e incluso carroña. Si en cautividad se alimenta con un exceso de artrópodos pronto vienen los problemas de salud.

Aprovechamiento específico de recursos

Ciertas especies se alimentan en distintos sitios y de distintos nutrientes en un mismo hábitat dependiendo de la edad. Con ello también se evita la competencia y las altas densidades de individuos son más tolerables para el hábitat. Las iguanas de las islas Galápagos *(Amblirrinchus cristatus)* se alimentan de algas marinas que hay en el fondo de las playas de roca donde habitan. Las crías son capaces de penetrar más en las oquedades que los adultos, por lo que se alimentan de brotes más tiernos o de especies de algas distintas que sus congéneres. Se ha observado que cada vez que se produce el fenómeno climático conocido como «el niño», las aguas varían sus temperaturas perjudicando el desarrollo de las algas. Esto comporta un cambio en los hábitos de las iguanas marinas, que atraviesan por períodos de hambruna y hay una considerable mortalidad. La solución la tienen en un crecimiento más lento, que hace que las crías y los subadultos sean más pequeños, tengan mayor acceso a distintos recursos y, en consecuencia, una mayor supervivencia. Eso sí, a cambio, ese año deberán conformarse con ser más pequeñas que en otras temporadas.

Sociales

Algunos reptiles necesitan un proceso de socialización. Durante ese proceso aprenden cuáles son los alimentos básicos. Pongamos, por ejemplo, al escinco gigante de las islas Salomón *(Corucia zebrata)* que durante el primer año de vida práctica la conocida «socialización táctil», según la cual los juveniles permanecen siempre cercanos a los adultos (sobre todo a sus madres), duermen sobre ellas, se montan encima durante el día, reconocen las señales y los signos de comunicación, etc. Durante ese período, además, los neonatos y los jóvenes practican la coprofagia, o sea, ingieren heces de los adultos. Este hecho les permitirá introducir en su aparato digestivo las bacterias y fermentos que necesitan para realizar una óptima digestión durante el resto de su vida. Algo parecido realizan las iguanas comunes, que se pueden observar comiendo heces del terrario.

«Carpe diem»

¡Aprovecha el momento cuando se presenta! La mayoría de varanos y otras especies cazadoras NO saben cuándo van a comer. Andan patrullando por las sabanas, se desplazan sigilosamente día tras día hasta que, de repente, encuentran un nido con seis pollos de ave. Inmediatamente los devoran a todos. Posiblemente el próximo bocado vendrá dentro de tres semanas. O quizá dos horas. De este modo, la dieta de estas especies es impredecible en cuanto al momento, cantidad y tipo. Nunca comen lo mismo ni a la misma hora. Ya tienen sistemas digestivos y mecanismos fisiológicos adaptados a este tipo de vida. En cautividad debemos pensar en estas características para evitar la obesidad o el aburrimiento y tener siempre reptiles despiertos y alerta.

Adaptación al clima

Muchas especies de reptiles cautivos provienen de climas tropicales. En estos climas apenas hay variación, pero, incluso así, las pequeñas oscilaciones en temperatura, humedad, etc. provocan cambios alimentarios en estas especies. Las iguanas comunes seleccionan las frutas y plantas jugosas y húmedas en las estaciones secas y prefieren las plantas ricas en proteína en la estación húmeda. Las tortugas terrestres europeas seleccionan las flores y plantas ricas en azúcares en primavera y prefieren los vegetales ricos en agua en verano.

De este modo, se entiende que lo realmente extraño es que un reptil no varíe nunca la dieta. Los requisitos recomendables para alimentar bien a un reptil serían, pues:

1) Antes de adquirirlo, informarse acerca de su origen, especie, dieta en libertad, conducta y hábitos.

2) Ofrecer variedad de ingredientes en la dieta.

3) No caer en la monotonía tanto de tipo de dieta (siempre grillos), como de cantidad (siempre 10 grillos) o frecuencia (todos los días a la misma hora).

4) Si se utilizan piensos, intentar hacerlos «divertidos» mojándolos con zumos de frutas, escondiéndolos en el interior de flores, poniéndolos en distintos sitios cada vez que se ofrecen, etc.

5) Proporcionar dietas enriquecidas en minerales en los reptiles en crecimiento, mientras que espaciar la frecuencia en los reptiles adultos (ayuno un día a la semana).

6) Realizar controles veterinarios anuales a fin de asegurar que la dieta está ajustada a las necesidades del

individuo (evitar el raquitismo en jóvenes o la obesidad en adultos).

Sitios web de interés

www.ahc.umn.edu/rar/MNAALAS/-Iguana.html

www.chameleonnews.com/year2002-/july2002/nutrition/nutrition_july_02.html

Bibliografía

Donoghue, S. (1999). Nutrition of captive reptiles. *Veterinary Clinics of North America: Exotic animal practice.* 2(1): 69-91.

Frye, F. L. (1995). Nutritional considerations. In: Warwick, C., Frye, F. L. & Murphy, J. B. (Eds.). *Health and welfare of captive reptiles.* London: Chapman & Hall, 82-97.

Kirkwood, J. K. (1994). Food cosumption in relation to bodyweight in captive snakes. *Research in veterinary science* 57: 35-38.

McArthur, S. & Barrows, M. (2004). Nutrition. In: McArthur, S., Wilkinson, R. & Meyer, J. (Eds.). *Medicine and Surgery of Tortoises and turtles.* Iowa: Blackwell Publishing Ltd., 73-86.

Dragón barbudo australiano *(Pogona vitticeps)* comiendo flores y pienso

55. ¿Es preferible un reptil tendente a la obesidad o bien tendente a la delgadez?

Podemos asumir de antemano que existe la tendencia a sobrealimentar estas mascotas. Pese a ello, tengamos presente que los herpetos tiene un metabolismo muy lento y su alimentación debe estar en concordancia con este hecho.

Pensemos que, en libertad, cualquier especie animal salvaje tiene que dedicar parte de su actividad diaria a la búsqueda de alimento. Para ello consume gran cantidad de energía. Ese esfuerzo quedará compensado o no, según si la suerte de ese día le premia con la ingesta que le permite seguir vivo. En cautividad, la dedicación, pericia y constancia en la detección de una presa o de mejores plantas para aliviar el hambre desaparecen, dado que nuestras atenciones en su cuidado eliminan este factor.

La obesidad se manifiesta espectacularmente en especies como los galápagos acuáticos americanos *(Trachemys scripta elegans, T. s. scripta)* o en las tortugas palustres asiáticas *(Cyclemys dentata, Mauremys mutica)*. En éstas, su conducta siempre receptiva a la alimentación va a llevar a depósitos de grasas en las zonas inguinales y axilares. Especies de saurios como los varanos de sabana *(Varanus exanthematicus)*, los varanos del Nilo *(Varanus niloticus)* o los tejús *(Tupinambis* sp.) son reptiles marchadores que recorren en libertad grandes distancias para localizar presas, y que comerán tanto como puedan cuando las consigan, ya que el esfuerzo administrado para capturarlas ha sido mayúsculo. En la reducida superficie de un terrario, los varanos alimentados con ratones semanalmente tenderán al sobrepeso con facilidad.

Otras preguntas relacionadas

20. ¿Cuál es el peso aproximado que puede llegar a perder una tortuga terrestre durante su hibernación?

52. ¿Cuáles son los mejores y los peores alimentos para las tortugas de agua, las iguanas y las tortugas de tierra?

53. ¿Son recomendables los piensos comerciales para las distintas especies de reptiles?

82. ¿Cuáles son los principales síntomas de enfermedad en los reptiles?

83. ¿Existe el cáncer en los reptiles? ¿Cómo se diagnostica y cómo se distingue de otras enfermedades?

88. ¿Qué debe hacerse cuando en una colección de reptiles, uno de ellos enferma o se muere?

Grupo de reptiles	Especies y Géneros	Frecuencia de la alimentación tanto en adultos como en neonatos o subadultos
Quelonios acuáticos	*Trachemys scripta elegans, Trachemys scripta scripta, Graptemys* sp., *Pseudemys* sp., *Chelydra serpentina, Macroclemys temminckii, Apalone* sp., *Cyclenys dentata, Mauremys* sp., *Pelusios* sp., *Pelomedusa* sp., *Emydura* sp.	Una vez cada dos días, aporte moderado de alimento
Quelonios semi-acuáticos	*Cuora amboinensis, Cuora flavomarginata, Kinosternon* sp., *Rhinoclemys* sp.	Una vez cada dos días, aporte moderado de alimento
Quelonios terrestres	*Geochelone (Centrochelys) sulcata, Geochelone (Stigmochelys) pardales, Geochelone (Chelonoidis) carbonaria, Manouria* sp., *Indotestudo elongata, Kinyxis* sp., *Testudo* sp.	Alimentación a diario de forma moderada, con un día de ayuno cada siete días
Ofidios	*Lampropeltis* sp., *Elaphe guttata, Elaphe obsoleta, Pituophis* sp.	De una a dos presas (ratones) semanalmente
	Python molurus, Python regius, Python reticulatus, Boa constrictor, Eunectes sp.	De dos a tres presas según tamaño de la serpiente (ratas, conejos, ratones, codornices) cada mes
Saurios herbívoros u omnívoros	*Iguana iguana, Pogona vitticeps, Uromastix* sp. *Gerrosaurus* sp., *Zoonosaurus* sp.	Alimentación diaria de forma moderada con un día semanal de ayuno
Saurios insectívoros	*Chamaleo* sp., *Geco* sp. *Eublepharis* sp.	Alimentación a diario de forma moderada (de 4 a 6 presas segun tamaño)
Saurios carnívoros/ omnívoros	*Varanus* sp., *Tupinambis* sp.	Dos veces por semana. Combinar carne con alimentos vegetales
Cocodrílidos	*Crocodilus* sp., *Caiman* sp., *Aligator* sp.	De dos a tres veces por semana en ejemplares jóvenes de forma moderada (presa viva o no), ejemplares subadultos o adultos, una vez cada 10 a 15 días de forma generosa (dos o tres raciones o presas según tamaño)

193

En muchas ocasiones, los propietarios de reptiles poco expertos en su manejo provocan la obesidad por el simple hecho de verlas comer o hacer algo, dado que especies como las tortugas mordedoras *(Chelydra serpentina)* o las tortugas caimán *(Macroclemys temminckii)* presentan una conducta tranquila y aburrida cuando no comen.

También a las serpientes se les ofrece con demasiada frecuencia presas vivas por el simple hecho de ver cómo cazan. Existe la creencia también de que si se alimenta abundantemente a boidos como las pitones indias *(Python molurus)* o pitones reticuladas *(Python reticulatus)*, éstas van a presentar una mayor mansedad ante sus propietarios u otras personas. Todas estas aportaciones innecesarias de comida predisponen al aumento de grasa en los reptiles y, consecuentemente, a la aparición de patologías asociadas.

Los dos extremos de la balanza: un dragón barbudo obeso y sobre él, uno raquítico de la misma edad

Cómo podemos detectar el exceso de alimentación en un reptil

1) En tortugas, percibiremos la presencia de depósitos grasos que aparecen por las ingles y axilas como una especie de bolsas que impiden proteger eficazmente sus extremidades e incluso imposibilitan la inserción correcta de la cabeza. Los caparazones de quelonios con una sobrealimentación prolongada presentan, además, una forma globosa.

2) En serpientes, la obesidad es percibida cuando pierden toda su esbeltez y figura estilizada, presentando una flacidez mórbida en su anatomía. Especies de gran tamaño, como las pitones indias, reticuladas o en boas con problemas de peso muy acusados, pueden presentar dificultad incluso para desplazarse o trepar.

3) En saurios y cocodrilianos, sus cuerpos sobrealimentados tienden a acumular grasa en la zona del abdomen, que al desplazarse casi arrastran por el suelo.

La obesidad en los reptiles desencadena frecuentemente problemas de salud como:

– Un elevado nivel de colesterol, proteínas y triglicéridos.

– Acumulación de grasas en el páncreas, hígado y riñones.

– Problemas metabólicos.

En los reptiles no es extraña la muerte súbita por obesidad, sobre todo cuando ésta no se diagnostica a tiempo. En consecuencia es deseable que un reptil esté siempre alerta, despierto e inquieto, para lo cual ha de «pasar hambre» de un modo controlado. Se ha de proporcionar ejercicio, acceso fácil a la hidratación y, en el caso de quelonios o saurios herbívoros, ofrecer un alimento rico en fibra.

Sitios web de interés

www.anapsid.org/feedingtips.html

Bibliografía

Stahl, S. J. (2003). Pet lizard conditions and syndromes. *Seminars in Avian and Exotic Pet Medicine* 12: 162-182.

Warwick, C. (1995). Psychological and behavioural principles and problems. In: Warwick, C., Frye, F. L. & Murphy, J. B. (Eds.). *Health and welfare of cative reptiles*. London: Chapman & Hall, 205-238.

56. ¿Se puede alimentar a las serpientes con presa muerta, como trozos de carne o embutidos, aunque sean cazadoras de presa viva?

Los ofidios actúan como predadores o superpredadores en la pirámide de relaciones ecológicas de un ecosistema, y sus sentidos han evolucionado hacia el perfeccionamiento de las técnicas de caza o de búsqueda de alimento. Este aspecto de su conducta debe ser reproducido en las serpientes mantenidas en terrarios como parte de su estatus vital. Así pues, suministramos las llamadas presas vivas (pequeños mamíferos, roedores o aves) a los ofidios para que las cacen manteniendo al máximo su conducta natural. Pero no todas las serpientes han de ser forzosamente nutridas con especímenes vivos, e incluso en algunas puede llegar a ser conveniente acostumbrarlas a no cazar.

Serpientes como las falsas corales (*Lampropeltis* sp.), las serpientes del maizal *(Elaphe guttata)*, o las serpientes toro (*Pituophys,* sp.) pueden ser alimentadas desde jóvenes con trocitos de carne o derivados cárnicos convenientemente preparados en forma de pequeños «frankfurts». Moviendo con unas pinzas una porción de estas viandas frente la cabeza de la serpiente se la puede estimular a su captura y deglución. El ofidio analizará para otras ocasiones el alimento ofrecido y la forma de hacerlo, con lo cual podremos seguir procediendo de igual forma. Existen preparados embutidos para alimentar serpientes. El uso de estos preparados dependerá de su éxito comercial, y éste dependera de que los propietarios de serpientes se acostumbren poco a poco a alimentar a sus mascotas con este alimento. Puede mantenerse congelado, calentarse en el microondas, puede usarse sin remordimientos en alimentación de serpientes cara al público, y está formulado para que no le falte de nada al ofidio.

Otras especies, como las serpientes africanas del género *Dasypeltis*, son comedoras de huevos y están tremendamente especializadas. Ingieren un huevo entero, lo rompen en un esófago modificado y degluten el contenido del huevo expulsando por la boca la cáscara vacía. En estas especies tampoco sería necesaria la alimentación con presa viva y suelen alimentarse con huevos de codorniz muy fácilmente.

Especies acuáticas como *Nerodia fasciatta* pueden ser mantenidas con la aportación de peces muertos, como truchas, carpas o incluso sardinas.

Víbora africana *(Bitis arietans)* engulliendo una codorniz que acaba de cazar

Pitón *(Python molurus)* alimentándose con un muslo de pollo

Otras preguntas relacionadas

61. ¿Existe el estrés en reptiles? ¿Qué efectos tiene?

94. ¿Qué preguntas básicas hemos de hacernos antes de comprar un reptil?

Estos ofidios cazan en su medio natural peces y anfibios, aunque también los engullen ya cadáveres.

Algunos propietarios de grandes pitones, sobre todo *Python reticulatus* o *Python molurus,* las han acostumbrado a comer trozos de carne cruda, como patas o pechugas de pollo. Algunas serpientes nunca han cazado ningún ser vivo ya desde su nacimiento. Esto se consigue mediante un proceso mínimo de aprendizaje, como el hecho ya mencionado de mover delante de su nariz la posible presa, estimulando con el balanceo la captura, o bien calentando mínimamente la pieza, para determinar mejor la dirección del ataque. Precisamente, estas especies tiene fama entre los aficionados de ser especialmente glotonas y poco escrupulosas con el alimento que se les ofrezca.

El único inconveniente será que, a largo plazo, el animal no recibe todos los nutrientes que recibiría cazando presas enteras. En efecto, una presa entera tiene aparato digestivo, esqueleto, etc. Por tanto, la serpiente recibe enzimas digestivos, bacterias, calcio, entre muchos otros aportes necesarios. Nosotros, por tanto, hemos de intentar compensar esa pérdida administrando suplementos nutricionales en el interior de las pechugas de pollo o similar.

Las posibilidades de alimentar un ofidio con presa muerta o preparados aumentan con el hecho de que éste sea nacido en cautividad. Especímenes mantenidos en terrario procedentes de la captura en el medio van a ser difícilmente acostumbrados a tal forma de alimentación.

En principio, podríamos establecer dos grupos de serpientes, las que se pueden acostumbrar más fácilmente a comer presas muertas por carecer de fosetas termorreceptoras, y las que van a acostumbrarse mucho peor dado que las fosetas jugarán un papel de gran importancia por formar parte de los sentidos utilizados para la captura de presas. Los ofidios van a poner en juego todas las armas de las que disponen para detectar alimento, como parte de su papel de depredadores. Con base en esto, podremos diseñar el proceso alimentario de nuestra serpiente, teniendo presente que muchas especies son poco propensas a acostumbrarse a comer alimentos troceados, como la pitón real *(Python regius),* la pitón arborícola verde *Chondropython viridis*, o la pitón diamantina *(Morelia spilota)*.

En el caso de serpientes venenosas que han sido operadas y a las que se les ha extraído el veneno (recomendable en casi todos los zoos), el único modo de alimentarlas es mediante presa muerta o preparados.

Este sistema parece que ayuda también en el proceso de amansamiento de la serpiente, que, al no cazar, va perdiendo el talante de alerta y siempre preparado para morder.

Una combinación de ambas técnicas de manutención podría emplearse para facilitar en según qué momentos la alimentación de una serpiente.

Sitios web de interés

www.ahc.umn.edu/rar/MNAA-LAS/Snakes.html

www.applegatereptiles.com/articles/feedingbabysnakes.htm

www.snakesandreptiles.com/snake-_care.html

Bibliografía

Jacobson, P. W. & Jacobson, E. R. (1999). The effect of environmental temperature on the feeding response of baby corn snakes, *Elaphe guttata guttata*. Proceedings of the ARAV 6: 7-8.

Kirkwood, J. K. (1994). Food consumption in relation to bodyweight in captive snakes. *Research in veterinary science* 57: 35-38.

Alimentación básica para serpientes

Alimentos básicos	*Alimentos ocasionales*
Pequeños vertebrados homeotermos (Ratones, ratas, hámsteres, jerbos, cobayas, conejos, codornices, pollitos y pollos)	Pequeños vertebrados heterotermos (ranas y pequeños saurios de especies no protegidas)
Complejos nutricionales y vitaminas: Aunque no son necesarios en especies que comen presa viva, son convenientes para las que ingieren carne cruda o preparados.	

57. ¿Con qué frecuencia comen los reptiles? ¿Cómo se puede estimular el apetito a un reptil que no come?

Cada especie tiene una frecuencia de alimentación ajustada a su hábitat, su ritmo de crecimiento, época del año, etc. Además, debido a su baja tasa metabólica, los reptiles son unos de los animales que mayor resistencia tienen a la anorexia. Si bien no deben estar mucho tiempo sin beber, pueden permitirse largos períodos de inanición sin aparente repercusión en su salud.

Son varios los factores que influyen en que estos animales no coman:

Época del año

Los reptiles terrestres de climas estacionales hibernan de manera fisiológica. Hacia el mes de octubre-noviembre empieza un letargo que se termina en marzo o abril. En ese período de tiempo (de 4 a 6 meses) no comen absolutamente nada.

Las pitones reales tienen su época de celo o búsqueda de pareja hacia los meses de noviembre a enero (2 a 3 meses correspondientes a su verano austral). En ese momento dejan de comer de modo normal. En cautividad, en el hemisferio norte tienden a ese mismo comportamiento.

Tiempo entre comidas

Las serpientes de menos de 1 m comen entre una vez por semana (culebras terrestres) y cinco veces (culebrillas piscívoras o insectívoras). Las serpientes de entre 1 y 2 m (pitones de pequeño tamaño) comen una vez por semana. Las serpientes entre 2 y 6 m comen una vez cada 15 a 30 días (pitones indias, boas o pitones del caribe). Las serpientes de más de 6 m pueden comer presas de gran tamaño tan sólo dos o tres veces al año. Ésta es una regla general. Sin embargo, hemos podido comprobar que una serpiente venenosas como la víbora hocicuda *(Vipera latasti)*, que mide menos de 1 m, apenas se alimenta ¡cuatro veces en un año!

Los reptiles herbívoros suelen alimentarse cada día (tortugas e iguanas) mientras que los carnívoros espacian más las tomas alimentarias, hasta realizarlas una vez por semana (varanos, galápagos, tejús...) o una vez al mes (cocodrilianos).

Estrés de captura

Las pitones reales o las tortugas de caja sienten un gran estrés los primeros días o semanas de manipulación. Este estrés desemboca en anorexia pasajera y no debe preocuparnos.

Problemas jerárquicos

Algunas tortugas, iguanas, cocodrilos y más raramente serpientes dejan

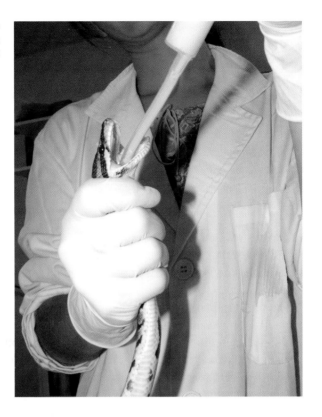

Sondaje de una serpiente mediante una sonda de látex con punta roma

de comer cuando un ejemplar de su misma especie rivaliza con ellos y les «quita» su posición jerárquica. En libertad, el perdedor se va a otra parte. En cautividad, la rivalidad se alarga eternamente. Esto provoca anorexia en el perdedor.

Desequilibrio en la dieta

En muchas especies del mercado no se conoce su dieta normal. Hay especies que comen hormigas, moscas, plantas acuáticas, termitas, huevos de aves, serpientes, néctar, lagartos y un largo etcétera que no son los alimentos ofrecidos comúnmente a los reptiles cautivos. Este factor también provoca anorexia.

En todas las anorexias comportamentales, lo mejor es evitar la causa que la originó y favorecer el comportamiento normal y una buena hidratación (15 ml/kg de suero cada día). Proporcionar refugios y lugares de descanso a los animales afectados y retirar la presa si al cabo de una hora aún no se la han comido. Se ha de intentar proporcionar la comida en la hora que el animal comería si estuviera en libertad (no todos los reptiles se alimentan a las mismas horas). Además, leer en una buena guía cuáles son las necesidades biológicas de espacio, entrada en ciclo reproductivo, competencia con otros individuos,

Otras preguntas relacionadas

22. ¿Qué importancia tienen la temperatura, la humedad y el fotoperíodo en la vida de un reptil?

49. ¿Qué relación existe entre la temperatura del terrario y el apetito del reptil?

55. ¿Es preferible un reptil tendente a la obesidad o bien tendente a la delgadez?

etc. de la especie afectada. Conocer la biología de la especie antes de adquirirla es de gran importancia para prevenir problemas de este tipo.

En caso de decidir la administración de alimentación forzada es necesario recurrir a sondaje oral de densidad progresivamente creciente. Primero se iniciará un sondaje con suero rico en glucosa y semanalmente se administra más concentrado en alimento para estimular una digestión progresiva y óptima. Se puede llegar a alimentar de esta manera a un reptil durante muchos meses sin que coma por sí mismo. Se ha de adecuar el volumen de sondado a la mitad de la capacidad gástrica de cada reptil (máximo un 5% del peso del animal). Muchas veces el mantenimiento mediante sonda puede alargarse mucho. El animal así mantenido se «acostumbra» a que lo sonden y no come porque el sondaje lo deja saciado. En la experiencia de los autores se ha llegado a alimentar hasta 6 meses una tortuga de caja *(Terrapene carolina)*, 3 meses en una iguana *(Iguana iguana)* y un año en una pitón real *(Python regius)*. Todos ellos empezaron a comer tras todo ese tiempo dándoles comida con sonda y sin tener signos de enfermedad. Por ello, transcurrido cierto tiempo, el sondaje ha de suplir las necesidades mínimas del reptil pero no ha de saciarlo, a fin de que se le despierte el apetito.

Además, existen fármacos de utilidad comprobada para estimular el apetito en reptiles anoréxicos, se trata de ciertos complejos vitamínicos, antiparasitarios e incluso tranquilizantes. La administración de estas drogas estimulantes del apetito dependerá de una visita veterinaria especializada.

Sitios web de interés

www.animalls.net/artic22.html

www.reptilia.net/articulos_cast/-050.pdf

Bibliografía

Barrows, M. (2001). Nutrition and nutritional disease in chelonians. *Testudo* 5(3): 10-14.

Stahl, S. J. (2000a). Feeding carnivorous and omnivorous reptiles. *Proceedings of the ARAV* 7: 177-180.

Stahl, S. J. (2000b). Feeding herbivorous reptiles. *Proceedings of the ARAV* 7: 181-182.

COMPORTAMIENTO: CÓMO SIENTEN Y PIENSAN LOS REPTILES

58. ¿Por qué las tortugas se muerden las patas y el cuello y se golpean los caparazones?

La pregunta es muy explícita, y obedece a un comportamiento observado con frecuencia por los propietarios de tortugas. ¿Dónde radican las causas de tales conductas?, ¿es normal?, ¿todas las especies lo manifiestan?

Estas observaciones son del todo normales entre los quelonios y radican en la rivalidad por el dominio de un territorio, o también son pautas establecidas en el cortejo precopulatorio y en el acoplamiento mismo. Todas las especies de tortugas desarrollan algún tipo de conducta que va a comportar un acercamiento de los ejemplares, que en muchas ocasiones no está carente de cierta violencia física, tanto si tiene como fin la afirmación del estatus en el grupo reproductor, como la cópula.

Reafirmación del estatus

Los Testudínidos son un claro ejemplo de contacto físico con fines de dominio. Las tortugas terrestres de distribución mediterránea, *Testudo*

hermanni, Testudo graeca, y *Testudo marginata,* presentan en el período de apareamiento un carácter combativo hacia los congéneres del mismo sexo y del opuesto. Los machos no dudarán en entrar en un combate sin cuartel al encontrarse cara a cara. Van a intentar morderse las patas delanteras, golpearán ambos caparazones entre sí en su parte frontal, con la precaución de esconder la cabeza previamente, se empujarán lateralmente caparazón contra caparazón con el fin de voltearse, es decir, dejar al rival boca arriba, completamente indefenso y fuera de toda opción por competir en las pautas de cortejo. Con frecuencia, el contrincante más débil, reconocerá en el primer encuentro el poderío de su oponente, lo que bastará para que tome la decisión de retirarse del territorio. Los combates jerárquicos son llevados a la máxima expresión por las tortugas de cuatro uñas *(Agrionemys horsfieldii),* exponiendo su furia ante el rival con inusitada persistencia. Estas batallas se dan con más asiduidad

Otras preguntas relacionadas

59. ¿En qué especies es peligroso juntar dos machos y por qué?

60. ¿Conocen los reptiles a sus propietarios, obedecen órdenes, se les puede hablar y entienden? ¿Por qué mi tortuga viene a morder mis zapatillas?

cuando la densidad de machos en el grupo reproductor es muy alta y las posibilidades de acceder a una hembra son menores. A veces, al incorporar un nuevo ejemplar macho a la población cautiva se producen combates destinados a restablecer la jerarquía del grupo. Las tortugas de cuatro uñas o los galápagos europeos son especialmente sensibles a las alteraciones de la colonia.

Los machos de algunas especies como las tortugas gigantes africanas *Geochelone (Centrochelys) sulcata*, las tortugas de desierto americanas (*Gopherus* sp.) o la tortuga ariete de Madagascar *(Geochelone yniphora)* han desarrollado de forma desmesurada las placas gulares del plastrón, con la finalidad de ser utilizadas como unas palas para voltear al contrincante.

Conductas de cortejo

Las conductas de cortejo son las más observadas por los aficionados al mundo del mantenimiento de quelonios. Tanto los machos de especies terrestres como acuáticas desarrollan unas pautas de acercamiento y «convencimiento» de la hembra con un mayor o menor grado de intensidad y violencia. Los machos de las especies de ámbito circunmediterráneo, se caracterizan por desplegar una inusitada insistencia en la persecución de la hembra para inducirla al apareamiento. Previamente a las persecuciones tras la hembra, que huye al sentirse asediada, el macho moverá la cabeza rítmicamente de arriba a bajo delante de ella, para así incitarla a la cópula. Si ésta no accede, como ocurre en la mayoría de ocasiones, se desencadenan una serie de pautas inadecuadas desde el punto de vista humano, como el hecho de morder las extremidades delanteras y traseras simultáneamente para detener su huida. También es característica la conducta de chocar la parte frontal del caparazón del macho, contra la parte posterior del caparazón de la hembra, esta acción provoca un sonido característico y audible a gran distancia. Esta acción produce a veces, sobre todo en poblaciones cautivas, el deterioro de las placas córneas supracaudales de las hembras, llegando incluso a fracturarlas. Morder las patas anteriores, las posteriores y los muslos de las hembras con persistencia por parte del

Tortuga asiática *(Cuora flavomarginata)*. Macho mordiendo la parte anterior del caparazón de la hembra. Además, esta especie desprende burbujas por la nariz durante el proceso

Tortuga acuática *(Emys orbicularis)*. Macho situado sobre la hembra con la que copulará en el agua

macho, llega a provocar heridas sangrantes por el arranque de las escamas. Este hecho se produce con asiduidad en especies como *Testudo marginata* y *Agrionemys horsfieldii*. Si el macho consigue con su insistencia que la hembra se detenga, se colocará verticalmente sobre la parte posterior del espaldar de la hembra y colocará su cloaca frente a la de ella para exteriorizar el pene y realizar la intromisión. Es en esos momentos cuando el macho abrirá la boca para emitir un ruido característico, una vocalización semejante a un pitido o bocina de tono agudo, como el que produce una muñeca al ser apretada por un niño. Esta voz, exclusiva de los machos de los quelonios terrestres en la época de apareamiento varía según las especies, desde una agudeza extrema, en el caso de tortugas mediterráneas como *Testudo hermanni*, o esteparias como *Agrionemys horsfieldii*, hasta unos sonidos graves, parecidos a los rebuznos, en quelonios de gran tamaño como *Geochelone (Centrochelys) sulcata*, o las tortugas gigantes de las islas Galápagos *(Geochelone nigra)*.

Tambien los quelonios acuáticos desarrollan conductas de apareamiento que incluyen cierto grado de violencia. Los galápagos leprosos *(Mauremys leprosa)*, los galápagos europeos *(Emys orbicularis)*, tortugas de Florida *(Trachemys scripta)*, tortugas mordedoras *(Chelydra serpentina)* o las tortugas de caparazón aserrado *(Cyclemys dentata)*, por poner sólo algunos ejemplos, una vez el macho ha subido sobre el caparazón de la hembra, siempre dentro del agua, se agarra con fuerza ayudado de sus uñas, en una especie de abrazo, acompañado del intento de morder el cuello en la base del cráneo. La insistencia de esta conducta llega a producir algunas veces lesiones, úlceras o escoriaciones a la hembra. Antes de llegar al punto de la cópula, el macho perseguirá a la hembra con tanta insistencia, que ésta huye a menudo nadando a toda prisa o sale a la orilla del estanque para refugiarse entre la vegetación.

Sitios web de interés

www.deserttortoise.org/abstract

Bibliografía

Gillingham, J. C. (1995). Normal behaviour. In: Warwick, C., Frye, F. L. & Murphy, J. B. (Eds.). *Health and Welfare of captive reptiles*. London: Chapman & Hall, 131-164.

Rosskopf, W. J. (1999). Some important behavioral characteristics of various nonavian pets seen in clinical practice. *Seminars in Avian and Exotic Pet Medicine* 8(4): 145-153.

59. ¿En qué especies es peligroso juntar dos machos y por qué?

Los machos de todas las especies de reptiles poseen testículos internos. La principal hormona producida por los testículos es la testosterona. En consecuencia, los machos tienen un mayor nivel de testosterona en la sangre que las hembras, que, al no poseer testículos, tienen menores cantidades de dicha hormona. Podemos considerar la acción de la testosterona como doble. Por una parte estimula la maduración, movilidad y supervivencia de los espermatozoides, y por otra, está encargada de regular la actividad de ciertas glándulas. También tiene un claro efecto morfogénico en la pubertad, haciendo aparecer los caracteres sexuales secundarios masculinos, como las barbas de iguánidos y agámidos, cuernos o protuberancias cefálicas de los camaleónidos, desarrollo corporal en lacértidos, uñas de ciertos quelonios Emídidos, o cambios de color en iguá-

nidos. Pero además interviene en el desarrollo de los caracteres propios de la «personalidad» de los machos, como es la actitud hacia el sexo contrario, la búsqueda de pareja, y, por supuesto la agresividad. Estos comportamientos están fundamentados en la defensa del grupo, del territorio o de las hembras y tienen un claro factor de «supervivencia de los propios genes». En consecuencia, los machos son más proclives al enfrentamiento y a la agresividad, sea ritualizada (cabeceos verticales, lateralización corporal, persecuciones, emisión de ruidos o apertura máxima de la boca) o real (ataques consumados con mordiscos, coletazos o arañazos). Este comportamiento se observa más fácilmente en cautividad puesto que las condiciones de mantenimiento reducen el espacio vital e incrementan las posibilidades de interacciones entre machos.

Especies agresivas en las que conviene no juntar dos machos en poco espacio

Tortugas	*Geochelone sulcata*, *Testudo horsfieldii*, *Geochelone yniphora*, *Gopherus* sp., *Testudo graeca*, o bien las especies del género *Cuora*.
Saurios	*Iguana iguana*, *Gerrosaurus major*, *Anolis* sp., *Chamaeleon* sp., *Varanus* sp., *Basiliscus* sp o bien la mayoría de especies de la familia Lacertidae.
Ofidios	*Eryx* sp. y multitud de especies venenosas (*Bitis*, *Ophiophagus*, etc.).
Cocodrilianos	Toleran machos rivales del mismo tamaño (situación de empate de fuerzas) pero puede haber problemas con machos adultos y subadultos juntos en la misma instalación.

Grupo de tortugas rusas (*Agryonemys horsfieldii*) hembras. Toleran bien una elevada densidad

Machos de iguana del mismo tamaño y edad atacándose por rivalidad ante un mismo territorio

Otras preguntas relacionadas

42. ¿Qué se debe hacer ante un mordisco de un reptil? ¿Y si es venenoso?

43. ¿Es conveniente o aconsejable sacar a pasear a la calle a las serpientes, iguanas u otros reptiles?

62. ¿Cómo se combaten la agresividad y la territorialidad en las iguanas? ¿La castración puede solucionarlas?

63. ¿Se han de tener varios ejemplares en un terrario para que no se sientan solos? ¿Existen técnicas de enriquecimiento ambiental aplicables a los reptiles?

Esto es especialmente grave cuando consideramos los reptiles como mascotas. Hay una serie de factores que exacerban este comportamiento y lo hacen especialmente patente:

1) Desconocimiento de cuál es el espacio mínimo vital en la gran mayoría de especies.

2) Comprar siempre más de un reptil de la misma especie para que «no se sienta solo».

3) Pequeño tamaño y aspecto de juguete de casi todas las especies, que no da la sensación de crecer y de la agresividad que tendrán al cabo de 3 o 4 años.

4) Animales sometidos siempre a situaciones de estrés de cautividad, sin capacidad de huida, sin refugios suficientes, etc.

5) Especies que tienden a ser más territoriales y agresivas que otras.

6) Hacinamiento, incapacidad de huida en grupos jerárquicos de la misma especie.

Estos últimos puntos son especialmente importantes por cuanto se suele desconocer esta característica en el momento de la adquisición de un reptil. Podríamos englobar las especies susceptibles de agresividad intraespecífica (hacia sus congéneres) en la tabla adjunta de la página 208.

Sitios web de interés

www.anapsid.org/sight3.html

www.angelfire.com/al/repticare/page29.html

Bibliografía

Frye, F. L., Mader, D. R., & Centofanti, B. V. (1991). Interspecific (Lizard: Human) sexual aggresion in captive iguanas *(Iguana iguana)*: I A preliminary compilation of eighteen cases. *Bulletin of the Assotiation of Reptilian and Amphibian Veterinarians* 1: 4-6.

Gillingham, J. C. (1995). Normal behaviour. In: Warwick, C., Frye, F. L. & Murphy, J. B. (Eds.). *Health and Welfare of captive reptiles*. London: Chapman & Hall, 131-164.

Warwick, C. (1995). Psychological and behavioural principles and problems. In: Warwick, C., Frye, F. L. & Murphy, J. B. (Eds.). *Health and welfare of cative reptiles*. London: Chapman & Hall, 205-238.

60. ¿Conocen los reptiles a sus propietarios, obedecen órdenes, se les puede hablar y entienden? ¿Por qué mi tortuga viene a morder mis zapatillas?

Los reptiles se encuentran entre las formas de vida vertebrada que menos interaccionan con el ser humano. Su carácter salvaje y eminentemente independiente, les hacen con frecuencia distantes en las relaciones con el hombre. La casi nula capacidad de aprendizaje en comparación con los mamíferos o aves salvajes impide enseñar a estas mascotas pautas de comportamiento que demuestren haber asimilado una orden. De todas formas, si bien es imposible domesticar a un reptil, sí que lo podemos domar, o acostumbrar a unos determinados hábitos, mediante estímulos alimentarios, de colores, formas o sonidos.

Ofidios

Entre reptiles y hombres, las interacciones no resultan fáciles. Así, en el caso de los ofidios, los contactos entre ambos reflejan claramente el carácter independiente de éstos. Si una serpiente tiene sus necesidades fisiológicas cubiertas (alimentación-saciedad, agua, humedad, temperatura, luz, y tranquilidad), no va a representar ningún tipo de problema. En estos casos es recomendable su manipulación diaria, siempre que sean especies no venenosas o de carácter potencialmente agre-

sivo. Será del todo aconsejable la frecuencia en el trato, con el fin de acostumbrar al animal al contacto humano, que debe hacerse con cuidado y delicadeza, para que así no se sienta amenazado. El carácter curioso de las serpientes puede darnos la falsa sensación de amistad, al olernos y escudriñar nuestras ropas o piel. Con tiempo, vamos a establecer una relación de tolerancia mutua, un estatus que nos permitirá disfrutar de nuestra mascota y admirar su forma de ser. Sin embargo, no olvidemos que un deficiente manejo en las condiciones del terrario, provocará estrés en el ofidio, lo que repercutirá directamente en la relación con él.

Otras preguntas relacionadas

43. ¿Es conveniente o aconsejable sacar a pasear a la calle a las serpientes, iguanas u otros reptiles?

62. ¿Cómo se combaten la agresividad y la territorialidad en las iguanas? ¿La castración puede solucionarlas?

63. ¿Se han de tener varios ejemplares en un terrario para que no se sientan solos? ¿Existen técnicas de enriquecimiento ambiental aplicables a los reptiles?

Saurios

Algunas especies de saurios se encuentran entre los reptiles que más tolerancia y entendimiento demuestran hacia nuestras exigencias. Los dragones barbudos *(Pogona vitticeps)*, unas de las mascotas que últimamente más se comercializan, han llegado a gozar del beneplácito de los aficionados, por el carácter afable, divertido, curioso y raras veces agresivo. La capacidad que demuestran en asimilar colores y formas de los alimentos más apetecibles para ellos, a varios metros de distancia y a través del cristal de un terrario, denota cierta posibilidad de recuerdo o aprendizaje. También gustan, en cierto modo, del contacto directo con su propietario, no siendo así raro que mantengan una conducta complaciente y musculatura relajada cuando se les acaricia la cabeza o el cuello. Estas débiles muestras de interacción con el propietario, podemos encontrarlas en especies como el lagarto de las palmeras *(Uromastix sp.)* o los escincos *(Tiliqua scincoides)*. Algunos saurios omnívoros o carnívoros, como los lagartos overos (tejús, *Tupinambis* sp.), y los varanos de sabana *(Varanus exanthemathicus)*, pueden reconocer incluso a su cuidador, al que siguen con insistencia al verlo y relacionarlo, por ejemplo, con las franjas horarias en que se le alimenta. Podremos acariciarlos e incluso cogerlos. Pero no olvidemos que estos grandes lagartos nos harán saber con claridad, mediante arqueo del dorso o resoplidos, el límite de su tolerancia.

Cocodrilos

Con los cocodrilianos ocurre algo similar a los ofidios. Si tenemos un cocodrilo saciado, es posible que, como máximo, llegue a tolerar nuestra presencia y no tenga interes en atacarnos. No hemos de confundir un cocodrilo saciado o harto de comer con un cocodrilo manso. Tienen un carácter imprevisible y un ataque sin previo aviso puede materializarse en cualquier momento.

Quelonios

La dependencia alimentaria hace que se acerquen a los propietarios. Saben quien es la persona a la que han de seguir para comer alimento fresco.

Los casos de conductas sexuales anómalas suelen darse en ejemplares de quelonios mantenidos en cautividad, que no han estado nunca en contacto con congéneres de su especie o de otras, y en los que el nulo enriquecimiento ambiental o estímulo sexual provocan, ante la mínima novedad en el ritmo de vida diario, una explosión de sensaciones en el individuo. Es muy frecuente escuchar en boca de propietarios de quelonios solitarios, explicaciones como: «mi tortuga monta sobre mis zapatos y los intenta morder, hace incluso como si copulara». La conducta aparece sobre todo en primavera y las tortugas macho siguen desesperadamente cualquier objeto que se mueva y tenga, grosso modo, apariencia de tortuga, por ejemplo, unas zapatillas. Este comportamiento irregular puede llegar a extremos cómicos, como el intento de una tortuga terrestre de aparearse con un quelonio acuático o con el gato de la casa. El conocido etólogo y premio nobel de medicina Konrad Lorenz demostró que en el reino animal, ante la ausencia del estímulo adecuado, el dintel de exigencia por la búsqueda de pareja baja tanto que cualquier cosa es adecuada para relajar las pulsiones reproductoras. Esta desviación de la conducta se ha observado en machos de la mayoría de especies, e incluso en otros reptiles como los saurios, aunque por el momento no está descrita en ofidios.

Sitios web de interés
www.anapsid.org/repsineduc.html

Bibliografía

Martínez Silvestre, A. (2001). Patología ligada al manejo. *Canis et Felis* 49: 27-35.

Martínez Silvestre, A., Bargalló, F., Mares, J., Auñón, J., & Prandi, D. (2000). Agresividad interespecífica en iguana común. *Congreso Nacional de AVEPA* 35: 329.

Tortuga macho copulando con un zapato

213

61. ¿Existe el estrés en reptiles? ¿Qué efectos tiene?

Los reptiles, como los demás vertebrados, deben mantener un estado fisiológico estable, la homeostasis. Ante determinadas agresiones a este estado básico, se dice que el reptil sufre una situación de estrés. Definimos, por tanto, el factor estresante como aquel estímulo o fuerza externa que, aplicado al reptil, amenaza su correcta homeostasis. El efecto inmediato, llamado estrés o situación estresante, lo definiremos como la combinación de respuestas elaboradas por el reptil que implican un incremento de la actividad de la glándula adrenal. Esta glándula está situada entre los riñones y las gónadas, y se ha visto involucrada en la síntesis y liberación de progesterona, testosterona y, principalmente, de los corticosteroides.

El efecto de estos corticosteroides se focaliza en la reproducción, el estado inmunitario, el metabolismo intermediario y el crecimiento. Ello demuestra que el estrés tiene un papel decisivo en estos cuatro puntos.

¿Cómo funciona?

Ante situaciones de estrés, la glándula adrenal responde secretando corticosteroides (corticosterona o cortisol). La corticosterona se secreta primariamente en anfibios, reptiles y aves, mientras que el cortisol en peces y la mayoría de mamíferos La síntesis de corticosteroides desde el tejido interrenal está controlada por la pituitaria y su secreción de hormona adrenocorticotropa (ACTH). La ACTH reptiliana se sintetiza a partir de una molécula grande, la pro-opio-melanocortina. Ésta, a su vez, está regulada por la hormona liberadora de corticotropina (CRH) proveniente del núcleo paraventricular del hipotálamo. Si bien esta última hormona ha sido localizada en los reptiles, se conoce poco sobre su función exacta.

Como consecuencia, ante un factor estresante, serán varios los factores que afecten a la concentración de corticosteroides en el plasma del reptil, como la variabilidad genética, edad, sexo y estado nutricional o el tipo, duración y frecuencia de ese factor estresante.

Otras preguntas relacionadas

10. ¿Cómo es anatómicamente un reptil? ¿Cómo son sus vísceras y qué funciones tienen?

63. ¿Se han de tener varios ejemplares en un terrario para que no se sientan solos? ¿Existen técnicas de enriquecimiento ambiental aplicables a los reptiles?

¿Qué consecuencias tiene?

Consecuencia directa de las situaciones estresantes y su vinculación con estos desórdenes hormonales, el reptil sufre el conocido «síndrome de maladaptación». En este síndrome se contemplan tres fases o estadios:

1) Estadio de alarma. Debido a un estrés agudo. Este estadio se manifiesta unas horas después de la exposición al factor estresante. El cuadro clínico lo constituyen ulceraciones en el aparato digestivo y estimulación de las glándulas adrenales.

2) Estadio de resistencia. Debido a un estrés crónico. Se detecta una hipertrofia de las glándulas adrenales, así como una inhibición del crecimiento y de la función gonadal. Si el factor estresante persiste, el animal puede llegar a una situación de tolerancia en la que los desórdenes fisiológicos vuelven prácticamente a la normalidad. Esta resistencia es específica, o sea, si a ese reptil se le añade un factor estresante nuevo, la respuesta inicial se observa nuevamente.

3) Estadio de fatiga. Debido a un estrés cró-

nico, severo, cambiante e impredecible. El reptil está exhausto y fatigado. El animal deja de mantener su homeostasis. Reaparecen continuamente los signos observados en el estadio de alarma y de resistencia. Si los factores estresantes no se eliminan ni se corrigen sus efectos, el reptil puede morir.

En estas circunstancias, la experiencia diaria nos demuestra que el estado en el que se presentan mayoritariamente los problemas patológicos es el de fatiga. Los otros dos primeros estadios apenas se ven porque o son momentáneos o el animal los compensa al cabo de un tiempo, haciéndolos imperceptibles.

En la siguiente tabla se señalan las principales consecuencias de reptiles en dos diferentes situaciones de estrés (altas concentraciones de corticosteroides y bajas concentraciones de corticosteroides).

Manipulación de una iguana con la boca abierta debido al estrés

	Reptil poco estresado	*Reptil muy estresado*
	Bajas concentraciones de corticosteroides.	Altas concentraciones de corticosteroides.
Efectos conocidos	Acelera crecimiento.	Frena crecimiento. Acelera consumo proteico. Acelera lipólisis hepática. Acelera gluconeogénesis hepática. Suben niveles de glicógeno hepático. Sube glucosa en sangre.
Efectos posibles		Incrementa movilización de cuerpos grasos. Sube la eliminación de lactato tras estadios de anoxia por inmersión.
Efectos adicionales (Sólo comprobados en mamíferos)	Incrementa ingesta. Estimula actividad de los enzimas digestivos. Incrementa síntesis grasa en hígado. Promueve almacén graso.	Disminuye síntesis proteica.

Como resumen, podríamos decir que el reptil estresado de modo lento y crónico estará predispuesto a la obesidad y al proceso de lipidosis hepática (nunca visible en animales salvajes y siempre presente en animales mantenidos largos años en cautividad). Por su parte, el reptil estresado de modo agudo o intenso está predispuesto a la caquexia, disminución de defensas y dificultad reproductiva.

Sitios web de interés

www.iacuc.ufl.edu/OLD%20Web%-20Site/impact.htm

www.anapsid.org/signs.html

Bibliografía

Arena, P. C. & Warwick, C. (1995). Miscellaneous factors affecting health and welfare. In: Warwick, C., Frye, F. L. & Murphy, J. B. (Eds.). *Health and welfare of captive reptiles*. London: Chapman & Hall, 263-283.

Martínez Silvestre, A. (2001). Fisiología y clínica del estrés en reptiles cautivos. *Congreso Nacional de AVEPA* 36: 167-171.

Moore, I. T. & Jessop, T. S. (2003). Stress, reproduction, and adrenocortical modulation in amphibians and reptiles. *Hormone and Behaviour* 43: 39-47.

62. ¿Cómo se combaten la agresividad y la territorialidad en las iguanas? ¿La castración puede solucionarlas?

Tenemos un hecho indiscutible: las iguanas adultas tienden a la agresividad. Para prevenir que este comportamiento se convierta en una pesadilla hemos de procurar: 1) la socialización del animal (la iguana tiene una cierta capacidad social, puesto que es un reptil con estructura jerárquica; por tanto, puede aprender a vivir en un grupo «familiar»); 2) la educación del propietario; y 3) la formación del entorno de la iguana (niños, visitas en casa, etc.).

Conceptos básicos para tratar o evitar la agresividad en iguanas

1) **Mejorar entorno.** Seguir los pasos indicados en otras preguntas de este libro sobre temperatura, espacio, dieta, decorado, convivencia con otros animales, luz, sustrato o humedad.

2) **Analizar el motivo del desorden comportamental.** Un gran número de iguanas se compran erróneamente como «sustituto ideal» del perro. No hay que sacarlas a pasear dos veces al día, no ladran, no precisan excesivo cariño... Como consecuencia, el trato del propietario a la iguana suele ser una extrapolación del trato a un perro imaginario. Hay quien las saca de vez en cuando a la calle con una correa, se les dan órdenes del tipo «sit, platz...», se les acaricia la espalda y se les dan golpecitos en el lomo, se les estiran los «belfos» y se les proporciona un terrario horizontal para que paseen a gusto. Todas estas actuaciones son erróneas.

3) **¿A quién dirige su agresividad?** En ocasiones dirigen la agresividad a personas extrañas y no a personas conocidas. En este caso el pronóstico es favorable.

Si la dirigen exclusivamente a las mujeres e incluso con más intensidad en períodos menstruales en las mismas, se trata de una agresividad reproductora y el pronóstico es reservado.

4) **¿Tiene rituales?** Deberían potenciarse los comportamientos de desviación de conducta («jugar» a morder muñecos, copular muñecos, copular cojines, iguanas de trapo...). De este modo, puede solucionarse la agresividad de origen reproductor.

5) **¿Cuándo se ha comprado (a qué edad)?** En iguanas comunes existe la

Otras preguntas relacionadas

42. ¿Qué se debe hacer ante un mordisco de un reptil? ¿Y si es venenoso?

46. ¿Son superfluos o, por el contrario, deseables unos cuidados estéticos en los reptiles?

ingesta de heces a fin de optimizar la digestión durante el primer año de vida. Durante un período equivalente a este año, las iguanas juveniles quedan formando la base de grupos familiares constituidos por un macho, una o varias hembras y varios subadultos. Este marco fortalece las relaciones de grupo. Como consecuencia, la salud y el comportamiento de las iguanas juveniles mantenidas en cautividad sin el beneficio de las interacciones sociales puede comprometer su vida futura. Siempre será recomendable comprar iguanas de más de un año de edad.

6) ¿Tiene privilegios sociales en casa? Suele ocurrir sin querer. El propietario, aunque la iguana sea mansa, ya se acerca a ella con miedo, inseguridad y excesiva precaución debido a lo afiladas que están sus uñas. Al cabo de varias semanas deja de tocarla para no herirse. Al cabo de varios meses, la iguana empieza a ser agresiva. Hemos realizado un refuerzo positivo en un comportamiento no deseado (su dominancia) sin quererlo. Es recomendable por tanto un corte de uñas mensual para evitar una aproximación temerosa de antemano del propietario.

Tratamiento comportamental

A priori, el tratamiento comportamental consiste en tener en cuenta que 1) la iguana debe realizar un adecuado ejercicio físico; 2) los propietarios han de ser constantes y seguir rutinas de manejo diarias, así como no provocarles experiencias negativas (sustos, momentos desagradables); y 3) la asociación positiva para favorecer las conductas que nos interesan es lenta, engorrosa y difícil en reptiles.

1) NO DAR ÓRDENES ORALES. Imaginar que es un animal sordo.

2) No dar «castigos ejemplares» (encerrarlo, aislarlo, que pase hambre...). El reptil no lo entiende. Incluso le potencia el comportamiento agresivo al sentirse solo, provocarle estrés y estimularle el instinto más primitivo de supervivencia.

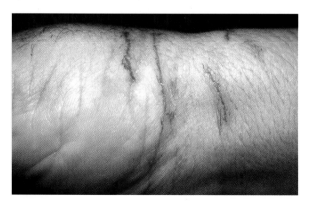

Rasguño en el brazo

3) Manipulación suave y cuidadosa. Cogerla ventralmente, nunca dorsalmente. Sus depredadores (águilas, jaguares y boas) suelen cazarla cayendo desde arriba. Temen e incluso odian la captura dorsal. Sin embargo, agradecen la sujeción ventral, que se parece mucho más a la rama de un árbol donde se apoyan regularmente.

Tratamiento quirúrgico: castración

Se considera normalmente que la castración de los machos es una solución puesto que elimina la fuente de la principal hormona que produce la agresividad: la testosterona. Esto no es totalmente cierto en todos los casos, puesto que algunas iguanas castradas elaboran la misma hormona prescindiendo de los testículos. También consideraremos que la castración en la agresividad contra otros animales de la misma especie, así como en la agresividad por miedo, no sirve de nada. Tampoco parece que funcione en problemas de territorio. Sin embargo, sí que parece ser útil en la agresividad por dominancia (conflicto social) o reproductiva (intrasexual). Por todo ello, se ha de analizar bien la causa antes de decidir cuál será la mejor solución.

Sitios web de interés

www.e-animales.com/exoticos/ficha.php3?seccion=reptiles&id_sel=96

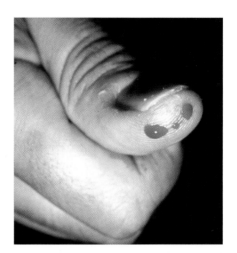

Mordisco en el dedo, ambos realizados por la misma iguana (un macho adulto) a su propietario

Bibliografía

Frye, F. L., Mader, D. R., & Centofanti, B. V. (1991). Interspecific (Lizard: Human) sexual aggresion in captive iguanas (Iguana iguana): I A preliminary compilation of eighteen cases. *Bulletin of the Assotiation of Reptilian and Amphibian Veterinarians* 1: 4-6.

Martínez Silvestre, A. (2002). Técnica quirúrgica de la castración en la iguana común *(Iguana iguana)*. *Congreso Internacional de la Sociedad Espanola de Cirugía Veterinaria* 11: 186-188.

Martínez Silvestre, A., Bargalló, F., Mares, J., Auñón, J., & Prandi, D. (2000). Agresividad interespecífica en iguana común. *Congreso Nacional de AVEPA* 35: 329.

63. ¿Se han de tener varios ejemplares en un terrario para que no se sientan solos? ¿Existen técnicas de enriquecimiento ambiental aplicables a los reptiles?

Estas preguntas se las ha hecho más de un aficionado que se inicia en el mantenimiento de fauna herpetológica, o simplemente la persona que se plantea tener como mascota a un reptil. Es importante que cuando decidamos dar el paso de comprar un reptil, hayamos reflexionado sobre cuál va a ser el objetivo de su adquisición. Hemos de preguntarnos si hemos decidido adquirir una forma de vida que nos proporcione una cierta interacción o compañía, o pretendemos explorar el fascinante mundo de la biología de los reptiles, y así dar un sentido más extenso a la compra de nuestra mascota. También podemos tener reptiles con la intención de elaborar planes de cría, observación del comportamiento, estudio o, en general, de cómo procurar la mejor calidad de vida al ejemplar o especímenes comprados.

Tanto si escogemos la primera opción como cualquier otra, será de vital importancia tener especialmente claros los aspectos fundamentales de su biología. La documentación previa sobre aspectos tan básicos como el lugar de origen, el hábitat, las temperaturas, alimentación, conductas de apareamiento, etología (estudio del comportamiento) permitirá recrear de la forma más parecida posible los parámetros básicos para su mantenimiento.

Los reptiles son seres vivos independientes por excelencia, salvo en algunos períodos del año, cuando buscan la compañía de otro congénere (cortejos, apareamientos, o luchas por el territorio). Aunque existan especies con cierto grado de gregariedad, como, por ejemplo, las tortugas de Florida, las iguanas o los cocodrilos, el hecho de mantenerlas solas no influirá lo más mínimo en su salud física ni mental. Por ello, por ejemplo, podemos tener a un varano de sabana *(Varanus exanthematicus)* completamente solo en su terrario si garantizamos los requisitos básicos de temperatura, humedad, iluminación y acceso pautado a una alimentación adecuada, sin que manifieste patología alguna. Pero mantener cuatro varanos en una instalación va a suponernos un esfuerzo añadido de mantenimiento, sólo aconsejado a personas con una dilatada experiencia en el mundo de los reptiles.

Desde el punto de vista de un aficionado, la culminación de su dedicación al mantenimiento de reptiles

El sustrato en tortugas terrestres africanas *(Geochelone pardalis)* ha de favorecer que las hembras puedan escarbar, usando sus largas y fuertes uñas posteriores

Otras preguntas relacionadas

61. ¿Existe el estrés en reptiles? ¿Qué efectos tiene?

62. ¿Cómo se combaten la agresividad y la territorialidad en las iguanas? ¿La castración puede solucionarlas?

en cautividad viene representada por la reproducción de su ejemplares. Para ello, como es lógico, habrá que disponer como mínimo dos ejemplares y en algunas ocasiones incluso mantener una pequeña colonia. Esto representará un mayor dispendio de medios, espacio y tiempo. Este sobreesfuerzo en general dará al aficionado un alto grado de satisfacción al observar que sus ejemplares desarrollan las conductas propias de la especie, como los cortejos, búsqueda de alimento, competencia por el territorio, o realización de puestas. Sólo en ese caso se justificaría tener varios ejemplares juntos. Sin embargo, para optimizar la reproducción, esos ejemplares han de vivir separados y sólo juntarse en la época reproductiva, para lo cual necesitaremos una batería de terrarios.

Para mejorar la calidad de vida de un reptil mantenido en cautividad, podemos aplicar técnicas de enriqueci-miento ambiental, concepto ampliamente desarrollado en mamíferos y aves de colecciones zoológicas modernas de todo el mundo, pero que en reptiles todavía es incipiente. Esta técnica complementa los parámetros básicos de mantenimiento de un reptil, proporcionando situaciones diferentes, retos o variedad ambiental a una vida en cautividad con frecuencia demasiado lineal o aburrida. Este nuevo concepto de gestión de nuestro terrario puede ser aplicado tanto si sólo disponemos de un ejemplar como si existen varios en la instalación, en cuyo caso aún es más aconsejable aplicar técnicas de enriquecimiento ambiental.

Clasificaremos las técnicas de enriquecimiento ambiental aplicadas a un terrario que denominamos ideal, en: estructura y decoración de la instalación, alimentación (dificultad de acceso, diversidad), ambientación acústica y, finalmente, interacción con otras especies (introducción de especies compatibles). Algunas de estas especificaciones es conveniente aplicarlas con animales que llevan un tiempo prudencial siendo mantenidos en condiciones de terrario, y por tanto plenamente adaptados, procurando así unas pautas de conducta que eviten la apatía en el tiempo dilatado de su estancia en terrario.

Enriquecimiento ambiental aplicado a	Especies receptoras de la técnica	Actuaciones	Aspectos que favorece o corrige
Estructura y decoración (aspectos físicos de la instalación)	Iguanas, camaleónidos, gecos arborícolas	Proporcionar gran cantidad de ramas de diferentes tamaños.	Favorece estimulación a descubrir nuevos posaderos.
		Proporcionar pantallas vegetales (plantas naturales, artificiales o troncos).	Favorece la conducta de refugio ante las relaciones jerárquicas. Disminuye el riesgo de lesiones por enfrentamientos. Incremento de barreras visuales.
		Variar la posición de algunos de los elementos.	Poder situar comida en lugares diferentes según el día. Estimula la agilidad y conducta de búsqueda.
	Dragones barbudos, escincos, varanos	Proporcionar escondites (tocones o losas de piedra que permitan esconderse o ser utilizados como posaderos).	Desarrollarán aspectos como la conducta de dominancia, o favorecerán las pautas de termorregulación.
		Proporcionar zonas amplias y profundas de arena o tierra.	Permitir excavar una galería o madriguera a un saurio, corrige el crecimiento desmesurado de las uñas. En el período de reproducción estimula la puesta.
	Tortugas terrestres	Sustrato que permita la construcción de cuevas, madrigueras o agujeros.	Permite la utilización de un refugio nocturno o de las temperaturas excesivas. Evita la retención de huevos en hembras gestantes.
		Introducción de troncos o piedras que cambian de posición en el tiempo.	Contribuye a la inspección de un nuevo territorio, aunque sea el mismo (concepto de frontera). Aplicable sobre todo a instalaciones exteriores.

223

Enriqueci-miento ambiental aplicado a	Especies receptoras de la técnica	Actuaciones	Aspectos que favorece o corrige
	Tortugas acuáticas	Introducción de plantas acuáticas, troncos y rocas parcialmente sumergidas (que no impidan los desplazamientos y estén firmemente asidas).	Favorece a las hembras cierto refugio en el período de apareamientos ante la insistencia del macho. Ofrece posaderos de insolación.
	Ofidios	Colocación de refugios (troncos huecos o simples cajas con un orificio para introducirse en ella).	En pitones reales (Python regius) les ofrece seguridad, y estimula la caza al acecho de la presa. Refugio táctil donde sentirse segura y libre de amenazas.
		Instalación de ramas gruesas a media altura.	Predispone la conducta natural trepadora de especies como Boa constrictor o Condrophyton viridis, y ofrece posaderos desde donde cazar.
Alimentación	Iguanas, camaleónidos, varánidos, escincos, dragones barbudos, dragones de agua (Phisignatus sp.), tortugas acuáticas	Esconder el alimento en troncos vacíos, situar la presa viva en lugares con dificultad de acceso, ofrecer diversidad de alimentos tanto para especies herbívoras como predadoras.	Estimula la alimentación y, en el caso de especies predadoras, la búsqueda y captura. Favorece el gasto energético en búsqueda del alimento, evitando sobrepeso por inactividad. Introduce el elemento sorpresa, induciendo a la actividad. Evita el aburrimiento.
		Introducir plantas, troncos y rocas en el acuario o estanque.	Estimula la inspección subacuática en búsqueda de alimento, reduce la aparición de sobrepeso.
	Tortugas terrestres	Cambiar el lugar donde se deposita la comida con asiduidad.	Produce actividad deambulatoria y de búsqueda de sustento equiparable a la conducta en medio natural.
	Ofidios	Ofrecer presas de diferentes especies y tamaños, variando su situación en el terrario en cada toma.	Estimula la alimentación. Evita el aburrimiento.

Enriquecimiento ambiental aplicado a	Especies receptoras de la técnica	Actuaciones	Aspectos que favorece o corrige
Ambientación acústica	Saurios, cocodrilianos, quelonios	Instalación de un «hilo de sonidos ambientales»: grabaciones de cantos de pájaros e insectos, rugidos saltos de agua o ráfagas de viento.	Potencia la adaptación a las condiciones de terrario, al simular los ruidos de un hábitat natural, o la «sensación de estar en casa». Acostumbra al animal a sonido ambiental, evitando sustos y agresividad cuando entran personas en la sala.
Interacción con otras especies (en casos muy concretos)	Saurios y quelonios	Introducción en un mismo terrario de especies pertenecientes a órdenes diferentes. Pueden introducirse también aves o mamíferos siempre que exista absoluta garantía sanitaria y se elimine la relación presa-depredador.	En especies compatibles produce sensación de normalidad o de ecosistema. Proporciona interés en el ambiente, exploración y tolerancia. Desvía el comportamiento exacerbado de defensa del territorio a congéneres.

Sitios web de interés

www.kathimitchell.com/reptiles.htm

Bibliografía

Fontanet, X. (1988). Pautas de comportamiento de los reptiles: un estudio bibliográfico. In *Estudios de Etología. Primeras Jornadas de Etología de la* Universidad Autónoma de Madrid. Madrid: UAM, 179-195.

Warwick, C. & Steedman, C. (1995). Naturalistic versus clinical environments in husbandry and research. In: Warwick, C., Frye, F. L. & Murphy, J. B. (Eds.). *Health and welfare of captive reptiles*. London: Chapman & Hall, 113-130.

REPRODUCCIÓN: CÓMO CRIAR REPTILES

64. ¿Cómo han de tratarse los huevos para incubarlos en una incubadora? ¿Pueden moverse?

Una vez puestos los huevos, éstos suelen transferirse a una incubadora, intentando evitar movimientos bruscos al realizar este paso. Una ligera marca de lápiz puede servir para conocer la orientación inicial del huevo y evitar el movimiento. Al contrario de los huevos de las aves, los de los reptiles carecen de chalazas o estructuras internas de soporte, por lo que cualquier movimiento brusco en fases iniciales de incubación puede suponer golpes del embrión contra la pared interior del huevo, dañarlo e incluso matarlo.

Las hembras de tortuga ponen los huevos y los mueven con las patas traseras para colocarlos dentro del nido. Hasta que no se inicia la incubación, éstos pueden ser trasladados y moverse libremente. En las playas de Grecia, decenas de voluntarios trasladan los huevos recién puestos de las tortugas marinas a sitios de la playa donde se incubarán con seguridad. Ese movimiento de centenares de huevos por cada puesta no perjudica a los embriones dado que aún no hay embriones en su interior. No obstante, cuando se inicia la incubación se debe vigilar muchísimo cualquier movimiento. En esa fase, el embrión recién formado sí que debe estar muy tranquilo. Cualquier movimiento brusco o golpe afectará, con toda seguridad, al desarrollo o nacimiento del mismo.

El medio de incubación más utilizado es la vermiculita. La vermiculita es un mineral del grupo de los silicatos. Sometido a temperaturas elevadas, este mineral aumenta considerablemente de volumen. Se presenta formando gránulos ligeros y blandos de color marrón, integrados por numerosas laminillas superpuestas. Su utilidad como sustrato para incubación de huevos de reptiles es anecdótica, puesto que se usa como aislante térmico y en agricultura como medio de enraizar esquejes y para mejorar mezclas de tierras.

La vermiculita se mezcla con agua en una proporción apropiada para el número y tipo de huevos a incubar. Para especies de bosques tropicales lluviosos se recomienda la proporción 1:1. Para especies de desierto o de climas áridos es recomendable la proporción 2:1. Tambien se usan otros sustratos, como la arena seca o la sepiolita. Todos tratan de proporcionar a la incubación un control de la humedad a fin de que las condiciones sean estables.

Debe airearse el contenedor de tres a seis veces por semana para facilitar el intercambio de gases por el embrión en desarrollo. Las técnicas de incubación artificial aplicadas en *Testudo hermanni* o *Testudo graeca* han mostrado que existe mortalidad prenatal a causa de anoxia fetal debido a una mala oxigenación del compartimiento de incubación. Los contenedores de huevos, a modo de *tupperware*, pueden colocarse en una incubadora. Las incubadoras pueden realizarse a partir de las utilizadas en aves pero con la salvedad de que no debe moverse el huevo ni cambiarlo de posición. Mediante una combinación de calefactor, termómetro, termostato y humidificador puede realizarse una incubadora de modo sencillo y artesanal.

Para saber si los huevos se están incubando sin dañarlos ni moverlos, puede realizarse la prueba del foco de luz. Es una prueba sencilla y económica. Se trata de aproximar un foco de luz (puede servir una linterna alargada que concentre la luz en el centro y no la disperse). Se acerca al huevo hasta casi tocar la cubierta del mismo. En ese momento se ilumina el interior del huevo. Si han pasado más de cuatro semanas de incubación deberían empezar a verse vasos sanguíneos que transportan nutrientes al embrión desde el vitelo. Esto es signo de que la incubación está siguiendo un buen ritmo. Si no se observan vasos sanguíneos y se ven espacios aéreos vacíos o colores amarillos anaranjados uniformes puede ser indicativo de que no hay incubación (es demasiado temprano o el huevo no es viable). Como conclusiones, mediante la observación del huevo con el foco de luz se pueden destacar los siguientes puntos:

– No mover el huevo antes de dos semanas de incubación. El movimiento en esta fase puede resultar letal para el embrión.

– En el primer mes de incubación se aprecia una mancha centrada amarillento-rosácea.

Otras preguntas relacionadas

72. ¿La temperatura de incubación de los huevos determina el sexo de la futura cría?

75. ¿Por qué nacen tantos monstruos dobles o deformes y reptiles de dos cabezas?

Huevos incubándose en sustrato de vermiculita

– En el segundo mes de incubación se pueden apreciar minúsculos vasos sanguíneos en los huevos viables.

– Cuando el embrión llega a término, el huevo resulta menos translúcido a causa del crecimiento del embrión que opacifica el espacio antes ocupado por albúmina.

– Los huevos infértiles pueden cambiar de aspecto, pero no se observarán en ellos vasos sanguíneos ni embriones opacos.

– Los huevos que desarrollan cambios de coloración (amarillo, verde, blanco, crema...) o crecimiento de hongos deben interpretarse como no viables.

Sitios web de interés

www.peteducation.com/article.cfm-?cls=17&cat=1831&articleid=3010

Bibliografía

Ackerman, R. A., Barker, D., Barker, T., Birchard, G., Boyer, D. M., Garner, M., Hammack, S., & Shwedick, B. (2002). Egg incubation. *J. Herp. Med. Sur.* 12(1): 7-25.

Fenwick, H. (2001). Egg formation and development. *Proceedings of the International Congress on Testudo Genus* 3: 240-241.

65. ¿Qué tipos de incubación o reproducción se dan en los reptiles? ¿Existe la hibridación? ¿Los hijos híbridos son fértiles?

Los reptiles son en su mayoría animales lecitotrofos (el 90% de alimento fetal viene del vitelo de la yema del huevo), como todas las especies ovíparas y ovovivíparas. Tan sólo unas pocas especies son matrotrofas (el 90% alimento viene de la placenta) como ciertos escincos vivíparos. En ambos grupos, las hormonas prenatales (básicamente estrógenos y testosterona) son importantes en la diferenciación sexual. Estas hormonas pueden ser producidas por la madre, por el embrión o por un hermano gemelo. Su formación, liberación e intensidad de actuación depende de la temperatura de incubación. La temperatura de incubación, por tanto, es el factor de influencia más importante durante el desarrollo de los animales heterotermos o ectotermos.

La fecundación, el desarrollo del embrión, el sexo del feto y la eclosión no están exclusivamente determinadas por la genética, sino por condiciones ambientales determinadas (temperatura, humedad ambiental, etc.). Ello nos lleva a comprender que «jugando» adecuadamente con estas variables, podemos conseguir objetivos que con otros grupos de vertebrados (como aves y mamíferos) resultan inviables. Pero hemos de saber modificar bien las condiciones externas. Las temperaturas atípicas de incubación de los huevos (en ovíparos) o la exposición de la hembra a temperaturas extremas (ovovivíparos y vivíparos) pueden producir en el embrión en desarrollo anomalías del nacimiento, nacimientos tempranos, distocias o anomalías físicas, estudiadas estas últimas dentro del campo de la teratología. La elevada dependencia de condiciones externas durante el desarrollo del individuo hace que se vean más casos de monstruos en reptiles que en otros vertebrados como las aves o mamíferos.

Algunos de estos casos de enfermedades congénitas se pueden potenciar al existir una elevada tendencia a la consecución de híbridos. En cautividad se consiguen híbridos de pitón reticulada asiática (*Python reticulatus*) por pitón india o birmana (*Python molurus*), o de tortuga mediterránea (*Testudo hermanni*) por tortuga mora (*Testudo graeca*), e incluso de

Otras preguntas relacionadas

6. ¿Cómo diferenciar una tortuga mediterránea de una tortuga mora?

22. ¿Qué importancia tienen la temperatura, la humedad y el fotoperíodo en la vida de un reptil?

Híbrido de tortuga mediterránea occidental *(Testudo hermanni hermanni)* por tortuga mediterránea oriental *(Testudo hermanni boettgeri)*. En programas de conservación se considera que estos ejemplares no pueden soltarse en la naturaleza

tortuga de patas rojas sudamericana *(Geochelone carbonaria)* por tortuga leopardo africana *(Geochelone pardalis)*. Parece que genéticamente no existen ciertas barreras infranqueables como en los demás vertebrados superiores. Ello hace que esos animales sean fáciles de seleccionar, con altas posibilidades de tener albinos, híbridos con colores potenciados, etc.

Si esas crías que nacen serán fértiles o no es muy discutible según la «barbaridad» biológica a la que se haya llegado. En efecto, podríamos decir que si las especies cruzadas son cercanas taxonómicamente, probablemente su híbrido podrá reproducirse (siempre en cautividad) con unos cuidados intensos y pormenorizados. Si las especies cruzadas son muy lejanas es posible que se consiga un híbrido rarísimo, pero que éste pueda continuar la línea generada es mucho más difícil.

Sitios web de interés

www.schildkroeten-im-fokus.de/-pdf/2005_2eger.pdf

www.smuggled.com/hybpyt3.htm

Bibliografía

Martínez Silvestre, A. (1998). Aspectos fundamentales en la reproducción de reptiles en cautividad. In: GERPAC (AVEPA) (Ed.). *Proceedings of I EVSSAR CONGRESS, Clinic and Reproduction*. Barcelona: AVEPA, 255-258.

Martínez Silvestre, A., Silva, J. L., Andreu, A., Mateo, J. A., & Soler Massana, J. (2001). Cría en cautividad de reptiles amenazados: Ventajas e inconvenientes de la conservación ex situ. *Quercus* 190: 54-60.

66. ¿Qué trucos hay para criar reptiles en cautividad? ¿Cómo estimular a un reptil para la reproducción?

Para estimular a un reptil a que críe debemos cumplir varios factores fundamentales. Todos estos factores van a provocar un adecuada elevación de los niveles hormonales de estrógenos en las hembras (interesan para criar) y una disminución del estrés (no interesa para criar).

1) Calor. El terrario ha de proveerse con un gradiente térmico, pero se ha de considerar que los requerimientos de los jóvenes no son los mismos que los de los adultos. En efecto, en estas especies en que la proporción de tamaño entre el recién nacido y el adulto es entre 50 y 300 (iguanas y cocodrilos respectivamente) la termorregulación es muy distinta. Normalmente los pequeños tienen más facilidad para termorregular y los mayores necesitan más tiempo de exposición, además de que pierden el calor antes, debido a la mayor masa corporal. Cuando se acercan los fríos invernales, los reptiles que hibernan tienden a esconderse, aunque estén en cautividad. En ese caso, se les ha de favorecer una correcta hibernación. Tras un mínimo de un mes

Culebra viperina (*Natrix maura*) en el momento del nacimiento en ambiente húmedo y caliente que le proporciona la vermiculita

Iguana común una
semana después
del nacimiento

(puede alargarse hasta tres meses, más no es necesario) el despertar provoca un *shock* hormonal que predispone enormemente al reptil a buscar pareja y criar.

2) Alimento. Parece que unas semanas antes de empezar a criar, todas las especies inician un período de abastecimiento en el que comen mucho más de lo normal. Durante el proceso de cría perderán masa corporal debido al cortejo, peleas, ovoformación, etc. Por tanto, antes de empezar a criar hemos de proporcionar al reptil gran cantidad de comida en proporción a la que normalmente recibe. De este modo, además, no será extraño ni preocupante que durante el proceso de gestación posterior muchas hembras dejen de comer.

3) Fotoperíodo. Las horas de luz al día han de ser crecientes. Hemos de falsificar una primavera al reptil para que su reloj biológico interno tenga el mensaje equivocado pero útil de empezar a criar. Pasaremos de 12 horas de luz y 12 de oscuridad a 16 horas de luz y 8 de oscuridad para conseguir que se estimule suficientemente su «líbido».

4) Calidad de vida. Eso va a disminuir drásticamente el estrés y facilitará la búsqueda de pareja, así como el grado de receptividad de las hembras.

5) Refugios. El reptil ha de tener refugios, pero los refugios cumplen dos funciones básicas.

a) Refugios visuales. Imprescindibles para reptiles jerárquicos como la iguana común. El comportamiento de

Otras preguntas relacionadas

22. ¿Qué importancia tienen la temperatura, la humedad y el fotoperíodo en la vida de un reptil?

26. ¿Los reptiles ven los colores como las personas o ven en blanco y negro? ¿A qué responde el cambio de color de muchas especies (camaleones, iguánidos, gecos)?

27. ¿Qué es la hibernación? ¿Hay que evitarla o es aconsejable?

búsqueda de refugio y la posibilidad de «desaparecer» del terrario y de la visión de las personas ha de existir desde etapas tempranas en la vida del reptil, a fin de fortalecer y estimular su seguridad y estabilidad conductual, así como disminuir el estrés.

b) Refugios táctiles. Básicos para cubrir la sensación de estar protegido o «cubierto de espaldas». Se observa en muchas serpientes que parecen escoger, ante multitud de refugios, aquellos más estrechos, donde están más comprimidas y apretadas.

6) Iluminación y calor. Las fuentes de luz y calor no han de obligar al reptil a escoger entre seguridad y mantenimiento de la temperatura. Un terrario mal diseñado tendría los refugios en la zona más fría del terrario, por ejemplo.

7) Enriquecimiento ambiental. Dirigidos a proporcionar entretenimiento a los reptiles, evitan comportamientos no deseados desde la infancia como ingestión de cuerpos extraños, agresividad o automutilacion entre otros. La mayoría de estos comportamientos son púberes y no se observan si la infancia ha sido correcta.

8) Machos ausentes. Los machos y las hembras no han de estar siempre juntos. La presencia del macho después de muchos meses sin verlo estimula fuertemente las relaciones sociales dirigidas a procrear en la mayoría de tortugas. Es el conocido «efecto macho» que puede llegar a provocar sincronizaciones de celos, ovulaciones múltiples e incluso formación de huevos en hembras no copuladas.

Sitios web de interés

www.reptilia.net

www.tortoise.org/archives/galopgee.html

www.tortoisetrust.org/articles/housing.html

Bibliografía

Martínez Silvestre, A. (2003). Fisiología perinatal en reptiles: cómo optimizar la reproducción en cautividad. *Congreso Nacional de AVEPA* 38: 125-130.

Tonge, S. J. (1988). An analysis of the reproduction of a pair of red-footed tortoises *(Geochelone carbonaria)* opver a twenty-year period. *Dodo, J. Jersey Wildl. Preserv. Trust* 25: 82-90.

67. ¿Cómo se sabe que los huevos se han estropeado o que evolucionan bien durante la incubación?

Hacer un seguimiento del proceso de incubación de una puesta de reptil no resulta nada fácil. Sin embargo, existen diversas actuaciones o señales que nos permitirán averiguar el estado de los huevos.

Tenemos a nuestro alcance dos sistemas de incubación: por un lado, el método natural, que podemos realizar en reptiles autóctonos o de climas mediterráneos, y por otro, un proceso artificial mediante el traslado a una incubadora, para especies alóctonas de climas tropicales o desérticos.

Puestas en incubación natural

En el lugar donde ha sido depositada la puesta, debemos tener la precaución de señalizarla y protegerla de los posibles depredadores cubriéndola con una malla metálica. A partir de ese momento, las posibilidades de detectar el correcto proceso de embrionación son muy limitadas.

Cabe tener presente que, tanto en la incubación natural como artificial, el hecho de no poder mover los huevos más allá de las 72 h después de su oviposición, y hasta que no se ha superado la mitad del tiempo estimado para su eclosión, es un factor limitante para la detección del buen desarrollo del proceso. La manipulación de una puesta de quelonios depositada en un nido resulta problemática si ya se ha empezado la incubación. Desenterrar y extraer los huevos para efectuar un pesado de cada uno de ellos, y descubrir así en sucesivas ocasiones el aumento de su peso, resulta complicado, y la finura que deberíamos emplear en esta acción es casi imposible.

En una puesta al aire libre existen algunos factores que pueden echar a perder la incubación, como el encharcamiento durante días de la zona donde estén depositados los huevos, el sobrecalentamiento, la frecuentacion por personas o animales, etc. Generalmente, la conducta del reptil es la de situar el nido en una zona inclinada para favorecer el correr de las aguas, pero no siempre el aficionado ha facilitado este aspecto en su instalación. En este caso, la puesta puede perderse por el ahogamiento de los embriones.

El resultado de una incubación natural correcta será la eclosión de los huevos dentro del margen de tiempo estipulado para la especie. La temperatura del proceso ha podido alterarse, por haberse tratado de una temporada muy calurosa, con descensos bruscos de la temperatura, o con mucha lluvia, que se ha desencadenado en una tem-

235

Otras preguntas relacionadas

22. ¿Qué importancia tienen la temperatura, la humedad y el fotoperíodo en la vida de un reptil?

64. ¿Cómo han de tratarse los huevos para incubarlos en una incubadora? ¿Pueden moverse?

70. ¿A qué se debe la retención de huevos y cómo se soluciona?

71. ¿Cuáles son las mejores condiciones de incubación para los huevos de reptiles?

porada eminentemente templada, y un largo etcétera. El aficionado deberá dar un margen generoso de error (dos, tres y hasta cuatro semanas) al supuesto día o días de eclosión de la puesta. Pasado este período de tiempo, podemos optar por desenterrar los huevos para examinarlos. En algunos casos presentarán grietas en el cascarón, indicativo de que éste empezó la putrefacción, y emitirán un hedor característico; otros, simplemente observados al trasluz, mostrarán su contenido pegado a una de las paredes del cascarón, indicativo de que éste no era fértil. En el caso de huevos de cascarón blando, como los de *Trachemys scripta elegans*, éstos pueden estar completamente arrugados y enmohecidos. Pero el acto de destapar la puesta, debería efectuarse, por pru-

dencia, de no haber nacido ningún espécimen al siguiente año. Por ejemplo, por haberse tratado de un período climático particularmente frío, los embriones no hubieran sido capaces de completar totalmente su desarrollo. Estos permanecieron dentro del huevo bajo tierra, en un proceso de hibernación, y eclosionando el año siguiente durante la primavera. Esta circunstancia ha sido observada en repetidas ocasiones en el CRARC (Centro de Recuperación de Anfibios y Reptiles de Catalunya), en especies como la tortuga mordedora *(Chelydra serpentina)*, la tortuga de Florida *(Trachemys scripta elegans)*, la tortuga caja americana *(Terrapene carolina)* e incluso la tortuga mediterránea *(Testudo hermanni)*. Esta circunstancia ha sido descrita bibliográficamente en especies de quelonios americanos, y es particularmente espectacular en la tuátara *(Sphenodon punctatus)*, que efectúa la puesta entre octubre y diciembre, eclosionando al año siguiente, después de uno de los períodos de incubación más largos nunca descritos en reptiles: entre trece y catorce meses.

Puesta en incubación artificial

Tendremos especial cuidado al mover los huevos, aun siendo dentro de los tres primeros días. Una vez pesados e instalados, se regulará la temperatura y se calibrará la humedad según la especie. Podremos hacer un seguimiento más fácil del desarrollo embrionario que en el caso de la incubación natural.

Como los huevos no están completamente enterrados en sustrato, sino con un tercio del cascarón a la vista, podemos averiguar (sin necesidad de moverlos), en cualquier momento de la incubación, si el proceso embrionario se desarrolla adecuadamente. Esta prueba se realiza acercando a la superficie del cascarón una fuente de luz concentrada, como la que produce una pequeña linterna. Con ello conseguiremos observar algunos vasos sanguíneos, señal de que la embrionación está en marcha.

Durante la segunda mitad del período de incubación, también podemos realizar el pesado del huevo, siempre manteniendo la posición y con sumo cuidado, porque aunque el estado de desarrollo del embrión es muy avanzado, podríamos dañarlo si lo tratamos rudamente. Comparando los datos con los obtenidos el día de la puesta, podemos observar un aumento de peso si el proceso es correcto. Además, los huevos van a aumentar peso con la absorción de humedad del ambiente, e incluso se hincharán en el caso de los de cascarón blando o flexible. Se ha comprobado que en la cobra real, *Ophiophagus hannah*, los huevos incrementan

Huevos estropeados durante la incubación, por vaciado/secado y por enmohecimiento

su peso inicial durante la incubación hasta el 66%.

Puesto que tenemos la facilidad de acceder al recipiente donde están alojados los huevos, podemos observarlos con asiduidad y controlar así la aparición de algún síntoma que denote algún problema en la incubación; por ejemplo, que los huevos se estén arrugando o aplastando, por culpa de una insuficiente humedad, o justo lo contrario, que aparezcan hongos en el cascarón que denotan un exceso de ella. En ambos casos corregiremos el parámetro y eliminaremos los huevos que se han malogrado definitivamente. Algunos simplemente se perderán por la muerte repentina del embrión, observaremos esta situación cuando la cáscara del huevo se torna húmeda, viscosa y muy amarillenta.

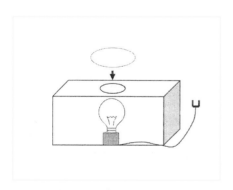

Otra forma de observar qué ocurre en el interior del huevo es mediante una potente luz situada dentro de una caja en la que hemos practicado un agujero de diámetro pequeño (1 cm) sobre el cual situaremos el huevo que vamos a observar. La transparencia de la cáscara nos permitirá observar al embrión. Este método, usado generalmente en puestas de quelonios, debe ser aplicado durante la segunda mitad de la incubación. Si en su interior no vemos nada, entenderemos que, dado lo avanzado de la fecha, el proceso embrionario no se ha producido.

En el caso de la incubación artificial la señal inequívoca de que el proceso se ha completado con éxito, es la eclosión dentro de los límites temporales establecidos para la especie. Una vez superados éstos, y dejando un margen de tolerancia, entenderemos que el proceso se ha malogrado.

Sitios web de interés

www.smuggled.com/egg1.htm
www.tortoisetrust.org/articles/incubation2.html

Bibliografía

Oliver, J.A. (1963). Reproduction in the king cobra, *Ophiophagus Hannah*. Cantor. *Zoologica, N. Y.*, 41: 145-152.

68. ¿Afectan a los huevos, a los nacimientos o a los fetos las radiografías realizadas a las hembras gestantes?

La radiación es un conocido factor perjudicial para el desarrollo embrionario. Los efectos de la radiación en los embriones de mamíferos se han descrito respecto a muchos niveles, incluyendo deformación de estructuras, mortalidad perinatal, ausencia de miembros o disminución de las defensas en el feto. Considerando todos estos riesgos, no es extraño que mucha gente se pregunte si hacer radiografías a una hembra gestante puede afectar al desarrollo de los futuros reptiles.

Ante esta pregunta hemos de plantearnos los tipos reproductivos de los reptiles y los instrumentos utilizados para analizarlos por separado.

La radiación usada

La mayoría de radiografías se realizan con valores estudiados de 50 a 100 kilovoltios, 60 a 200 miliamperios, y exposiciones de menos de 1 segundo. Aunque no hay datos publicados acerca de cuáles son los valores de riesgo en reptiles, se puede afirmar que en la mayoría de vertebrados no se han observado lesiones ligadas a estos valores. Además, y como protocolo de prevención, una hembra no ha de exponerse nunca varias veces a sesiones de radiación durante el proceso de ovoformación o gestación.

Otras técnicas como la tomografía computerizada o la densitometría axial, también utilizan radiación; suelen ser de uso más reciente y parece que son más inocuas. Sin embargo, aún no se han realizado suficientes estudios que demuestren este hecho. Hasta el momento, la técnica idónea para sustituir la radiología en el diagnóstico de gestación es la ecografía, al igual que en mamíferos. Sin embargo, la ecografía no tiene las mismas aplicaciones que la radiología. Por ejemplo, mediante la radiología se puede contar exactamente el número de huevos que tiene una hembra listos para poner y con la ecografía es prácticamente imposible en algunas especies.

Otras preguntas relacionadas

69. ¿Cómo pueden almacenar esperma las hembras de reptiles y ser fecundadas mucho tiempo después de la cópula?

72. ¿La temperatura de incubación de los huevos determina el sexo de la futura cría?

75. ¿Por qué nacen tantos monstruos dobles o deformes y reptiles de dos cabezas?

El momento de la exposición

Existe un período en que el embrión es más sensible a la radiación. Suele oscilar por la primera mitad de gestación. Más tarde, cuando el embrión está desarrollado y lo único que hace es crecer, parece que la radiación no es tan perjudicial. Las radiografías realizadas en el tercio final de la gestación parecerían, pues, más seguras que en el tercio inicial.

La hembra

Si la hembra es ovípara, los huevos están en el interior de la madre cuando estamos realizando la radiografía. En ese estadio, los huevos no han iniciado su incubación y, en consecuencia, no existe embrión ni feto. El único riesgo sería que la radiación dañará el óvulo recién fecundado que se encuentra en el interior del huevo. Este caso es poco probable y no hay datos experimentales al respecto.

Si la hembra es ovovivípara el riesgo se incrementa, puesto que el desarrollo de la cría es interno. Aquí sería importante considerar el momento de la realización de la radiografía, así como la intensidad de la misma. En reptiles de este tipo reproductivo (boas, víboras, ciertos camaleones, etc.), la práctica demuestra que es recomendable evitar las radiogra-

Radiografía a una tortuga gestante. Los huevos se observarán perfectamente. En esta fase no hay desarrollo de embriones

fías o realizarlas al termino de la gestación. Además, las radiografías que se realizan en hembras gestantes son para conocer el número de fetos, etc. y si no se realizan al final de la misma, el número de fetos y su estado son casi imposibles de observar.

Las crías

El estado de desarrollo de las crías depende muchas veces de ciertos parámetros nutricionales de la hembra. Si la hembra tenía poca reserva de vitelo, las crías también nacerán con dificultades o problemas de desarrollo. Por otro lado, la capacidad para resistir una interacción radiológica se verá modificada dependiendo del tipo de desarrollo que tenga cada cría.

En definitiva, para prevenir problemas, las normas básicas de actuación en hembras de reptiles gestantes serían las siguientes:

1) Evitar las radiografías siempre que sea posible.

2) Si se realizan, que sea al final de la gestación o último tercio de la misma.

3) En hembras ovíparas, el riesgo de lesión es mucho menor que en hembras ovovivíparas.

4) Si puede escogerse, el mejor método de diagnóstico de gestación es la ecografía.

Sitios web de interés

www.ratical.org/radiation/CNR/PB-C/chp2F.html

www.werc.usgs.gov/hq/pdfs/-parksci.pdf

Bibliografía

Driggers, T. (1998). Internal medicine. In: Ackerman, L. (Ed.). *The biology, huebandry and health care of reptiles, Vol. III.* New Jersey: TFH, 574-592.

Gumpenberger, M. & Henninger, W. (2001). The use of computed tomography in avian and reptile medicine. *Seminars in Avian and Exotic Pet Medicine* 10(4): 174-180.

Lapid, R. & Robinzon, B. (2001). Methodologies for estimation of reproductive state in Testudos: studies in captive *Testudo graeca terrestris* in Israel. *Proceedings of the International Congress on Testudo Genus 3:* 253-256.

Redrobe, S. (1998). Reproductive disorders. In: Ackerman, L. (Ed.). *The biology, husbandry and health care of reptiles.* New Jersey: TFH, 747-773.

69. ¿Cómo pueden almacenar esperma las hembras de reptiles y ser fecundadas mucho tiempo después de la cópula?

La fecundación en tortugas tiene una gran particularidad que determina la correcta reproducción de las especies. En la mayoría de hembras existe un sistema de almacenamiento del esperma del macho que permite mantener viables los espermatozoides hasta unos 4 a 5 años. Durante la temporada de puestas, la hembra puede estar poniendo huevos viables sin ser montada por ningún otro macho. Si es montada por otro macho en ese período, el almacén de semen o espermateca tiene material de varios machos con lo que una puesta puede tener huevos fecundados de varios machos y por tanto existir una paternidad múltiple en cada puesta.

Esto es consecuencia de un proceso evolutivo en el que se selecciona la capacidad de almacenamiento del semen en especies donde es muy baja la posibilidad de que se encuentren machos y hembras repetidas veces.

Sin embargo, los reptiles que tienen espermateca han de pagar un precio por ello: el semen va perdiendo viabilidad y capacidad fecundante con el tiempo. En efecto, si una hembra recibe el semen de un macho hoy, en una puesta de 5 huevos probablemente saldrán 5 crías. El año que viene, de 5 huevos saldrán 3 o 4, al siguiente tan sólo 1 o 2 hasta que al cuarto año no eclosionará nada y necesitará «reponer» material genético.

Algunas especies donde se ha podido comprobar este hecho es en las tortugas mediterráneas (*Testudo* sp.), las tortugas mordedoras (Chelidridae) o los galápagos de Florida *(Trachemys scripta)* además de otras especies de la familia Lacertidae (lagartos mediterráneos).

Sitios web de interés

www.barrameda.com.ar/noticias/-lagart01.htm

Bibliografía

Rodríguez-Domínguez, M. A. (1999). *Gallotia simonyi machadoi* (Hierro Giant Lizard) undescribed behavior. *Herpetological Review* 30(1): 41.

Wyneken, J. & Mader, D. R. (2002). The reproductive system of reptiles: anatomy, physiology and clinical perspectives. *Proceedings Association of Reptilian and Amphibian veterinarians* 9: 187-189.

Otras preguntas relacionadas

11. ¿Qué curiosidades anatómicas tienen los reptiles?
73. ¿Puede poner huevos una tortuga sin haber estado con un macho?

Tortuga turca *(Testudo graeca ibera)* poniendo huevos. Sin embargo, hace tres temporadas que no ha sido fecundada por ningún macho

70. ¿A qué se debe la retención de huevos y cómo se soluciona?

Las causas que predisponen a la aparición de esta enfermedad son muy variadas, e incluyen los siguientes factores:

- Caquexia o deshidratación crónica.
- Carencias alimentarias, falta de vitamina D y/o calcio.
- Hembras de edad avanzada, con dificultad para realizar la puesta.
- Ausencia de un lugar de puesta adecuado.
- Desórdenes hormonales.
- Problemas renales.
- Infección del oviducto e incapacidad de puesta.
- Cálculos urinarios de gran tamaño.
- Huevos deformados y mayores que el diámetro pélvico.

Otras preguntas relacionadas

58. ¿Por qué las tortugas se muerden las patas y el cuello y se golpean los caparazones?

78. ¿Cómo se produce el raquitismo en iguanas y cómo se cura? ¿Por qué no se da el raquitismo en las serpientes? ¿Puede confundirse con otras enfermedades?

82. ¿Cuáles son los principales síntomas de enfermedad en los reptiles?

- Huevos rotos provocando heridas en el oviducto e inhibiendo las contracciones.

Esta enfermedad afecta sobre todo a quelonios, aunque puede presentarse en cualquier reptil. La retención de huevos se acompaña de síntomas como prolapsos de cloaca, anorexia, adelgazamiento, posiciones antialgidas (para evitar el dolor) o flotación incorrecta en reptiles acuáticos. El diagnóstico puede hacerse con una palpación inguinal, en quelonios, o abdominal, en saurios y ofidios. El examen radiológico o ecográfico será determinante para observar el número de huevos calcificados y si es posible que los ponga o no.

La observación de huevos rotos o de forma anormal (por ejemplo, soldadura de varios huevos) permite un diagnóstico directo. En caso de que los huevos sean normales, una sucesión de radiografías en varios días puede ayudarnos a ver si éstos no se han movido y el animal sigue apático.

En saurios y ofidios suele ir unido a la edad adulta de los animales. En nuestra experiencia, un ejemplar viejo de *Anolis equestris* muerto sin síntomas previos, tenía un huevo anómalo en el abdomen, que ocupaba 2/3 de esta cavidad y comprimía totalmente el intestino, hígado y riñones.

La gravedad del problema es variable y pueden observarse los siguientes estadios pronósticos:

– Bloqueo de la puesta con oviductos sanos (huevo malformado...). Se puede provocar la puesta sin recurrir a la cirugía. Pronóstico favorable.

– Detección de multitud de huevos en estados iniciales (ovulación sin cáscaras). Común en iguanas y camaleones. Debe esperarse dos o tres semanas y hacerse un seguimiento de la evolución. Pronóstico favorable.

– Ovulación severa que oblitera toda la cavidad celómica y compromete la digestión e incluso la respiración. Cirugía recomendada. Pronóstico desfavorable.

– Huevos calcificados en vejiga urinaria o cavidad abdominal. Pueden provocar peritonitis y ser fatal para el animal. Deben buscarse el huevo y oviducto afectados y extraerlos. Pronóstico reservado.

– Un oviducto está en mal estado y el otro es normal. Aconsejable oviductomía del afectado. Pronóstico reservado.

– Los dos oviductos están en mal estado. Aconsejable doble oviductomía, preferentemente con ovariectomía. Pronóstico reservado a desfavorable.

Siempre que se realiza una oviductomía es conveniente realizar la ovariectomía del mismo lado a fin de evitar una puesta abdominal.

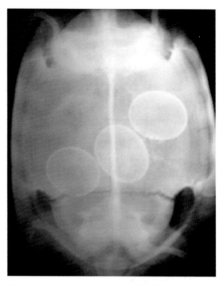

Radiografía de una tortuga que había puesto ya dos huevos. Se observan otros tres huevos en buen estado listos para ser expulsados

Tratamiento

Puede provocarse la expulsión de los huevos usando calcio inyectado seguido de la hormona oxitocina. Antes de realizar esta terapia debe asegurarse que no existen impedimentos físicos de la salida de los huevos, como lesiones en oviducto y cloaca, o huevos rotos.

En el caso de la oviductomía u ovariectomía se debe hacer una celiotomía.

En ofidios la celiotomía se inicia con una incisión entre las dos primeras líneas de escamas laterales en contacto con las ventrales. Con ello, se facilita la sutura y cicatrización, puesto que no se altera la estructura de las escamas ventrales y es más difícil que se contamine la herida operatoria cuando el animal se desplace con normalidad. Por otro lado, mediante este acceso es más difícil dañar la vena abdominal ventral.

En saurios es posible realizarla con un acceso lateral o medial al abdomen, dependiendo del motivo de la intervención. Los iguánidos presentan también sistema venoso en la línea media ventral que debe ser evitado.

En quelonios la realización de una celiotomía tiene el principal inconveniente del caparazón.

El animal debe ser colocado de modo que el plastrón quede orientado hacia arriba. Esta posición no debe mantenerse durante demasiado tiempo puesto que todo el volumen visceral cae sobre los pulmones y la respiración se dificulta.

El corte del plastrón se realiza en función del lugar donde quiere intervenirse, realizándose una trepanación similar a las que se hacen en las cirugías craneales de medicina humana.

Se extraen los huevos, ovarios y oviductos, dependiendo de la cirugía que se haya practicado, y se pasa a cerrar el plastrón. Cuando el plastrón está cerrado, se coloca la fibra de vidrio y la resina epoxi. Los quelonios acuáticos pueden introducirse en el agua a las 24-48 horas de la intervención.

Existe la alternativa en quelonios de realizar una celiotomía sin dañar la estructura del plastrón. La incisión se realiza en la piel ventral de los espacios inguinales y se accede a la membrana celómica de modo lateral.

El tratamiento postoperatorio incluye la administración de antibióticos durante 7 a 10 días, elevación de la temperatura y no hibernación durante al menos los 6 meses posteriores a la intervención.

Sitios web de interés

www.anapsid.org/dystocia.html

www.tortoiselife.co.uk/html/problems/problems6.htm

www.tortoisetrust.org/articles/Nestsites.htm

Bibliografía

Innis, Ch. J. & Boyer, T. H. (2002). Chelonian reproductive disorders. *The Veterinary clinics: exotic animal practice* 5: 555-578.

Lock, B. A. (2000). Reproductive surgery in reptiles. *Veterinary Clinics of North America: Exotic animal practice.* 3(3): 733-751.

McArthur, S. D. J. (2001). Follicular stasis in captive chelonians, *Testudo* sp. *Proceedings of the ARAV* 8: 75-86.

Thomas, H. L., Willer, C. J., Wosar, M. A., Spaulding, K. A., & Lewbart, G. A. (2002). Egg retention in the urinary bladder of a Florida Cooter Turtle, *Pseudemys floridiana floridiana. J. Herp. Med. Sur.* 12 (1): 4-6.

71. ¿Cuáles son las mejores condiciones de incubación para los huevos de reptiles?

La respuesta tiene que ser doble: por un lado, analizaremos las mejores condiciones de incubación para especies autóctonas de nuestras latitudes, y por el otro, de especies exóticas. Todo aficionado al mantenimiento de reptiles se ha cuestionado en alguna ocasión cómo sacar adelante una puesta que ha realizado su mascota.

Especies autóctonas de nuestras latitudes

Nos referimos a especímenes de nuestra región mediterránea o europea, tanto ovíparos como ovovivíparos, que están sometidos a un régimen climático específico, caracterizado por una clara estacionalidad (primavera, verano, otoño e invierno) y que circunscribe claramente el período de incubación de las puestas, al verano. Como hemos mencionado en otros capítulos del libro, tendremos previamente establecida el área de distribución del reptil, para así gestionar adecuadamente su reproducción. Para quelonios como la tortuga griega *(Testudo marginata)*, las tortugas mediterráneas *(Testudo hermanni)*, las tortugas moras *(Testudo graeca)* o saurios como los lagartos ocelados *(Timon lepidus)*, las tempe-

raturas del período estival serán las adecuadas para conseguir la incubación de sus puestas. No será en absoluto necesario su traslado a una incubadora, siempre y cuando nuestra instalación sea un terrario al aire libre y esté situado dentro de la zona geoclimática del mediterráneo. Sin embargo, la instalación tendrá que cumplir los siguientes requisitos para potenciar la incubación:

1) Zona de puesta. Estará establecida en una ligera pendiente que se conseguirá situando un montículo de no mucha altura en el terreno. Esto permite el drenaje de la zona en caso de lluvias copiosas, impidiendo el encharcamiento de la puesta, evitando así el ahogo del embrión.

2) Sustrato. Deberá ser lo suficientemente compacto, aunque no duro como una piedra, para favorecer la excavación del nido a la hembra. Un terreno demasiado blando impide la formación del receptáculo de la puesta, ya que sus paredes se desmoronan al ser cavado. Una mezcla de tierra vegetal (turba para plantas) con arena en una proporción de 50%, aproximadamente, será un buen sustrato para realizar la puesta.

3) Orientación. La puesta ha de ofrecer su superficie a la mayor can-

Otras preguntas relacionadas

68. ¿Afectan a los huevos, a los nacimientos o a los fetos las radiografías realizadas a las hembras gestantes?

96. ¿Qué documentos legales se necesitan para tener un reptil en casa? ¿Y para criarlo con fines lucrativos?

tidad posible de horas de sol. Esto se consigue cuando el terrario está orientado al sur-oeste. Desde el amanecer hasta que el sol se pone por el oeste, la zona de puesta será calentada durante unas 12 horas. Así nos aseguraremos la incubación de los huevos de forma efectiva, y con temperaturas suficientemente altas como para que el sexo de los embriones se determine equitativamente. La orientación de las puestas hacia sur-oeste es la conducta natural en los reptiles mediterráneos.

4) Cobertura vegetal. La vegetación en la instalación de cría debe estar presente, aunque no de forma abundante en la zona delimitada para la puesta. Pequeños arbustos aromáticos como el romero (Rosmarinus officinalis) ayudan a mantener cierta humedad en el sustrato y con frecuencia los quelonios realizan la puesta al abrigo de sus raíces.

5) Protección de las puestas. Las puestas pueden ser detectadas y depredadas con facilidad por las urracas, ratas o comadrejas, entre otros oportunistas. Una simple reja metálica colocada encima de la puesta y sujeta al suelo mediante estacas de hierro impedirá su destrucción.

6) Estrategia para aumentar las temperaturas de incubación. En terrarios de difícil calentamiento el aficionado puede corregir en gran medida la situación, añadiendo estiércol en abundancia a la zona delimitada para la puesta. Éste será mezclado con el sustrato y posteriormente se rociará a discreción con agua. Con el aporte de humedad, el estiércol entrará en una lenta descomposición exotérmica, aumentando la temperatura de incubación.

Incubación de especies exóticas

En nuestras latitudes no es posible obtener la incubación en condiciones naturales de reptiles exóticos de zonas tropicales o desérticas. Las puestas en este caso deben instalarse en una incubadora. El instrumento permitirá el control de los parámetros básicos de temperatura y humedad para el desarrollo embrionario.

Existen diferentes modelos de incubadoras que pueden ser adquiridos a precios muy asequibles en las

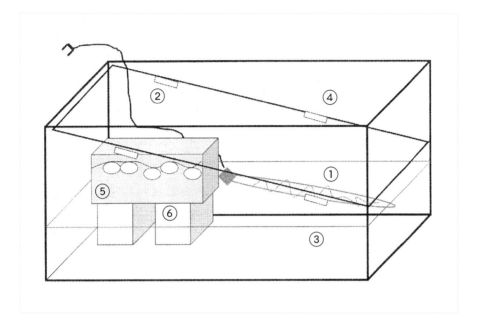

tiendas especializadas en la venta de reptiles y complementos. Pero también podemos intentar construir nuestra propia incubadora a partir de un acuario. Como podemos observar en la figura, necesitaremos un pequeño acuario de unos 10 l de capacidad (punto 4), en el cual instalaremos la tapa de cristal según se muestra en la figura, lo que conseguiremos al colocar el cristal apoyado en la parte superior del acuario y bajando el lado opuesto con una inclinación correspondiente a la mitad de la altura del acuario (punto 2). La tapa tiene la función de evitar la evaporación del agua cuando ésta sea calentada por la resistencia. El agua evaporada condensará con el cristal inclinado y en consecuencia se deslizará de nuevo al acuario por la pendiente. El otro elemento imprescindible será un calentador (punto 1) o resistencia de acuarios convencional, provisto de un termostato con buena graduación y una potencia de 100 w. Lo instalaremos en el fondo del contenedor graduado a la temperatura a la que necesitemos incubar los huevos. El tercer elemento consiste en un recipiente de plástico tipo *tupperware* (punto 5) en el cual introduciremos un sustrato llamado vermiculita. Este receptáculo contendrá los huevos, y estará desprovisto de tapa. El recipiente será colocado en el extremo opuesto a la pendiente de la tapa de cristal del acuario, sobre unos soportes sólidos (punto 6), por ejemplo, dos trozos de ladrillo, de forma que el receptáculo no flote libremente una vez pongamos el agua en la incubadora. Con la incubadora terminada, sólo faltará que la llenemos de agua (punto 3) hasta que cubra el calentador y el nivel llegue justo a la base del recipiente contenedor de los huevos.

Los procesos de incubación realizados artificialmente tienden a ser más cortos que en condiciones naturales, dado que las temperaturas se mantienen estables o con ligeras variaciones, al contrario de lo que sucede en libertad, con fluctuaciones entre el día y la noche (ver ANEXO, al final del libro).

Los resultados no se pueden garantizar al cien por cien pero, como primera aproximación al mundo de la reproducción de especies exóticas, nos puede resultar muy útil, abriendo el camino para profundizar aún más en el tema.

Sitios web de interés

www.niagarareptiles.com/articles/standingi.html

www.petplace.netscape.com/articles/artShow.asp?artID=4063

www.tortoisetrust.org/articles/kandb.htm

Bibliografía

Donal M. Boyer & Thomas H. Boyer (2002). Tortoise Care. ARAV. Vol. 4, n° 1. pp 16-28.

Reptilia (Revista especializada en reptiles, anfibios y artrópodos) (Desde 1995) Edit. M. y A. Lladó Hädinger, C.B., Barcelona (España).

Barlett P. & Erni W. (1997). *El nuevo libro de las pitones*. Barcelona: Tikal Ediciones.

Barlett R.D. & Barlett P. (2002). *El nuevo libro de los gecos*. Barcelona: Tikal Ediciones.

72. ¿La temperatura de incubación de los huevos determina el sexo de la futura cría?

La temperatura de incubación óptima varía según la especie. Los márgenes conocidos en algunas especies se expresan en el ANEXO, al final del libro. La temperatura de incubación del huevo afecta a la diferenciación gonadal y, por tanto, al sexo de la futura cría en casi todas las tortugas. Este hecho permite gestionar la cría en cautividad de ciertas especies en regresión, con lo que la manipulación de las temperaturas de incubación tiene una clara implicación en las tareas de conservación de tortugas.

Los huevos de los reptiles, en el 90% de los casos, están incubándose sin cuidados maternos o paternos. Tan sólo unas pocas especies incuban los huevos (como las pitones indias, *Python molurus*) o los guardan en su interior durante el desarrollo, convirtiéndose en ovovivíparos (boas, ciertos camaleones, etc.).

Durante el desarrollo de los esbozos embrionarios, cerca de las dos pri-

Nacimiento de una cría de tortuga mora *(Testudo graeca)*. Será macho si se ha incubado en lugar fresco y será hembra si ha sido incubada en un lugar cálido

Temperatura pivotante: Tª baja (cerca de los 28 °C) = mayoría machos, Tª alta (cerca de los 30 °C) = mayoría hembras
Cheloniidae

Cheloniidae
    Caretta caretta
    Chelonia mydas
Emydidae
    Chrysemys picta
    Emydoidea blandingui
    Emys orbicularis
    Graptemys geographica
    Graptemys pseudogeographicva
    Pseudemmys concinna
    Trachemys scripta
    Terrapene ornata
Testudinidae
    Testudo graeca
    Testudo hermanni (31,5 °C es la temperatura pivotante).

Tª baja = mayoría hembras (menos de 28 °C), Tª media = mayoría machos (28 a 29 °C), Tª alta = mayoría hembras (más de 29 °C)

Chelidridae
    Chelidra serpentina
    Macroclemmys temminckii
Emydidae
    Melanochelys trijuga
Kinosternidae
    Kinosternon flavescens
    Kinosternon leucostomum
    Kinosternon scorpioides
    Sternotherus carinatus
    Sternotherus minor
    Sternotherus odoratus
Pelomedusidae
    Pelomedusa subrufa
    Pelusios castaneus

Tª no afecta al sexo del individuo (Determinación genética. Heterocigoto hembra y homocigoto macho)

Trionichidae
    Trionys triunguis
    Aspideretes sp.
    Apalone sp.
    Chelodina longicollis

meras semanas de incubación del embrión, la temperatura de incubación hará que unas glándulas situadas en las gónadas indiferenciadas sinteti-cen y segreguen una mayor o menor cantidad de hormonas: los estrógenos. Éstos se encargarán de estimular el desarrollo de ovarios o testículos. Por ello, el sexaje es independiente de la dotación cromosómica del individuo, caso que ocurre en otros vertebrados como aves y mamíferos.

En consecuencia, en muchas especies los cromosomas sexuales son indetectables. Existen pruebas de determinación del sexo a partir de una gota de sangre. Estas pruebas reconocen los cromosomas sexuales y pueden ver si un individuo es macho o hembra tan sólo con el núcleo de una de sus células. Esta práctica se utiliza en el sexaje de aves. Sin embargo, la dificultad para detectar los cromosomas sexuales en reptiles hace de ésta una prueba aún poco fiable en el sexaje herpetológico.

La temperatura afecta de modo distinto a las diferentes especies de reptiles ovíparos. En la tabla adjunta pueden observarse las diferencias entre tortugas a la hora de determinar su sexaje térmico.

Por otro lado, ligeras variaciones de temperatura afectarán a posibles erro-res en este aspecto: de este modo, se encuentran intersexos, hermafroditas, masculinización de hembras o feminización de machos. Todo ello relacionado con un proceso hormonal iniciado en el interior del huevo, antes del nacimiento.

Sitios web de interés

www.deancloseprep.gloucs.sch.uk/-chelonia/testudo/articles/v2n3sex.html

www.journals.endocrinology.org/-joe/181/joe1810367.htm

Bibliografía

Cuadrado, M. (2002). Sistemas de apareamiento en reptiles: una revisión. *Rev. Esp. Herp.* número especial: 61-69.

Eendebak, B. (2001). Incubation period and sex ratio of *Testudo hermanni boettgeri*. *Proceedings of the International Congress on Testudo Genus 3*: 257-267.

Jacobson, E. R., Rostal, D. C., Lance, V. A., Flanagan, J., Wayne Hill, L., & Landazuri Novoa, S. (1999). Temperature dependent sex determination in chelonians and studies with neonate captive hatched and reared hood island galapagos tortoises, *Geochelone nigra hoodensis*. *Proceedings of the ARAV* 6: 87-90.

Martínez Silvestre, A. (1998). Aspectos fundamentales en la reproducción de reptiles en cautividad. In: GERPAC (AVEPA) (Ed.). *Proceedings of I EVSSAR CONGRESS, Clinic and Reproduction*. Barcelona: AVEPA, 255-258.

Otras preguntas relacionadas

38. ¿Es aconsejable cambiar las temperaturas del terrario según las distintas épocas del año?

96. ¿Qué documentos legales se necesitan para tener un reptil en casa? ¿Y para criarlo con fines lucrativos?

73. ¿Puede poner huevos una tortuga sin haber estado con un macho?

Por supuesto, pero la explicación a esta pregunta depende del concepto que se interprete.

1) Reptiles de dos sexos. Se trata de los reptiles «normales» en los que existen dos sexos que deben unirse para proceder al apareamiento e intercambio genético imprescindible para la reproducción.

a) Espermateca. Las hembras ponen huevos sin haberse encontrado con un macho porque guardan en su interior esperma de un macho que las cubrió hace una o dos temporadas. En

este mismo capítulo, la pregunta 69 está dedicada a este tema.

b) Huevos sin fecundar. La puesta de huevos está relacionada con una activación folicular en la que los óvulos acaban siendo puestos (a veces con cascarón y a veces sin él), debido a que la hembra tiene una ovulación pero no ha sido fecundada. Algo parecido a lo que sucede con las gallinas ponedoras. Esto ocurre en un gran número de especies en estado doméstico, pero es más raro en las que viven en estado salvaje. Se observa en iguanas, tortugas de tierra y de agua e incluso serpientes. Si se incuban estos huevos no sale nada, puesto que no están fecundados. Puede ocurrir también que en ocasiones una hembra está montada por un macho pero no la fecunda bien (puede ser un primerizo, etc.) y acaba poniendo huevos no fecundados de los que tampoco sale nada.

2) Reptiles de un solo sexo. Aunque parezca mentira, existen poblaciones de reptiles formadas exclusivamente por hembras. Éstas, en una determinada época del año, activan su reproducción sin la necesidad del estímulo que realiza el espermatozoide cuando entra en contacto con el óvulo. En definitiva: los machos de

Otras preguntas relacionadas

63. ¿Se han de tener varios ejemplares en un terrario para que no se sientan solos? ¿Existen técnicas de enriquecimiento ambiental aplicables a los reptiles?

66. ¿Qué trucos hay para criar reptiles en cautividad? ¿Cómo estimular a un reptil para la reproducción?

69. ¿Cómo pueden almacenar esperma las hembras de reptiles y ser fecundadas mucho tiempo después de la cópula?

70. ¿A qué se debe la retención de huevos y cómo se soluciona?

Puesta de huevos en una serpiente acuática *(Natrix maura)*. En esta especie, si no ha habido cópula, los huevos serán inviables

estas poblaciones o son escasos o no existen. Se trata de ciertas lagartijas del Cáucaso *(Lacerta caucásica)* o lagartos de la familia de los tejús de los EE UU *(Cnemidophrous sp.)*. Existe un reptil curioso: el geco de las islas Ryu Kyu *(Lepydodactylus lugubris)* cuya población está compuesta exclusiva-

255

mente por hembras. Cuando llega la época de cría, algunas hembras de esta especie adoptan coloraciones y comportamientos de machos de especies similares. Ellas no criarán. Sin embargo, sus comportamientos provocan un durísimo estímulo ovulatorio a las hembras que conviven con ellas y eso hace que pongan huevos listos para incubarse.

De estos huevos puestos «útiles» por hembras sin fecundar, obviamente nacen copias genéticas de las madres, o clones. Este tipo de reproducción se denomina partenogénesis y, aunque extraño en los vertebrados, es bastante común entre los invertebrados.

¿Para qué sirven los machos, pues?

Obviamente, la aportación del macho es la clave para poder realizar pequeñas variaciones en el material genético. Estas variaciones serán suficientes para desencadenar mutaciones, adaptaciones, avances, retrocesos y un largo etcétera de factores que llevan a la evolución de las especies. Esta evolución hará que se adapten a los hábitats cambiantes y que prevalezcan sobre otras especies que se adaptan menos, como las que practican la partenogénesis.

Sin duda, uno de los mejores inventos de la evolución es ¡el sexo!

Sitios web de interés

www.biopark.org/destort1.html
www.geckoworld.co.uk/care_1.lugubris1.htm

Bibliografía

Kuchling, G. (1998). How to minimize risk and optimize information gain in assessing reproductive condition and fecundity of live female chelonians. *Chelonian Conservation and Biology* 3(1): 118-123.

Martínez Silvestre, A. (1998). Aspectos fundamentales en la reproducción de reptiles en cautividad. In: GERPAC (AVEPA) (Ed.). *Proceedings of I EVSSAR CONGRESS, Clinic and Reproduction*. Barcelona: AVEPA, 255-258.

74. ¿Cómo saber si un reptil es macho o hembra?

En algunas especies, el dimorfismo sexual no es muy aparente. En otras, la existencia de características morfológicas o de coloración propias de cada uno de los sexos permitirá distinguirlos con cierta facilidad: son los llamados caracteres sexuales secundarios.

Seguidamente, analizaremos por grupos las características más comunes para averiguar los sexos, teniendo en cuenta que no sólo una diferencia es válida per se, sino la combinación de todas las posibles.

Tabla 1: Quelonios

Aspecto para tener presente	Sexaje	Ejemplos de especies más comunes
Tamaño corporal	Mayor tamaño de la hembra para la mayoría de especies.	Tortugas palustres americanas como *Graptemys* sp., *Pseudemys* sp., *Trachemys* sp., tortugas de caparazón blando como *Apalone ferox*. Especies terrestres como las tortugas mediterráneas (*Testudo hermanni*) (*Testudo graeca*), las tortugas de cuatro uñas (*Agrionemys horsfieldii*). También el género Gopherus, de tortugas terrestres americanas.
Anchura de la cabeza	Mayor en el macho que en la hembra.	En tortuga gigante africana o de espolones *Centrochelys* (*Geochelone*) *sulcata*, tortugas de dorso asserrado (*Graptemys* sp.) o las tortugas palustres americanas (*Trachemys* sp.).
Forma y longitud de la cola	Más ancha y larga en macho, con la abertura cloacal más distante de las placas anales del plastrón.	Especies de los géneros *Testudo*. Galápagos leprosos (*Mauremys leprosa*), galápago europeo (*Emys orbicularis*). Especies de la Familia Emididae.

Aspecto para tener presente	Sexaje	Ejemplos de especies más comunes
Forma del plastrón	Cóncavo en el macho, recto en la hembra.	Especies de la Familia *Testudinidae*, como *Testudo* sp., *Geochelone* sp. Los galápagos leprosos (*Mauremys leprosa*), cuando son adultos, *Clemys* sp. *Podocnemys* sp.
Placas gulares muy largas	Placas gulares (situadas en el plastrón) muy largas en el macho.	En tortugas terrestres del género *Gopherus* sp., o las africanas *Chersina angulata*, y *Geochelone* (*Centrochelys*) *sulcata*.
Glándulas sexuales	Situadas en la mandíbula, son más desarrolladas en el macho.	Tortugas del género *Gopherus*, y especies de las familias *Emididae* y *Platisternidae*.
Longitud de las uñas	De las extremidades anteriores más largas en los machos.	En tortugas palustres como la tortuga de orejas rojas *Trachemys scripta elegans*, y otras especies del género *Trachemys*, también de los géneros *Graptemys* y *Pseudemys*.
	De las extremidades posteriores en las hembras.	En la tortuga leopardo *Geochelone* (*Stigmochelys*) *pardalis*.
Coloraciones corporales	Ojos oscuros en los machos.	Tortugas caja americanas *Terrapene carolina*.
	Cabeza oscura en hembra y clara en macho.	*Podocnemys eritrocephala*.

Aspecto para tener presente	Sexaje	Ejemplos de especies más comunes
Coloraciones corporales	Plastrón blanco en macho y gris en hembra.	Tortuga de caparazón blando de la especie *Apalone cartilagineous*.
	Caparazón de colores oscuros y ausencia de mancha anaranjada en los laterales de la cabeza en macho de más de 12 años de edad.	Tortuga de orejas rojas o de Florida *Trachemys scripta elegans*.
Variaciones estacionales del color	Caparazón crema y cabeza blanca y roja en el macho durante el período de apareamiento.	En el quelonio asiático *Callagur borneoensis*.
	Oscurecimiento del macho en época de apareamientos.	En la tortuga asiática de la especie *Batagur baska*.
	Cabeza de color amarillo intenso y zona nasal rojiza en el macho durante el período de apareamiento.	En *Indotestudo elongata*, tortuga terrestre del continente asiático.

Tabla 2: Saurios

Aspecto para tener presente	Sexaje	Ejemplos de especies más comunes
Tamaño	Los machos son mayores que las hembras.	Iguanas, Agámidos como (*Agama agama*).
Cola	Los machos tienen una deformación en la base de la cola provocada por el volumen de los hemipenes.	Iguanas verdes (*Iguana iguana*), Tejús (*Tupinambis* sp.), Varanos (*Varamnus* sp.), o los llamados camaleones americanos (*Anolis* sp.).

259

Aspecto para tener presente	Sexaje	Ejemplos de especies más comunes
Cabeza	Los machos tienen una cabeza mayor y más ancha, con frecuencia presentan formaciones anatómicas particulares, como crestas, abanicos gulares, y protuberancias cefálicas mucho más desarrollados que en las hembras.	Iguanidos, *Basiliscus* sp., Tejus (*Tupinambis* sp.) muchos camaleónidos como: *Chamaeleo fischeri*, *Chamaeleo johnstoni*, *Chamaeleo werneri*, *Columna parsonni*, o *Chamaeleo caliptratus*.
Extremidades	Presencia de unos poros femorales más desarrollados y visibles en los machos.	*Iguana iguana*, dragones de agua como (*Phisignatus cocincinus*).
	Presencia de espolones en las extremidades en los machos de camaleón del Yemen.	*Chamaeleon caliptratus.*
Coloraciones	Colores más llamativos e incluso chillones en los machos, a menudo realzados en los períodos de reproducción.	En especies de las familias de los Iguánidos, Agámidos, Camaleónidos.

Tabla 3: Serpientes

Aspecto para tener presente	Sexaje	Ejemplos de especies más comunes
Tamaño	En especímenes adultos las hembras en general son mayores que los machos.	En Boidos como las pitones reticuladas *(Phyton reticulatus)* o indias *(Phyton molurus)*, las hembras pueden ser 2 m más largas que los machos.
Cola	Conteo de las escamas caudales ventrales, a partir del orificio anal. Los machos poseen una cola más larga que las hembras.	Esta técnica es aplicable a todas las especies, aunque es necesario tener datos de referencia. (Ver tabla n.° 4 adjunta, para especies más comunes).
	Presencia de vestigios femorales (antiguas extremidades posteriores) que en los machos son dos o tres veces mayores que en las hembras, siendo utilizados en el cortejo para el masajeo de la zona cloacal de la hembra.	Presentes de forma muy evidente en los machos de la familia Boidae, como pitón real *(Phyton regius)*, pitón india *(Phyton molurus)*, boa *(Boa constrictor)*.

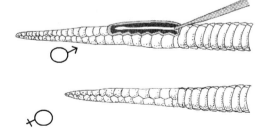

Técnica en la que se introduce una sonda en el orificio anal en dirección a la punta de la cola. Posteriormente se retira y se contabiliza el número de escamas que ésta ha penetrado (ver Tabla 4 con valores de referencia)

Tabla 4: Serpientes: Valores de referencia

Especie	Sexo	N° de escamas caudales por conteo visual	N° de escamas caudales por penetración de sonda
Pitón real *Phyton regius*	hembra macho	25-35 40	3 10
Pitón india *Phyton molurus*	hembra macho	60 70	3-4 16
Pitón verde *Condrophyton viridis*	hembra macho	65 75	2 13
Boa *Boa constrictor*	hembra macho	50 60	3 15-16
Natrix natrix	hembra macho	52-56 68-72	2-3 12-14
Serpiente del maizal *Elaphe guttata*	hembra macho	41-62 67-86	3 (2-4) 10-14 (7-12)

Sitios web de interés

www.anapsid.org/sulcata.html

www3.interscience.wiley.com/cgi-bin/abstract/109919386/ABSTRACT

Bibliografía

Cuadrado, M. (2002). Sistemas de apareamiento en reptiles: una revisión. *Rev. Esp. Herp.* Número especial: 61-69.

Innis, Ch. J. (1997). Techniques for sexing juvenile chelonians with comments on clinical applicability. *Proceedings of the ARAV* 1: 131-133.

Otras preguntas relacionadas

58. ¿Por qué las tortugas se muerden las patas y el cuello y se golpean los caparazones?

59. ¿En qué especies es peligroso juntar dos machos y por qué?

75. ¿Por qué nacen tantos monstruos dobles o deformes y reptiles de dos cabezas?

La frecuencia de aparición de anomalías congénitas en reptiles es relativamente alta en comparación con otros animales como las aves. En efecto, factores tan importantes como la temperatura de incubación no sólo determinan el sexo de los neonatos, sino que pueden afectar al fenotipo del individuo según el momento en el que actúen. Los períodos iniciales del desarrollo embrionario (sobre las dos a cuatro semanas de desarrollo) son especialmente sensibles a agentes teratógenos (causantes de malformaciones). Algunos de estos agentes son: la falta de vitaminas en el vitelo, los cambios bruscos de temperatura, radiaciones, hipotermia, hipertermia, contaminación ambiental con detergentes, insecticidas herbicidas o fungicidas. Todos estos factores son, junto a la herencia genética, las principales causas descritas como determinantes de anomalías en el desarrollo embrionario de reptiles. En los mamíferos, al cuidar en el seno materno las fases más delicadas del desarrollo, disminuyen considerablemente la aparición de estas enfermedades. Las aves, por su parte, se quedan siempre a incubar el huevo y proporcionarle las condiciones más homogéneas posibles para el desarrollo, consiguiendo un parecido efecto optimizador.

Algunas anomalías son muy preciadas por los criadores dado que suben considerablemente el precio de los ejemplares. Sin embargo, otras anomalías son incompatibles con la vida y pueden provocar la muerte en el nacimiento o pocos días después. Las que afectan a la duplicación de estructuras (dos cabezas, monstruos dobles, etc.) están relacionadas con distintos grados de fusión o separación de gemelos en el huevo durante el desarrollo.

Las principales anomalías pueden resumirse en los siguientes apartados.

Anormalidades del color

Se da casi siempre por herencia genética, recesividad de ciertos caracteres, etc.

Están descritas en casi todos los reptiles cautivos y algunos de vida libre. La cantidad de pigmento en las células cromatóforas y melanocitos es la causa de la existencia de albinismo (ausencia de pigmento) o melanismo (sobrepigmentación), con grados intermedios dependiendo de la distribución del mismo. También hay muchas anomalías en el patrón normal de distribución de los colores en quelonios y ofidios, dependiendo de cuál sea el pigmento predominante: leucístico (amarillos), eritrístico (rojas y naranjas), amelanístico (todos menos los negros), etc. Las denominaciones «Yellow», «Golden», «Blue» y otras, responden a aspectos externos cuyos caracteres particulares han sido «bautizados» por los criadores con fines básicamente comerciales.

Anomalías de las escamas

Generalmente, se señalan duplicaciones de escamas y más raramente ausencia de las mismas. En nuestra experiencia, la ausencia de placa nucal es un proceso observado en quelonios del género *Testudo* con relativa frecuencia.

Se ha propuesto un efecto de desecación durante los 15 primeros días de incubación como agente causante de este proceso. También se ha señalado el posible efecto de una temperatura excesiva, provocando una multiplicación de los esbozos embrionarios de las escamas del caparazón.

Se ha observado sobre todo en el caparazón de los quelonios y las escamas ventrales de los ofidios. En numerosas ocasiones va unido a anoftalmia (ausencia de globos oculares) y otras malformaciones situadas en la

Elaphe guttata amelanistica mantenida en cautividad

Extraño caso de gemelos de lagarto canario (*Gallotia* sp.) que murieron al nacer

cabeza. Estas anomalías son frecuentes en animales de vida libre.

Anomalías en extremidades y cola

Las causas se atribuyen a factores muy parecidos a los que actúan en otros animales. Desde incorrectas migraciones de esbozos embrionarios, hasta la acción de fármacos, etc. Se ha propuesto la posibilidad de que la ausencia de cola o extremidades sea resultado de una amputación embrionaria en la que parte del miembro afectado hace protusión, provocando una ruptura en el amnios y causando necrosis por falta de irrigación de la parte distal afectada.

Se han descrito saurios con anomalías en la cola (ausencia o deformación) y en quelonios con ausencia de extremidades. La amelia (ausencia de extremidades completas) se ha visto en *Pogona, Iguana, Tryonix, Emydura* o *Caretta* entre otros.

La polidactilia (mayor número de dedos) en reptiles se ha descrito en cocodrilianos, lacértidos y quelonios, pero es una entidad clínica poco frecuente.

Anomalías axiales

Los siameses o monstruos dobles están descritos en abundancia en quelonios, saurios y ofidios. Existen muchos casos de reptiles bicéfalos o con uniones en diversos puntos del cuerpo (to-

Otras preguntas relacionadas

22. ¿Qué importancia tienen la temperatura, la humedad y el fotoperíodo en la vida de un reptil?

71. ¿Cuáles son las mejores condiciones de incubación para los huevos de reptiles?

racopagos, isquiopagos...). Normalmente están relacionadas con distintos grados de fusión o separación de gemelos en el huevo durante el desarrollo.

Las referencias de malformaciones en la columna vertebral en un único individuo también son abundantes, describiéndose cifosis y lordosis congénitas en quelonios. Se ha sugerido que un exceso de vitelo residual hacia el fin del período embrionario podría ser responsable de esta anomalía. El efecto sería el producido por una excesiva cantidad de vitelo englobado por el cuerpo del quelonio que obliga a una deformación del caparazón.

Anomalías oculares

También observadas frecuentemente, las anomalías en la formación de los ojos son las más descritas. La anoftalmia y microftalmia se dan en quelonios y ofidios principalmente. En numerosas ocasiones la microftalmia en galápagos se ha visto relacionada con una falta de vitamina A en el vitelo correspondiente a una deficiencia de esta vitamina en la hembra progenitora.

La anoftalmia unilateral se ha descrito en ofidios aunque en nuestra experiencia también se ha observado en quelonios. En los casos controlados, el ojo contralateral es totalmente normal.

Existen algunos casos de ciclopia que se otorgan a un efecto de excesiva temperatura de incubación y/o una duración prolongada de la misma.

Sitios web de interés

www.chelonian.org/ccb/titles/V4_3.-shtml

www.gekkota.com/html/eublepharis_macularius.html

www.tortoise.org/archives/clemmys.html

Bibliografía

Boyer, D. M. (1997). A simple method of preventing self inflicted injury when feeding a dicephalic California Kingsnake, Lampropeltis getulus californiae. Bulletin of the Assotiation of Reptilian and Amphibian Veterinarians 7(3): 6-7.

Chatfield, J. E., Ford, A., & Ford, I. (1993). Albino hatchlings of the spur-thighed tortoise Testudo graeca, L. Testudo 3,5: 29-34.

Martínez Silvestre, A. & Soler Massana, J. (2000). Anomalies and malformations in european Amphibians and Reptiles. Reptilia, The European Herp Magazine 11: 10-14.

76. ¿Es normal que las iguanas estornuden a menudo y dejen unos restos blancos en el cristal del terrario?

Antes de responder a esta pregunta vamos a entender como vive estos animales.

La iguana verde o común (Iguana iguana) habita las selvas húmedas de Sudamérica. En estos hábitats existen básicamente dos estaciones en el año: la estación seca y la estación húmeda. Es difícil definir cómo son estas estaciones para una persona de clima mediterráneo, acostumbrada a cambios estacionales considerables, poco repetitivos e impredecibles. Tras visitar este hábitat en estación seca y ver que llovía cada dos a tres días, un indígena de la cuenca noroccidental del Amazonas nos hizo una vez una definición que creemos es la ideal: la estación seca es la época de lluvias y la estación húmeda es la época de diluvios.

Para un mediterráneo acostumbrado a tener períodos con más de tres meses de sequía, se hace difícil entender que en una estación seca llueva tanto. Pero el motivo es sencillo: si no fuera así, no existiría ninguna selva tropical.

Las iguanas, por tanto, viven en un ambiente en el que, cuando más sed pasan, llueve torrencialmente cada dos días. En estas condiciones podríamos interpretar que van siempre sobradas de humedad. Sus cuerpos necesitan estar siempre hidratados y orinan abundantemente, una orina muy fluida, casi de consistencia acuosa. Las sales minerales están en disolución en su cuerpo, adquiriendo una concentración muy baja. Sus riñones están continuamente filtrando y sus digestivos almacenan gran cantidad de agua para realizar lo propio de un herbívoro estricto: la fermentación de los vegetales, del mismo modo que hacen los conejos del bosque mediterráneo.

Pero ¿qué ocurre si la iguana cautiva es mantenida, con muy buen voluntad pero con muy poca información, en condiciones mediterráneas? Normalmente se instalarán luces, fluorescentes, fuentes de calor y un largo etcétera, de complementos, pero muchas veces no se le da la importancia que tiene a la humedad ambiental. La iguana estará en unas condiciones de «estación seca permanente» que alterar su equilibrio hidrostático, o sea, su sistema interno de regulación de humedad. En consecuencia, su organismo deberá encontrar algún método de compensar la ausencia de líquidos e incremento de la concentración de sales. Para encontrar el equilibrio, en ausencia de agua, lo mejor será eliminar sales.

Muchos reptiles tienen distintos sistemas de eliminación de sales orgánicas. Las tortugas marinas «lloran» cuando salen a desovar porque su organismo advierte un desequilibrio os-

mótico: su concentración de sales disueltas, en equilibrio cuando están en el mar, deja de estarlo al salir a las playas. Los cocodrilos abren sus bocas para facilitar la evaporación de agua a fin de ayudar a mantener la concentración de sales internas.

¿Y donde están las glándulas de la sal en las iguanas? Pues se sitúan en el área interna de los forámenes nasales. Y así, cuando la iguana se encuentra en un ambiente demasiado seco, concentra las sales en el interior de su nariz. En el momento en que hay una acumulación demasiado grande de estos minerales, emite un resoplido para expulsarlas al exterior. Esto

Detalle de las oberturas nasales de una iguana común

Ambiente húmedo en una zona de selva primaria en Sudamérica

puede manchar el cristal del terrario y dejar una marca blanquecina, muy fácil de limpiar.

El propietario imagina que la iguana se ha resfriado. E incluso algunos veterinarios han iniciado alguna vez tratamientos antibióticos sin éxito. Y es que la única solución es tan sencilla como incrementar la humedad ambiental.

Cómo evitar este problema

– Dieta. Proporcionar dietas siempre abundantes en agua. Las frutas muy húmedas de temporada como el melón, sandía o melocotón, contra-

269

Otras preguntas relacionadas

22. ¿Qué importancia tienen la temperatura, la humedad y el fotoperíodo en la vida de un reptil?

80. ¿Es normal que un reptil esté mucho tiempo con la boca abierta, como jadeando?

rrestarán a las frutas menos húmedas como los higos o aguacates. Si hay largos períodos en que abundan unas u otras podemos falsificar las dos estaciones de su zona de origen. Además, los piensos de iguana pueden proporcionarse siempre humedecidos con zumos de frutas.

– Humedad ambiental. Por supuesto, una humedad elevada es siempre aconsejable. Puede conseguirse con un vaporizador automático, o sencillamente con un pulverizador de las plantas, mediante una pulverización a todo el terrario una vez al día en la estación húmeda y una vez cada tres días en la estación seca.

– Baños. Podemos instalar una bañera de dimensiones iguales o superiores a la longitud máxima de la iguana. Así beberá, se bañará y se hidratará suficientemente.

– Revisión periódica y anual. Siempre será bueno una revisión periódica en la que se incluya un análisis de sangre, en el cual podrán observarse los valores que comúnmente son marcadores de deshidratación, así como incremento en iones relacionados con las sales (sodio, cloro o potasio).

Sitios web de interés

www.anapsid.org/sneeze.html
www.aquaticape.org/saltglands.-html

Bibliografía

Boyer, T. H. (1991). Green iguana care. *Bulletin of the Assotiation of Reptilian and Amphibian Veterinarians* 1: 12-14.

Martínez, F. (1998). Errores frecuentes en la clínica de animales exóticos. In *Seminario Teorico Práctico de clínica de animales exóticos*: 10-12. Hospital Clínic Veterinaria U.A.B. & Col·legi Oficial Veterinaris (Ed.). Barcelona: UAB.

Ware, S. K. (1998). Nutrition and nutritional disorders. In: Ackerman, L. (Ed.). *The biology, husbandry and health care of reptiles*. New Jersey: TFH, 775-802.

77. ¿A qué se deben los ojos hinchados en las tortuguitas de agua y cómo pueden curarse o evitarse?

Esta enfermedad se observa principalmente en tortugas acuáticas de pequeño tamaño y entre 5 y 10 meses de vida. Antes de analizar la enfermedad, deberemos conocer los factores que conducen a ella.

En todos los reptiles la época de crecimiento es la que tiene mayor necesidad de nutrientes básicos. Las tortugas y saurios, debido a la dieta que siguen en cautividad, deben tener suplementos minerales y vitamínicos. Los minerales como el calcio y las vitaminas liposolubles como las A, D_3, E deben ser aportados frecuentemente en la dieta. Las tortugas cuando nacen mantienen en su interior parte del vitelo al que estaban unidas cuando estaban en el huevo. Este vitelo se consume dentro del primer año de vida (tarda más o menos dependiendo de la especie) y por tanto durante ese tiempo pueden prescindir de las fuentes externas de vitaminas liposolubles. Es cuando el vitelo se ha acabado cuando dependen exclusivamente de la dieta para almacenar los compuestos antes citados. Si la dieta es incorrecta o desequilibrada se observarán rápidamente enfermedades carenciales (hipovitaminosis A, hipovitaminosis D_3, osteodistrofia por falta de calcio, enanismo nutricional, etc). La edad en que se presentan estas enfermedades es muy temprana (entre 6 y 18 meses).

Cuando la vitamina A alcanza valores mínimos en el organismo, empieza a acumularse líquido bajo la piel (hinchazón de párpados y en ocasiones de cuello y nalgas) y se debilitan las mucosas (infecciones de la boca, oído y nariz).

En consecuencia, la causa principal de esta enfermedad es una dieta carente en vitamina A. Pero también han de considerarse los complementos nutricionales comerciales mal administrados. Anecdóticamente, se ha descrito que la aportación excesiva de carne fresca y huevos de insectos causan pérdida de vitamina A. Por último, un exceso de radiación ultravioleta

Aspecto de los ojos hinchados de una tortuga con hipovitaminosis A

puede ser causa de degradación acelerada de la vitamina A.

La evolución aguda se da sobre todo en quelonios en crecimiento, con mayor incidencia en los galápagos y sobre todo en Emídidos norteamericanos (tortugas de Florida y similares), aunque se puede presentar en cualquier reptil. El curso crónico se observa menos frecuentemente en quelonios generalmente terrestres y adultos.

Entre las consecuencias a largo plazo se han descrito también efectos de deformaciones congénitas (ausencia de ojos) en crías de tortugas cuyas progenitoras sufrían graves carencias de vitamina A.

El tratamiento es delicado puesto que debe evitarse el exceso de vitamina A. Ha de estar siempre bajo supervisión de un veterinario especializado. La administración reiterada de vitamina A inyectable liposoluble puede llegar a 3 dosis separadas 10 días, pero no se recomienda sobrepasarlas.

Otras preguntas relacionadas

52. ¿Cuáles son los mejores y los peores alimentos para las tortugas de agua, las iguanas y las tortugas de tierra?

53. ¿Son recomendables los piensos comerciales para las distintas especies de reptiles?

Pero tan importante como aportar la vitamina ausente es evitar que se dé nuevamente este problema. Se han de proporcionar al animal dietas equilibradas a base de pescados, hígado, presa viva, carnes, insectos, moluscos y piensos para reptiles en carnívoros y verduras, hortalizas, frutas, tubérculos, etc. en herbívoros.

La comida «especial» de gambitas secas comercializada para tortugas debe ser usada como complemento ocasional y nunca como soporte mayoritario de la alimentación diaria. Es conveniente darle a los animales aportes comerciales vitamínicos-minerales de modo regular.

Sitios web de interés

www.petturtle.htmlplanet.com/feeding_vitamins.html

www.turtlecare.net/softill.htm

Bibliografía

Abate, A. L., Coke, R. L., Ferguson, G. W., & Reavill, D. (2003). Chameleons and vitamin A. *J. Herpet. Med. Surg.* 13: 22-31.

Martínez Silvestre, A. (2003). Patología perinatal en reptiles: prevención y tratamiento. *Congreso Nacional de AVEPA* 38: 131-136.

Rosskopf, W. J. & Shindo, M. K. (2003). Syndromes and conditions of commonly kept tortoise and turtle species. *Seminars in Avian and Exotic Pet Medicine* 12: 149-161.

78. ¿Cómo se produce el raquitismo en iguanas y cómo se cura? ¿Por qué no se da el raquitismo en las serpientes? ¿Puede confundirse con otras enfermedades?

La alimentación de cada especie es distinta respondiendo a las necesidades que tiene en el lugar de origen. En todos los reptiles, la época de crecimiento es la que requiere mayor cantidad de nutrientes básicos. Las iguanas, debido a la dieta que siguen en cautividad deben tener suplementos minerales y vitamínicos. Los minerales como el calcio y las vitaminas liposolubles como la A, D_3 y E, deben ser aportados frecuentemente en la dieta. La mayoría de reptiles (y entre ellos las iguanas) mantienen en su interior cuando nacen parte del vitelo al que estaban unidas cuando estaban en el huevo. Este vitelo se consume dentro del primer año de vida (tarda más o menos dependiendo de la especie) y, por tanto, durante ese tiempo pueden prescindir de las fuentes externas de vitaminas liposolubles.

Es cuando el vitelo se ha acabado cuando dependen exclusivamente de la dieta para almacenar los compuestos antes citados. Si la dieta es incorrecta o desequilibrada se observarán rápidamente enfermedades carenciales (hipovitaminosis A, hipovitaminosis D_3, osteodistrofia, enanismo nutricional, etc.). La edad en que se presentan estas enfermedades es muy temprana y coincide con los períodos de máximo crecimiento (entre 6 y 18 meses).

En consecuencia, la dieta de las iguanas ha de ser completa y herbívora. O sea, que tenga a su disposición todos los nutrientes que les aportan

Iguana con raquitismo avanzado. Se observa deformación mandibular, hinchazón de las extremidades y decaimiento general

273

Otras preguntas relacionadas

34. ¿Qué son las radiaciones ultravioletas, cuántas clases hay y para qué sirven?

52. ¿Cuáles son los mejores y los peores alimentos para las tortugas de agua, las iguanas y las tortugas de tierra?

75. ¿Por qué nacen tantos monstruos dobles o deformes y reptiles de dos cabezas?

los vegetales, especialmente durante los primeros 18 meses de vida.

Por otro lado, para aprovechar el calcio que viene de la dieta, es fundamental tener un transportador que ayude a depositar este mineral desde el aparato digestivo hasta los huesos. Este es la vitamina D_3. La vitamina D_3 se adquiere de dos modos: por el alimento o mediante foto-biosíntesis (por estímulo de la luz ultravioleta sobre la piel).

Y por último nos queda el mecanismo hormonal regulador de todo este engranaje mineral: la glándula paratiroides y sus anejos. Esta glándula segrega la hormona PTH, que estimula a la movilización de los huesos para descalcificarse. Se encarga de que la proporción de calcio y fósforo este siempre cerca de 2:1 (el doble de calcio que de fósforo en la sangre circulante). Cercana a ella está la glándula últimobranquial, que elabora la calcitonina y se encarga justamente de lo contrario: hacer que el calcio no salga de los huesos.

Ahora que ya conocemos los protagonistas del problema, entenderemos mejor porque aparece en unas especies y no en otras. Supongamos los siguientes casos:

1) Si una dieta de iguana tiene carne cruda (supongamos hamburguesas) está absolutamente desequilibrada puesto que la proporción de calcio y fósforo es de 1:40 aproximadamente. En ese instante, el mecanismo corrector hormonal hará que el hueso se descalcifique para que este monumental desequilibrio se restablezca.

2) Si una iguana no tiene suficiente acceso a luz natural o ultravioleta artificial no tendrá suficiente nivel de vitamina D_3 para aprovechar el calcio que le viene por la dieta. Su mecanismo hormonal hará que se descalcifiquen los huesos para compensar esta falta.

3) Si una iguana no recibe en su dieta suficiente calcio, por mucha vitamina D_3 que tenga, su mecanismo compensatorio hormonal hará descalcificarse los huesos.

4) Si una iguana tiene una enfermedad en hígado o riñón, tendrá dificultada la síntesis de vitamina D_3 y, nuevamente, no absorberá el calcio por lo que el mecanismo regulador volverá a descalcificar los huesos.

Cualquiera de las cuatro opciones por separado, o en combinaciones entre ellas, hará que la iguana entre en proceso de raquitismo. Este hecho se acentúa durante dos períodos esenciales de la calcificación de cualquier reptil: la época de crecimiento y la época de gestación en las hembras.

La curación es lenta y compleja y se fundamenta en:

1) Proporcionar calcio (tanto inyectado como por vía oral).

2) Suprimir el fósforo de la dieta.

3) Aportar suficiente vitamina D_3 (por dieta o instalando fluorescentes de luz UVB).

4) Administrar la hormona calcitonina si se considera necesario.

Todas estas pautas deben estar supervisadas bajo estricto control veterinario. La mortalidad de esta enfermedad es alta y ha de existir una auténtica complicidad entre el propietario y el veterinario para conseguir la curación. El tratamiento suele durar entre uno y dos meses.

El aspecto externo de una iguana con raquitismo o enfermedad ósea metabólica es de aparente robustez (patas hinchadas), temblores aleatorios, incapacidad de sostenerse, retraso claro en el crecimiento en el primer año de vida, desviación de la columna vertebral y retenciones de heces. Además, existen varios signos que se revelan mediante radiografías, análisis de sangre e incluso ecografías. Todo ello hace que esta enfermedad sea de difícil confusión con otras. Las enfermedades que deben descartarse ante la duda son: anomalías congénitas, enfermedad renal, fracturas por caídas, cáncer de huesos, gota o abscesos en las articulaciones (problemas infecciosos).

En otras especies esto no ocurre así. Las serpientes se alimentan de presas enteras, con sus huesos (fuente de calcio) y sus hígados (fuente de vitaminas), y nunca están desequilibradas en nutrientes. En una dieta tan variada (de un bocado se tragará piel, huesos, hígado, encéfalo, músculo, dientes y uñas) es tremendamente difícil que falte algún nutriente. Y así es: en ofidios esta enfermedad es casi inexistente.

Sitios web de interés

www.anapsid.org/mbd.html

www.irba.com/mbd.html

Bibliografía

Mader, D. & Garner, M. (2001). Metabolic bone disease in reptiles. *Proceedings of the ARAV* 8: 287-290.

Martínez Silvestre, A. (1999). Aplicación de la bioquímica sanguínea en el diagnóstico y seguimiento de la osteodistrofia nutricional (Enfermedad óseo metabólica) en reptiles. *Medicina Veterinaria* 16(9): 435-440.

Martínez Silvestre, A. (1999). Diferencias entre enfermedad óseo metabólica y anomalías congénitas en quelonios. *Reunión Científica del Grupo de Medicina y Cirugía de Animales Exóticos (AVEPA)* III: 22-23.

79. ¿Cómo se cura en las tortugas una fractura de caparazón?

Una de las estructuras mejor seleccionadas por la evolucion natural ha sido el caparazón de las tortugas. Lleva así desde hace más de 200 millones de años (hagámonos una idea comparativa con los menos de 2 millones de años que tenemos los primates humanos). Evidentemente, algo tan positivamente seleccionado ha de tener un buen sistema de reparación. Y, en efecto, nos sorprende encontrar tortugas en libertad con graves pérdidas y fracturas de caparazón que se han curado solas, sin intervención humana, por muy aparatosas que sean. En libertad, las causas de fractura suelen ser las mandíbulas de sus depredadores (dependiendo de la distribución natural de la tortuga, conviven con lobos, leones, tigres, jaguares, orcas, tiburones, y un largo etcétera de depredadores).

En cautividad, las posibilidades se amplían y suelen ser causa de visita al veterinario tortugas con fracturas de caparazón provocadas por caídas desde un piso alto, mordiscos de perros, gatos o roedores (ratas, ratones, hámsteres, cobayas, jerbos...), atropellos por automóviles o camiones, e incluso accidentes con las máquinas de podar el césped.

En consecuencia, podemos considerar que la curación será siempre efectiva, pero eso sí, muy, pero que muy, lenta.

Aspectos clínicos

Las suturas óseas del caparazón no se corresponden con las suturas de las placas córneas que están sobre ellas. De este modo, se consigue una mayor rigidez y fortaleza en el caparazón. Cuando se produce una fractura, muy raras veces la línea fracturaria sigue suturas óseas o córneas y lo más frecuente es que se afecten de modo aleatorio ambas estructuras anatómicas. La reparación del caparazón irá encaminada a corregir el defecto óseo, puesto que las placas córneas se regeneran posteriormente. En las caídas o atropellos, algunas veces las lesiones viscerales son inevitables y afectan sobre todo a pulmones, hígado o vejiga urinaria. Cualquier rotura de estas tres estructuras es de difícil curación y compromete seriamente la vida del animal. El caparazón de los quelonios puede sangrar en abundancia cuando se fractura. En ese caso debe solucionarse la causa de hemorragia antes de reparar el caparazón.

Otra causa frecuente de actuación clínica son las lesiones producidas por roedores. Se dan sobre todo en invierno en tortugas que viven en jardines o en condiciones de semilibertad, puesto que están invernando y no tienen capacidad de defensa o huida ante el ataque de ratas o ratones que empiezan a mordisquearlos para alimentarse. La disposición de las lesiones es siempre periférica al cuerpo de la tortuga escondida (heridas en placas marginales, cola, dorso de las patas, nariz y cara.

Tratamiento

Existen numerosos métodos de abordaje de las fracturas a fin de repararlas. El principio unificador de todos ellos consiste en inmovilizar los lados fracturarios en una posición normal, con el propósito de facilitar la formación de un callo óseo que regenere toda la zona afectada. Los pasos que se han de seguir son:

1) Preparación del caparazón:

– Elevar la temperatura ambiental y controlar la temperatura cloacal del animal.

– En alguna ocasión puede ser necesario usar anestésicos para poder trabajar con tranquilidad. Sin embargo, esta técnica no es dolorosa y se suele realizar sin anestesia, tan sólo con inmovilización física.

– Limpiar el caparazón con antisépticos de uso quirúrgico. No dañar las escamas afectadas.

– Limpiar el lugar de la fractura y retirar las partes desvitalizadas. Tener especial precaución para no dañar la membrana celómica.

– Irrigar el foco fracturario con sueros, a fin de mantener vitales las celulas que se dedicarán a reparar lentamente la lesión.

– Secar las zonas próximas a la fractura a fin de permitir la fijación del material adhesivo.

– Colocar pomadas antibióticas o cicatrizantes en los bordes de la fractura.

– Crear una superficie rugosa, con una herramienta cortante, en la periferia de la lesión a fin de que pueda adherirse firmemente la fibra de vidrio.

– Si existen placas óseas muy separadas que deben ser aproximadas, es siempre preferible utilizar cerclajes de aproximación o puentes metálicos y no confiar solamente en la fibra de vidrio.

2) Aplicación de fibra de vidrio y resinas epoxi:

– Calcular sobre la zona afectada la cantidad de fibra de vidrio necesaria (ha de estar bien fijada a unos 1 o 2 cm del borde de fractura).

– Aplicar la resina epoxi sobre los márgenes de la fractura asegurándose de que no entran en el interior de la misma.

Otras preguntas relacionadas

35. ¿Cuál sería el terrario ideal para alojar un reptil desértico de gran tamaño?

61. ¿Existe el estrés en reptiles? ¿Qué efectos tiene?

– Añadir la primera capa de fibra de vidrio sobre la resina y manteniendo cierta tensión entre los dos bordes de fractura.

– Repetir los dos pasos anteriores dos o tres veces más hasta que el emplaste tenga una consistencia firme en función de la fractura.

– Dejar secar el conjunto. Suele tardar entre una y dos horas. Puede acelerarse calentando la estancia donde estará la tortuga.

– Retirar los bordes sobrantes de fibra y resina. Para ello es ideal utilizar un rotor dremel de cirugía.

3) Reparación estética:

– En especies con partes móviles del caparazón *(Terrapene, Kinosternon, Emys, Kinixys...)* debe vigilarse no inmovilizar las charnelas e impedir su correcta función.

– Tras el retirado de los bordes sobrantes, pueden usarse el mismo aparato rotor para imitar la estructura de los anillos del caparazón. Posteriormente, puede pintarse y usar sistemas de envejecimiento con polvo de tierra para dejar un aspecto idéntico al de antes de sufrir la fractura.

4) Cuidados posteriores:

– Mantener al animal en situaciones no estresantes para evitar que se mueva la fractura aún reciente.

– Elevar la temperatura a 28 °C como mínimo. Durante la curación los reptiles no deben hibernar.

– Practicar una antibioterapia sistémica con antibióticos de amplio espectro.

– Rehidratar al animal con sueros durante al menos dos semanas.

– Proporcionar alimentación y agua en abundancia.

– El proceso de cicatrización es siempre largo (entre 1 y 3 años).

Sitios web de interés

www.anapsid.org/shellrepair.html
www.tortoisetrust.org/articles/shellvet.html
www.vetnet.co.uk/chelonia.html

Bibliografía

Fertard, B. (2001). Fracture de la carapace chez une tortue. *Le Point Veterinaire* 212: 36-37.

Martínez Silvestre, A. (2002). Clínica en la conservación de la tortuga mediterránea *(Testudo hermanni)* y la tortuga mora *(Testudo graeca)*. *Simposium Internacional de Conservacion de especies amenazadas* I: 4-6.

Richards, J. (2002). Metal bridges technique for turtle shell repair. *Proceedings Association of Reptilian and Amphibian veterinarians* 9: 13-16.

Seguimiento fotográfico de una reparación con fibra de vidrio en el caparazón de una *Geochelone pardalis* roído por un perro. Se observa la fibra de vidrio y el sistema de reparación estética que la hace casi inapreciable

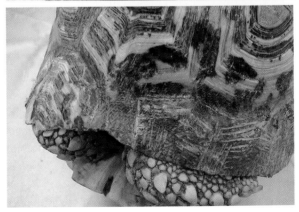

80. ¿Es normal que un reptil esté mucho tiempo con la boca abierta, como jadeando?

La boca abierta en la mayoría de especies no es indicativa de una sola situación. Puede estar relacionada con una enfermedad o con un problema de manejo. Por ello, pasamos a explicar las tres causas más comunes.

Estomatitis
(Infección de la boca)

Aparece predispuesta por situaciones de estrés, sobremanipulación, ambiente incorrecto, hipotermia (bajas temperaturas), falta de vitamina C, parásitos internos, traumatismos o heridas en encías o paladar. Finalmente la enfermedad aparece cuando se produce una infección por bacterias bucales u hongos.

Aunque se puede observar en todos los reptiles, es en las serpientes donde tiene una frecuencia de aparición más alta.

La enfermedad evoluciona en varias fases, que van desde una ligera inflamación de la encía hasta una caída de dientes, purulencia en la encía o lengua y pérdida de apetito.

Las complicaciones septicémicas por estomatitis son consecuencia de un tratamiento ineficaz o de una ausencia del mismo y son de muy difícil curación.

En las fases iniciales de la enfermedad el pronóstico es favorable, mientras que en las avanzadas es de carácter reservado.

El tratamiento consiste en retirar el pus y desbridar las lesiones presentes, seguido de un lavado de la úlcera con soluciones desinfectantes (yodadas, lugol, clorhexidina). Además, siempre se han de administrar antibióticos intramusculares. El antibiótico también puede inyectarse subcutáneamente en el área mandibular. En caso de que el animal no coma, es preciso realizar una esofagostomía e insertar un tubo gástrico que permita la alimentación del animal sin tener que utilizar la boca. El tubo puede estar conectado hasta dos meses.

Neumonía
(Respiración por la boca)

En este caso, las causas que predisponen a la aparición de la neumonía varían desde cambios bruscos de temperatura, superpoblación, estrés, malnutrición hasta enfermedades septicémicas. Finalmente, la enfermedad aparece cuando bacterias patógenas invaden las vías bajas respiratorias (bronquios y bronquiolos).

Se da principalmente en quelonios y serpientes.

Dragón barbudo australiano *(Pogona vitticeps)* jadeando en una situación de excesivo calor

Tanto en quelonios como en ofidios se presenta una dificultad respiratoria que se manifiesta en el animal con la apertura de la boca en las inspiraciones y a su vez se emiten sibilancias al espirar el aire.

Son necesarias varias pruebas diagnósticas para llegar al diagnóstico preciso, como cultivos, aspirados, radiografías e incluso ecografías. El tratamiento se fundamenta en administración de antibióticos, que pue-

Otras preguntas relacionadas

19. ¿Cuánto tiempo pueden aguantar sin respirar una tortuga, una iguana, un camaleón y una serpiente?

49. ¿Qué relación existe entre la temperatura del terrario y el apetito del reptil?

84. ¿Cómo saber si una tortuga tiene una enfermedad grave o no cuando moquea y hace ruidos al respirar?

den ser inyectados, nebulizados (respirados) o una combinación de los dos. La limpieza local de las narinas con suero fisiológico seguida de instilación de colirio antibiótico es recomendable.

Hipertermia
(Boca abierta por exceso calor)

Generalmente, los reptiles mantenidos en terrarios con poca aireación pueden llegar a verse afectados de un exceso de calor. En estas circunstancias, y al no poder refrigerarse me-diante el sudor, el animal abre la boca e incluso cambia de color. Al abrir la boca consigue que se evaporen el agua interna y la saliva, de modo que se refrigera ligeramente. Esta situación no pueden aguantarla durante mucho tiempo y es signo de que no pueden refugiarse en un sitio más frío. Si no nos damos prisa en resolver estos síntomas, puede morir por hipertermia.

Sitios web de interés

www.tortoisetrust.org/articles/Emergency.htm

Bibliografía

Cooper, J. E. & Sainsbury, A. W. (1994). Review: oral diseases of reptiles. *Herpetological Journal* 4: 117-125.

Martínez Silvestre, A. & Brotons, N. (2001). Enfermedades infecciosas. *Canis et Felis* 49: 49-57.

Suedmeyer, K. (1992). Use of chlorhexdine in the treatment of infectious stomatitis. *Bulletin of the Assotiation of Reptilian and Amphibian Veterinarians* 2(1): 6.

81. ¿Hemos de acudir al veterinario con nuestros reptiles únicamente cuando surjan anomalías o hemos de seguir un plan de medicina preventiva, lo mismo que con otras mascotas, como perros o gatos?

Las enfermedades de los reptiles son de curso generalmente lento y sin síntomas. Todos los veterinarios de animales exóticos tenemos asumido que cuando llega un reptil a la consulta la enfermedad que tiene ya está muy avanzada. En algunas ocasiones los primeros indicios aparecen poco antes de morir.

Por ello, es fundamental que las enfermedades se eviten o se prevengan. Las revisiones periódicas son una buena práctica. Sin embargo, los reptiles no tienen las mismas enfermedades que los perros y gatos y por ello el concepto de medicina preventiva es distinto. El cuadro general de medicina preventiva en reptiles es el siguiente:

1) Cuarentena. Todos los reptiles deben realizar períodos de observación en situación de máxima tranquilidad antes de ser manipulados o expuestos al publico. En ese período debemos llevarlos al veterinario para que les haga un chequeo inicial de estado de salud.

2) Identificación. Mediante microchip u otro sistema a fin de evitar pérdidas y robos.

3) Controles parasitarios (siempre bajo control de un veterinario).

– Individuales (se recogen muestras de heces una vez al año)

– De grupo (se recogen muestras de heces de dos a cuatro veces al año).

4) Controles sanguíneos. Se recomienda tomar muestras de sangre una vez al año en un animal sano y bajo criterio médico si está enfermo.

5) Otros controles de salud:

– Orina. Uno en cada revisión anual.

– Electrocardiograma. Normalmente, una vez en la vida del animal sano.

– Radiografías (especialmente en hembras gestantes o especies susceptibles de padecer problemas óseos o reproductivos).

6) Administración de productos en las revisiones. No es necesario administrar ningún producto en la revisión de un reptil sano si los análisis efectuados no lo aconsejan. Sin embargo, es responsabilidad del clínico veterinario decidir si algún medicamento es de utilidad en ese caso en particular.

Algunos casos seran los siguientes:

– Aciclovir: Se trata de un fármaco dirigido a evitar la multiplicación de los virus causantes de enfermedades respiratorias o del aparato digestivo en tortugas de tierra. Este fármaco disminuye su efectividad cuando se ad-

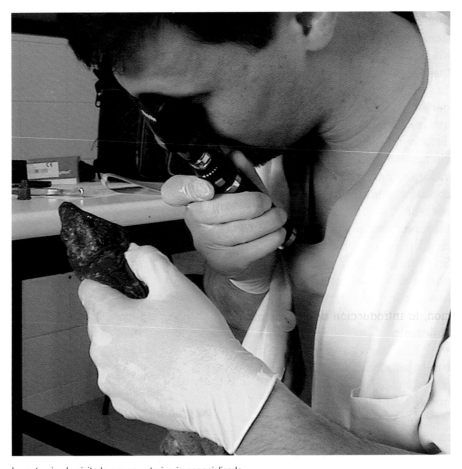

Lagarto siendo visitado por un veterinario especializado

ministra en tortugas enfermas. Por ello, suele administrarse con relativo éxito en tortugas que no tienen síntomas pero que han estado en contacto con sospechosos.

– Progesterona: Uno de los problemas de las iguanas y otros lagartos hembras aparece cuando llega el período de ovulación. El abdomen se llena de folículos repletos de vitelo (yemas de huevo), la iguana deja de alimentarse e incluso tiene cambios de comportamiento, llegando a estar irascible. Hace ya algunos años se está ensayando la administración de progesterona en estas hembras antes de que tengan estos síntomas precisamente para evitar que sufran ovulaciones tan aparatosas.

– Inmunoestimulantes: por regla general, a un reptil nunca le va mal que le estimulemos las defensas a fin de que sea más capaz de combatir ciertas infecciones comunes en cautividad (Salmonella, Herpesvirus, mycoplasma y un largo etcétera). En consecuencia, la administración de estos fármacos sirve para hacer que el reptil sano siga más tiempo sano. Sobre todo si se prevén causas inminentes de inmunodepresión momentánea, como un cambio de instalación, la introducción de nuevos animales, etc.

– Vacunas: Hoy en día podemos considerar que el término 'vacuna' no puede aplicarse a los reptiles puesto que no existe ningún laboratorio que las haya comercializado. Experimentalmente, se desarrolló una vacuna inactivada que fue testada en serpientes de cascabel (Crotalus sp.) contra una grave enfermedad de las serpientes producida por el virus del tipo paramixovirus. Sin embargo, esta vacuna produjo una respuesta demasiado variable como para considerarla fiable. En la actualidad, se están probando vacunas atenuadas para poder aplicarse en un futuro no muy lejano.

Sitios web de interés

www.arav.org

Bibliografía

Berry, K. H. & Christopher, M. M. (2001). Guidelines for the field evaluation of desert tortoise health and disease. *J. Wild. Dis.* 37(3): 427-450.

Jarchow, J. L. & Ackerman, L. J. (1998). History and Clinical examination. In: Ackerman, L. (Ed.). *The biology, Husbandry and Health care of reptiles.* New Jersey: TFH, 559-571.

Raiti, P. (2000). Clinical techniques in reptiles. *Proceedings of the ARAV 7:* 185-188.

Otras preguntas relacionadas

40. ¿Cómo se hace una cuarentena en reptiles, cuánto ha de durar y qué hemos de hacer durante ese tiempo?

41. ¿Cuáles son los mejores métodos de identificación de los reptiles que se tienen como mascotas?

47. ¿Por qué comen piedras algunos reptiles?

55. ¿Es preferible un reptil tendente a la obesidad o bien tendente a la delgadez?

70. ¿A qué se debe la retención de huevos y cómo se soluciona?

82. ¿Cuáles son los principales síntomas de enfermedad en los reptiles?

90. ¿Puede considerarse a los reptiles animales domésticos?

82. ¿Cuáles son los principales síntomas de enfermedad en los reptiles?

De todos es sabido que las buenas condiciones en las que se mantiene un reptil son indispensables para que no enferme. La rapidez en el diagnóstico es fundamental para orientar su tratamiento y, sobre todo, el mejor método para prevenir las principales enfermedades (nutricionales e infecciosas). Para ello, hemos de entender el proceso que lleva a la enfermedad. En ocasiones es lento, pero en otras es muy rápido. Pero siempre tienen puntos en común.

La aparición de una enfermedad infecciosa responde a la ruptura de un equilibrio continuamente mantenido entre el sistema defensivo del reptil y el agente microbiano. Este equilibrio es constante, es decir, está siempre presente en animales sanos. Cualquier reptil pletórico de salud está librando una continua batalla microscópica contra los organismos que circulan por el ambiente. Sólo si algunas variables fallan aparecerá la enfermedad. El control de esas variables es un puntal en la prevención de patologías que pueden provocar mortalidad de individuos, fracaso económico en importadores y vendedores y, peor aún, transmisión a las personas. Analizaremos seguidamente qué factores están a favor del agente microbiano y cuáles actúan a favor del reptil.

Factores a favor del reptil (interesan)

– Sustrato sencillo. Que sea muy poroso, fácil de limpiar, fácil de eliminar y sustituir.

– Presencia de luz ultravioleta. Independientemente de los efectos beneficiosos que tiene para el reptil, esta luz es un eficaz germicida y controlador del crecimiento bacteriano ambiental.

– Correcta aireación del terrario. El aire continuamente renovado evita la proliferación de microorganismos.

– Cuarentena de los animales recién llegados. Aislar los nuevos animales, tengan o no síntomas de enfermedad es lo mejor para evitar desastres en instalaciones controladas y sanas.

Factores a favor de los microorganismos (no interesan)

– Humedad excesiva. La humedad, un pH neutro o alto, oscuridad y ausencia de luz ultravioleta favorecen la proliferación de hongos y bacterias.

– Sustrato sucio. Debido a que no se cambia regularmente o a que los poros y el tamizado que lo conforman es utilizado por multitud de microorganismos como refugio.

– Falta de aireación. Permite una concentración elevada de agentes patógenos y por tanto incrementa el riesgo de que entren en contacto con el reptil.

– Superpoblación. Muchos reptiles en un mismo terrario, con espacio vital reducido y continuamente interaccionando entre sí.

– Heces por todas partes, secas, húmedas, antiguas, recientes, a la vista o escondidas tras el decorado.

– Comida en descomposición. La de ayer, la de anteayer, la de hace dos meses que se quedó tras el decorado o bajo el tronco.

Con la aparición de los síntomas, normalmente el 70% del proceso de la enfermedad ya se ha consumado.

Importancia de la profilaxis

1) Sintomatología que implica visita veterinaria. En todos los reptiles en general: anorexia prolongada; alguna modificación en el tegumento (bultos, cambios locales de color, heridas, parásitos); cambio de hábitos alimentarios (ingestión de cuerpos extraños, etc.); posturas anormales en esa especie; boca abierta; ojos hundidos; ojos siempre cerrados; exteriorización de materiales por la boca (saliva, pus, fluidos indeterminados); musculatura hinchada; deformidades en las extremidades; postura no erguida; conducta no activa ni alerta ni despierta; diarreas; sangre en las heces; abdomen hinchado y colgante; nariz moqueante; respiración con la boca abierta; emisión de ruidos; sibilancias y parloteo en estado de tranquilidad; bajada de peso espectacular y, finalmente, bajada de peso crónica.

2) Una de las mayores causas de visita es la anorexia de estas mascotas.

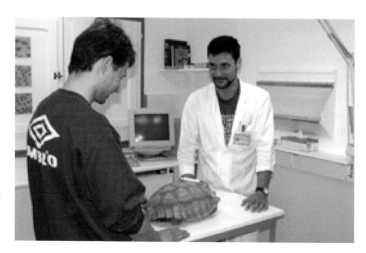

Propietario acudiendo al veterinario con su mascota. Una imagen cada vez mas frecuente en las consultas veterinarias

Otras preguntas relacionadas

40. ¿Cómo se hace una cuarentena en reptiles, cuánto ha de durar y qué hemos de hacer durante ese tiempo?

44. ¿Cuánto tiempo tarda en adaptarse un reptil a las nuevas condiciones desde el momento de su compra? ¿Hemos de mimarlo mucho?

47. ¿Por qué comen piedras algunos reptiles?

55. ¿Es preferible un reptil tendente a la obesidad o bien tendente a la delgadez?

56. ¿Se puede alimentar a las serpientes con presa muerta, como trozos de carne o embutidos, aunque sean cazadoras de presa viva?

Pero sabemos que los reptiles aguantan mucho sin comer. En consecuencia, ¿cuándo debemos preocuparnos?

– Serpientes pitones (Boidos): anorexia superior a dos meses. Algunas especies pueden estar sin comer más de 10 meses sin repercusión en su estado de salud.

– Serpientes no pitones: anorexia superior a tres semanas.

– Tortugas: durante el invierno, en especies invernantes: anorexia superior a 6 meses.

– Durante el invierno, en especies no invernantes: anorexia superior a dos semanas.

– Lagartos insectívoros: anorexia superior a dos semanas.

– Lagartos carnívoros: anorexia superior a cuatro semanas.

– Lagartos herbívoros: anorexia superior a dos semanas.

– Cocodrilianos: anorexia superior a tres meses.

3) Enfermedades asintomáticas (el animal muere sin apenas síntomas): adenovirus de las serpientes, paramixovirus de las serpientes, endoparásitos (gusanos planos y redondos), desórdenes hepáticos (metamorfosis de la grasa hepática), cáncer de cualquier tipo, desórdenes renales (nefritis crónica).

4) Enfermedades de difícil diagnóstico y tratamiento (vale la pena diagnosticarlas en fases precoces): gastroenteritis, salmonelosis, problemas comportamentales o enfermedad renal.

Sitios web de interés

www.exoticpets.about.com/od/reptilehealth

www.vetark.co.uk/Resources

Bibliografía

Rosskopf, W. J. & Shindo, M. K. (2003). Syndromes and conditions of commonly kept tortoise and turtle species. *Seminars in Avian and Exotic Pet Medicine* 12: 149-161.

Stahl, S. J. (2003). Pet lizard conditions and syndromes. *Seminars in Avian and Exotic Pet Medicine* 12: 162-182.

83. ¿Existe el cáncer en los reptiles? ¿Cómo se diagnostica y cómo se distingue de otras enfermedades?

Las neoplasias (el comúnmente llamado cáncer) en reptiles son entidades clínicas de poca frecuencia de aparición. La clasificación de dichas neoplasias o tumores obedece a criterios de comportamiento (de malignidad) y de características de los tejidos afectados, de modo parecido al que existe en clínica de pequeños animales.

Las causas de los tumores son muy diversas y se han podido comprobar tumores creados por efectos medioambentales (temperatura como factor predisponente de ciertos virus generadores de cáncer, luz, etc.), contaminantes del tipo hidrocarburos policíclicos (especialmente importante en quelonios acuáticos), etc.

También los factores inmunológicos se han visto implicados en la aparición de neoplasias. Muchas neoplasias descritas proceden de reptiles mantenidos en colecciones zoológicas con gran afluencia de público y situaciones estresantes muy duraderas. Se ha observado que bajo estas condiciones los cocodrilianos (que son muy longevos y necesitan un área vital mayor durante toda su vida) están más predispuestos a sufrir crecimientos tumorales que en condiciones naturales.

Asimismo, los virus de tipo DNA o RNA también se han demostrado importantes causantes de distintos tipos de cáncer, tanto en pruebas de laboratorio como en el diagnóstico clínico de enfermedades. En este tipo de crecimientos neoplásicos también tiene un importante papel el estado inmunitario del animal afectado.

Los parásitos se han visto como factores predisponentes en algunas neoplasias en reptiles, como los fibropapilomas en tortugas marinas (*Chelonia mydas*) con intensa parasitación de tremátodos. Finalmente, cabe destacar que en la aparición de tumores son muy importantes los agentes físicos como plásticos, radiaciones o traumatismos continuados en una misma área anatómica, que, al igual que originan estas enfermedades en animales homeotermos, son factores etiológicos de importancia en reptiles.

En definitiva, los reptiles son vulnerables al cáncer al igual que cualquier ser vivo. Pero lo más curioso resulta en su baja presencia. En efecto, de entre los animales exóticos que se presentan en las consultas, los reptiles son los que menos probabilidades tienen de sufrir algún tipo de cáncer.

Las aves y los mamíferos son pacientes con muchísimas posibilidades de sufrir cáncer a lo largo de su vida, maligno o benigno. Sin embargo, en

289

los reptiles el diagnóstico de cáncer es absolutamente anecdótico (cerca de 10 casos al año en las mejores clínicas y centros de investigación) y, además, casi siempre es benigno. Tanto es así, que algunas enfermedades que normalmente se diagnostican como cáncer en animales, en reptiles se han de reconsiderar. Por ejemplo, ciertos crecimientos de piel proliferativos, ciertos crecimientos de hueso fuera de lo normal e incluso observaciones con microscopio de células en multiplicación excesiva (mitosis) responden en reptiles a enfermedades carenciales, metabólicas o inflamatorias, pero nunca a neoplasias. Puede que las causas sean la baja actividad metabólica de este grupo animal. De todos modos, aún queda mucho por investigar al respecto.

¿Puede tratarse el cáncer en reptiles?

El tratamiento depende sobre todo de factores como la edad, la especie afectada, la condición física, los tipos de neoplasias, el sistema u órgano afectado y, sobre todo, el coste de la terapia que se emplee.

Si el tejido neoplásico es maligno y tiene metástasis en estructuras vitales o está localizado en un lugar inaccesible, el pronóstico es desfavorable y en muchos casos se práctica una terapia paliativa (analgésicos, antiinflamatorios...) o eutanasia en casos avanzados.

La quimioterapia o técnicas por irradiación practicadas en medicina humana y veterinaria de perros y gatos no está suficientemente comprobada en los reptiles. En este nivel se está en una fase absolutamente experimental. Muchos tumores son diagnosticados postmortem y sólo unos pocos corresponden a análisis realizados con biopsias o muestras hemáticas. Hasta ahora sólo los crecimientos neoplásicos de solución quirúrgica han podido ser tratados con cierto éxito.

Tumores más comunes

Papilomas o pólipos

Se han descrito papilomatosis epidémicas en tortugas marinas (*Chelonia mydas*) achacables a infestación parasitaria. En algunos saurios, la papilomatosis cutánea se ha asociado a agentes víricos. Según nuestra experiencia, los crecimientos papilomato-

---

Otras preguntas relacionadas

40. ¿Cómo se hace una cuarentena en reptiles, cuánto ha de durar y qué hemos de hacer durante ese tiempo?

82. ¿Cuáles son los principales síntomas de enfermedad en los reptiles?

Papilomas en un lagarto verde *(Lacerta bilineata)*, un cáncer benigno de origen probablemente vírico

Neoplasia maligna en la glándula adrenal y el testículo, un cáncer que acabó con la vida de la tortuga

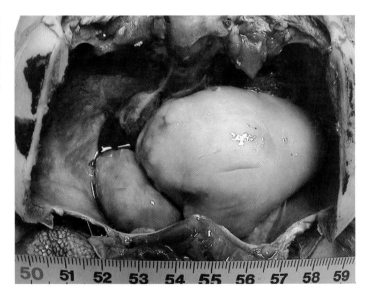

sos dérmicos son más frecuentes que las otras neoplasias. No suelen repercutir en la salud del animal y su extracción quirúrgica recidiva al poco tiempo si no se practican técnicas de criocirugía, igneocirugía o se retira todo el tejido circundante al tumor.

Tumores conjuntivos benignos

Se han señalado multitud de neoplasias de esta naturaleza; así pues, en saurios se han visto osteofibromas y osteomas, en ofidios fibromas y en quelonios también fibromas. La proliferación neoplásica de tejido fibroso es una de las más diagnosticadas. El diagnóstico, basado en el estudio microscópico de biopsias, servirá para descartar la malignidad del caso.

Tumores de la sangre

En quelonios se han descrito distintos tipos de leucemia. En saurios y cocodrilianos se han observado linfosarcomas, leucemia en camaleones y en ofidios se han visto leucemias, leucosis linfoide o linfosarcomas. Todas las células sanguíneas han sido afectadas en alguna especie por algún tipo de crecimiento neoplásico. La gran mayoría de estudios están hechos a partir de necropsias y algunos son diagnosticados a partir de controles hematológicos, aunque en muchos casos acaban muriendo.

Como puede suponerse del texto anterior, el diagnóstico de esta enfermedad se hace siempre a partir de la toma de muestras (con el animal vivo o muerto) y analizándolas adecuadamente. El aspecto externo es insuficiente para saber si un bulto es o no es cáncer.

Sitios web de interés

www.drgecko.com/neoplasia.htm
www.ivis.org/proceedings/ACVP
www.vet.uga.edu/ivcvm/2000/Oros2/-oros2.htm

Bibliografía

Hernández-Divers, S. & Garner, M. (2003). Neoplasia on reptiles with an emphasis on lizards. *The Veterinary Clinics of North America: exotic animal practice.* 6: 251-273.

Molina, R., Grífols, J., Martínez Silvestre, A., & Padrós, F. (2002). *Memorix. Medicina de Animales Exóticos.* (1ª ed.). Barcelona: Grass Ediciones.

Reavill, D. (2002). Multiple cutaneous liposarcomas in a red-tailed boa, *Boa constrictor*, and chameleon. *Proceedings Association of Reptilian and Amphibian veterinarians* 9: 5-6.

Tocidlowski, M. E., McNamara, P. L., & Wojcieszyn, J. W. (2001). Myelogenous leukemia ina bearded dragon (*Acanthodracco vitticeps*). *J. Zoo Wild. Med.* 32(01): 90-95.

84. ¿Cómo saber si una tortuga tiene una enfermedad grave o no cuando moquea y hace ruidos al respirar?

Si existe una enfermedad realmente clásica de las tortugas terrestres es la rinitis. El síntoma principal es tipo «resfriado», con exteriorización de moco por las coanas, abatimiento y anorexia. La tortuga está débil y emite silbiditos y ruidos cuando está relajada. En fases tardías, aparece una infección de nariz y boca, con placas de pus en la lengua y laringe. Se trata de la «rinitis de las tortugas de tierra».

De todos modos, hablar de la rinitis es muy inespecífico, y por tanto no podemos hablar de un «tratamiento efectivo hacia la rinitis».

Existen 6 tipos de rinitis en tortugas, a saber: rinitis alérgica, rinitis secundaria a sinusitis, rinitis bacteriana simple, rinitis por micoplasmas, rinitis por clamidias y rinitis vírica. Normalmente, cuando nos referimos a la rinitis crónica estamos refiriéndonos a la rinitis asociada a una ma-

yor mortalidad y probablemente de etiología vírica. Cada una de ellas tiene su tratamiento. Algunas son realmente mortales, otras se curan solas, sin hacer nada. Pero, antes de profundizar en su diagnóstico, conozcamos como empezó el pánico a la rinitis de las tortugas:

Un poco de historia

Las primeras observaciones de rinitis crónica en España corresponden a finales de los 80 y principios de los 90, cuando en el centro de Recuperación de El Valle (Murcia) se localizaron animales enfermos que morían rápidamente y se aislaron algunos virus del hígado de animales muertos que

Tortuga moqueando con evidentes síntomas de rinitis

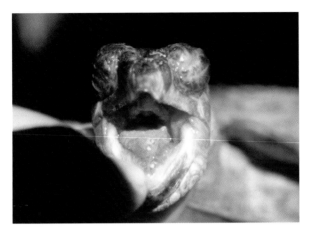

Tortuga en estado terminal. El moqueo se complica con afectación de la boca

eran compatibles con herpesvirus. Paralelamente, en la SOPTOM (Francia) y en el CARAPAX (Italia) se daba una gran mortalidad de la especie *Testudo graeca* (tortuga mora) y parecía que algunas *Testudo hermanni* (tortuga mediterránea) también estaban afectadas. Un par de años más tarde, se recibieron los primeros casos intratables de rinitis en el CRARC. Los animales, aislados de los demás animales del centro de recuperación, empezaron a ser sometidos a pruebas y análisis para determinar la causa y posible tratamiento de su enfermedad. Las tortugas muestreadas procedían de otros centros de Cataluña, GREFA (Madrid) y ANSE (Murcia). Todas ellas tenían la enfermedad de un modo crónico y los tratamientos antibióticos eran inútiles. Se tuvieron que enviar muestras a Alemania y EE UU para asegurar la naturaleza vírica de la epidemia. Por aquellas épocas se celebro en Francia el Primer Congreso Internacional de Patología de los Quelonios. En él se presento una terapia antiparasitaria que parecía immunoestimular las tortugas y poder así hacer frente a la enfermedad. Después de aplicar en varias ocasiones esta pauta, los resultados no fueron los esperados y se desestimó la idea. Tres años más tarde, en otro Congreso Internacional sobre Conservación de los Quelonios, tuvimos la ocasión de preguntar al dr. E. R. Jacobson (Florida, EE UU) sobre la efectividad de los immunoestimulantes. Su opinión se decantó a una inmunoestimulacion térmica y nos constató la poca efectividad demostrada que tienen estos fármacos en reptiles. Particularmente, el dr. Jacobson se mantenía a la expectativa sobre la presencia o no de herpesvirus en tortugas, puesto que en las tortugas terrestres americanas (*Gopherus* spp.), la principal causa de mortalidad por enfermedad respiratoria eran los micoplasmas (*Mycoplasma agasizii*). En este mismo congreso se presentaron datos que parecían confirmar la presencia de herpesvirus en las tortugas afectadas. En los últimos dos años, en efecto, se han aislado partículas virales del tipo herpes procedentes de tortugas con la enfermedad cronificada, dato que ya se ha publicado en varias revistas científicas por distintos autores españoles, todos coincidiendo casi en los mismos datos. Incluso se han detectado la presencia de un segundo grupo de virus acompañantes que aún no se conoce la función que tienen en el desarrollo de la enfermedad. Actualmente se está intentando describir la presencia de los distintos tipos de virus, intentar establecer la respuesta inmunológica de la tortuga frente a la infección (serología) y desarrollar técnicas de detección del agente viral en tejidos de animales afectados.

Ante tal dificultad diagnóstica es difícil saber si una tortuga que moquea tiene un sencillo resfriado que curará solo en pocos días o un virus letal que la matará en pocas semanas.

¿Qué hacer entonces?

Una vez descartada la neumonía (mediante radiografías normalmente), la opción diagnóstica más completa es tremendamente compleja y cara: análisis citológicos, test de detección de an-

ticuerpos en la sangre de la tortuga, microscopia electrónica, cultivo de los virus y un largo etcétera.

Estos diagnósticos se circunscriben actualmente a universidades y centros de investigación. Sin embargo, cuando un propietario desea saber si su tortuga tendrá curación o no, el único modo es el de «diagnóstico por respuesta al tratamiento». El método es complejo y se desglosa seguidamente:

Opción A

Animal sin placas purulentas en boca y que come diariamente. De este modo, tratamos las posibles rinitis por falta de vitaminas, bacteriana, estacional o por micoplasmas.

1) Incrementar la temperatura ambiental. Estabilizar humedad y calor. Así se consigue combatir la rinitis por cambios de temperatura.

2) Administrar vitamina A. Así combatimos la principal causa predisponente a la debilidad de las mucosas nasales.

3) Desparasitar la tortuga. Con ello se consigue disminuir la carga parasitaria y estimular las defensas del animal.

4) Tratar con antibióticos de amplio espectro de dos modos:

4.1) Inyección de antibióticos que cubren un amplio número de agentes patógenos (desde bacterias hasta micoplasmas).

295

Otras preguntas relacionadas

52. ¿Cuáles son los mejores y los peores alimentos para las tortugas de agua, las iguanas y las tortugas de tierra?

82. ¿Cuáles son los principales síntomas de enfermedad en los reptiles?

83. ¿Existe el cáncer en los reptiles? ¿Cómo se diagnostica y cómo se distingue de otras enfermedades?

4.2) Instilación nasal de colirios con antibióticos. Se administran gotas de colirio en el interior de la nariz cuando la tortuga inspira aire.

Opción B

Animal con placas purulentas en boca o anorexia prolongada. De este modo, tratamos las posibles rinitis por virus.

A los tratamientos anteriormente citados se añaden:

5) Instalación quirúrgica de una sonda fija esofágica que permita realizar una alimentación forzada durante cerca de dos meses.

6) Administración de alimento por sonda.

7) Desinfección regular de la boca con el mismo colirio del punto 4.2 o enjuagues bucales desinfectantes.

8) Aplicación de antivirales por la sonda durante dos semanas.

9) Aplicación de fluidos (sueros) intracelómicos durante todo el período de tratamiento.

Gracias a todo ello, la mayoría de las tortugas moqueantes se curan antes de llegar a la terapia número 5. Las que han de pasar esta etapa, tienen una mortalidad del 50 al 70%, dependiendo de si llegamos a tiempo y de la efectividad de los fármacos aplicados. Hoy por hoy, no hay un tratamiento milagroso para esta enfermedad en casos avanzados.

Sitios web de interés

www.tortoise.org/general/vet-chat.html

Bibliografía

Martínez Silvestre, A., Mateu, E., Ramis, A. & Majó, N. (1999). Etiología y descripción clínica de la rinitis crónica en tortuga mora *(Testudo graeca)*. *Rev. Esp. Herp.* 13: 27-37.

Martínez Silvestre, A., Ramis, A., Majó, N., Soler Massana, J., Marschang, R. E. & Origgi, F. (2001). Analyse virale dans un cas de rhinite chronique chez une tortue mauresque *(Testudo graeca)* en captivité. *International Congress on Testudo Genus* 3: 29.

Origgi, F. C. & Jacobson, E. R. (2000). Diseases of the respiratory tract of chelonians. *Veterinary Clinics of North America: Exotic animal practice.* 3(2): 537-550.

85. ¿Cómo afecta la *Salmonella* a los reptiles? ¿Pueden transmitirla a las personas?

Es siempre importante que el manipulador se familiarice con las enfermedades que pueden contraerse a partir del trato con los reptiles. La más conocida por lo común que son los reptiles portadores es la salmonelosis. La enfermedad está causada por una bacteria que se transmite a partir del manejo de galápagos (principalmente las tortugas de orejas rojas, *Trachemys scripta elegans*) o iguanas, si bien se ha publicado que cualquier manipulación poco higiénica con cualquier reptil puede ser la causa de transmisión. Aunque la gran mayoría de estas especies tienen a las bacterias en su aparato digestivo como flora normal y no patógena, bajo determinadas condiciones pueden eliminarlas de forma patógena para el hombre.

La deshidratación, malnutrición y lugar inadecuado de cautividad incrementan en un 90% la mortalidad juvenil de tortuga de Florida *(Trachemys scripta)*, así como predisponen a infecciones bacterianas y a la eliminación de agentes zoonóticos como *Salmonella*. En los animales que cursan la enfermedad no se da una sintomatología específica de la misma y sólo un cultivo bacteriano selectivo puede asegurar la causa.

Pueden observarse abscesos subcutáneos o debilidad de masas musculares. Las lesiones internas son también variables. En el hígado puede darse el cuadro característico de múltiples focos necróticos difusos, friabilidad e hipertrofia. Las lesiones pulmonares granulomatosas también se observan con frecuencia. No son extrañas diarreas muy líquidas e incluso estomatitis y presencia de saliva con sangre por la boca. Se transmite entre reptiles de modo horizontal (por contacto directo, ingestión de heces, etc.) y vertical (por contaminación del huevo y afectación del embrión).

Los ofidios y quelonios soportan bien estas infecciones. El diagnóstico realizado a partir de cultivos microbiológicos de muestras de necropsia sólo es útil en la prevención de esta enfermedad en grupos zoológicos muy poblados. Individualmente no suelen hacerse cultivos in vivo. El diagnóstico es muy difícil debido a que no se considera una tortuga negativa a *Salmonella* hasta que no han dado negativos tres exámenes consecutivos separados una semana cada uno.

Los niños son las principales víctimas puesto que el manejo sin precauciones higiénicas de quelonios y ofidios comporta la posibilidad de contraer esta enfermedad. La mayoría de casos están descritos en EE UU y Gran Bretaña. En EE UU la incidencia de salmonelosis humanas causadas por la manipulación de tortugas es de un 18% a un 24% según regiones. En Europa no existen demasiados estudios pormenorizados sobre este tema aunque parece ser que no se da con demasiada frecuencia. Esta enfermedad se ha observado en otros continentes como consecuencia de la ingestión de agua donde viven estos animales o por la ingestión de los mismos, principalmente algunos lacértidos y camaleónidos africanos y asiáticos. La reglamentación del comercio interior y de la importación de reptiles exóticos en estos países es cada vez más estricta en lo referente a zoonosis. Se realizan numerosas campañas informativas en medios de difusión a fin de evitar este importante foco de enfermedad.

Tomando una muestra de heces de una pitón albina para cultivo preventivo de *Salmonella*

Aspecto de la boca de un varano afectado de salmonelosis

Otras enfermedades transmisibles o zoonosis son la micobacteriosis (causada por el mismo agente que la tuberculosis humana, pero de menor patogenicidad) que en la especie humana provoca lesiones cutáneas y en los reptiles suele provocar la muerte. Existen otras bacterias y agentes patógenos como *Pseudomonas*, *Edwarsiella*, *Serratia* o ciertos hongos y parásitos, pero la probabilidad de que se transmitan al hombre y provoquen una enfermedad es muy baja. Por otro lado, la mayoría de parásitos internos que observaremos en nuestras tortugas no se transmiten al hombre ni a los animales domésticos, aunque sí son altamente transmisibles entre reptiles.

Las precauciones necesarias para evitar un contagio de estas enfermedades son las siguientes:

– Procurar un estado de salud óptimo en los reptiles cautivos.

– Higiene estricta en los lugares donde viven así como del manipulador del animal (higiene personal siempre que se ha manejado un reptil).

Otras preguntas relacionadas

45. ¿Qué precauciones han de tener los niños que tienen reptiles como mascotas?

81. ¿Hemos de acudir al veterinario con nuestros reptiles únicamente cuando surjan anomalías o hemos de seguir un plan de medicina preventiva, lo mismo que con otras mascotas, como perros o gatos?

86. ¿Cómo descubrir y tratar los parásitos externos (garrapatas y ácaros) e internos (lombrices, gusanos y tenias) en las tortugas y otros reptiles? ¿Los transmiten a las personas?

87. ¿Cómo son las heces normales y anormales de los diferentes grupos de reptiles?

– Evitar el contacto de personas inmunodeprimidas (con tratamiento por transplantes, enfermos de SIDA e incluso gripe, personas a las que se les ha extirpado el bazo en algún momento de su vida, etc.), niños o ancianos con reptiles que se sospechen enfermos. Existen publicaciones donde se desaconseja que cualquier persona incluida en esta población de riesgo tenga un reptil como mascota.

– Desparasitar y realizar controles de salud rutinarios por veterinarios especializados.

Sitios web de interés

www.anapsid.org/mainzoonoses.html

www.exoticpetsvet.com/reptilemedical.html

www.vetmed.wisc.edu/pbs/zoonoses/GIk9fel/salmonella.html

Bibliografía

Bradley, T. & Angulo, F. J. (1998). *Salmonella* and reptiles: veterinary guidelines. *Bulletin of the Assotiation of Reptilian and Amphibian Veterinarians* 2: 14.

Martínez Silvestre, A., Soler Massana, J., & Medina, D. (2001). Hygiene and the prevention of zoonosis transmition from reptiles to humans. *Reptilia: The European Herp Magazine.* 15: 10-16.

Mermin, J., Hutwagner, L., Vugia, D., Shallow, S., Daily, P., Bender, J., Koehler, J., Marcus, R., & Angulo, F. J. (2004). Reptiles, Amphibians, and human salmonella infection: a population-based, case control study. *Clinical Infectious Diseases* 38: 253-261.

86. ¿Cómo descubrir y tratar los parásitos externos (garrapatas y ácaros) e internos (lombrices, gusanos y tenias) en las tortugas y otros reptiles? ¿Los transmiten a las personas?

Para responder a esta pregunta, vamos a simplificar la clasificación de los parásitos como externos (ectoparásitos) e internos (endoparásitos).

Ectoparásitos

Los ectoparásitos más frecuentes son los del grupo de los Artrópodos: las garrapatas y los ácaros.

– Garrapatas: Existen garrapatas que son especie-específicas y otras que no, por lo que pueden transmitirse entre distintos reptiles. En algunas especies, sólo las larvas o ninfas parasitan reptiles mientras que los estadios maduros infestan mamíferos.

Aspectos clínicos: La infestación masiva por garrapatas en reptiles puede ser fatal a causa de la grave anemia que puede provocar. Además, las zonas donde se insertan estos parásitos están casi siempre contaminadas con bacterias y se suelen convertir en abscesos subcutáneos. También se han señalado como transmisores de enfermedades víricas y protozoarias e incluso algún tipo de filaria en boas.

– Ácaros: la familia Ophioptidae son parásitos de las escamas en ofidios, y la familia Cloacaridae son parásitos de la cloaca de las tortugas. En esta última familia se ha sugerido la posibilidad de transmisión venérea entre quelonios (observada sobre todo en tortugas como *Chelidra serpentina* y *Chrysemis picta*).

– Insectos: Las principales especies que afectan a los reptiles pertenecen al orden Heteroptera y Diptera. Sin duda alguna, son los dípteros (las mos-

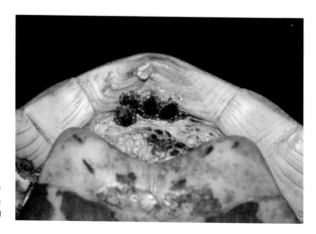

Garrapatas adheridas en la base de la cola de una tortuga mora *(Testudo graeca)*

301

cas y similares) los más frecuentemente observados como parásitos en la clínica de reptiles. La familia de los Phlebotomidae se alimenta en reptiles de numerosas especies y se ha descrito como transmisor en la naturaleza de *Leishmania, Trypanosoma* o *Bartonella*. Los culicidos (mosquitos) descritos en reptiles afectan principalmente a saurios y algunos son parásitos también de aves. Éstos también se han observado como vectores de *Haemogregarina, Plasmodium*, filarias o virus. La familia de los Calliphoridae donde se incluyen las moscas verdes y azules, es la causante de las miasis (larvas de mosca que invaden tejidos vivos) en reptiles. Afecta sobre todo a quelonios en las zonas de la cloaca, heridas y comisuras plastrales. Las moscas realizan la puesta en animales debilitados o hibernantes, general-

mente en heridas o en la cloaca. Aunque las miasis no parecen ser muy peligrosas, los recorridos larvarios se contaminan frecuentemente y este hecho sí que puede ser mortal para el animal.

Tratamiento: En ácaros e insectos se han utilizado insecticidas organofosforados. Se han de tratar también los terrarios durante 10 días.

En algunos productos, se puede impregnar al reptil directamente si la infestación es masiva. Sin embargo, algunos pueden resultar tóxicos para los reptiles si están expuestos mucho tiempo, comportando riesgo de parálisis.

Aunque las piretrinas no están muy documentadas en reptiles, en nuestra experiencia dan buenos resultados tanto en la profilaxis como en el tratamiento de ectoparásitos de serpientes.

Se han de eliminar todas las larvas de dípteros en las miasis, desinfectar con agua oxigenada y povidona yodada, asegurando una correcta cicatrización. Si la infestación ha sido profunda, instaurar una antibioterapia sistémica.

En caso de garrapatas, la extracción manual es de elección si no existe una infestación masiva. Debe desinfectarse el lugar afectado y evitar una infección secundaria. Asegurarse también de que la parte cefálica del parásito no queda en la piel del hospedador.

Otras preguntas relacionadas

40. ¿Cómo se hace una cuarentena en reptiles, cuánto ha de durar y qué hemos de hacer durante ese tiempo?

55. ¿Es preferible un reptil tendente a la obesidad o bien tendente a la delgadez?

85. ¿Cómo afecta la *Salmonella* a los reptiles? ¿Pueden transmitirla a las personas?

87. ¿Cómo son las heces normales y anormales de los diferentes grupos de reptiles?

Huevos de parásitos protozoos detectados mediante análisis microscópico en un camaleón del Yemen *(Ch. callyptractus)*

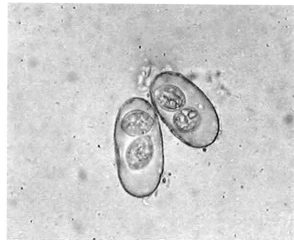

Endoparásitos

Protozoos

Aspectos clínicos: Sobre todo causantes de problemas intestinales, aunque también se dan más raramente como parásitos de la sangre o en riñones.

La amebiasis (amebas) digestiva cursa con una anorexia, pérdida de peso y apatía. Seguidamente, el animal sufre diarrea muy acuosa e incluso sanguinolenta y la muerte se da unas semanas después. Ante estos signos, deben realizarse controles coprológicos y efectuar un diagnóstico con microscopio óptico confirmando la existencia de *Entoameba invadens* (otras especies no son tan patógenas).

La coccidiosis intestinal cursa de modo muy parecido en serpientes. Existe pérdida de peso y diarrea. Las lesiones principales son destrucción de la mucosa y submucosa intestinal con componente hemorrágico sobre todo en el duodeno. Debe prestarse especial atención al agente Cryptosporidium, para lo cual se han de hacer unos análisis laboratoriales específicos.

La recolección de orina o heces es fundamental para visualizar los agentes causales con microscopio.

El tratamiento vía oral de antiparasitarios debe complementarse con aporte de nutrientes por sondaje. Si el animal está muy débil es aconsejable practicar una fluidoterapia y administración de complejo vitamínico. Son esenciales las medidas de higiene. Debe renovarse el agua con frecuencia puesto que es un reservorio importante de protozoos. Limpiar periódicamente los terrarios, eliminando excrementos y alimentos en descomposición. Ante la seguridad de tratar con animales afectados se han de usar guantes o lavarse antes de manipular otros animales no afectados.

Evitar el estrés y superpoblación. Desinfectar y desinsectar las instalaciones una o dos veces al año.

Platelmintos
(tenias y gusanos planos)

El número de especies de trematodos y cestodos descritos en reptiles es elevadísimo, aunque raramente ocasionan alguna patología en el hospedador. Sí que se ha comprobado que algunos parásitos originan lesiones renales y ureterales.

A simple vista se observan ocasionalmente estos parásitos en las heces, rotos formando cintas blanquecinas. Los reptiles parasitados por numerosas especies de cestodos (tenias) son tanto hospedadores definitivos como intermediarios. Dada la baja patogenicidad de muchas de las especies descritas, el tratamiento se realiza en el caso que se dé una sobreparasitación o esté comprometido el correcto estado inmunitario del hospedador.

Nematelmintos
(áscaris y gusanos redondos)

Los nematodos pueden encontrase parasitando no sólo el aparato digestivo, sino también la piel y el aparato respiratorio.

En el aparato digestivo los áscaris son responsables de destrucción de las mucosas, síndrome de malabsorción, disfunción intestinal, perforación, posibilidad de peritonitis (celiomitis) y también oclusión intestinal por sobreinfestación y más raramente toxicidad. Los parásitos internos comprometen el estado inmunitario del hospedador con lo que es recomendable desparasitarlo si tiene alguna enfermedad. La desparasitación efectiva puede realizarse con varios fármacos; en su mayoría no tienen efectos secundarios y se administran vía oral, mediante sondaje forzado del reptil.

Aunque no existe un gran riesgo de transmisión de parásitos de los reptiles a animales homeotermos en la mayoría de especies, se ha observado que en algunas especies hay posibilidad de zoonosis (transmisión a las personas).

Sitios web de interés

www.arav.org/Journals/JA016468.htm
www.icomm.ca/dragon/parasite.htm

Bibliografía

Brotons, N. & Martínez Silvestre, A. (2001). Enfermedades parasitarias. *Canis et Felis* 49: 59-68.

Frye, F. L. (1991). *Biomedical and Surgical Aspects of Captive Reptile Husbandry*. (2ª ed.). Malabar (Florida): Krieger Publishing.

Roca, V. & Carbonell, E. (1993). Los parásitos de anfibios y reptiles. *Bol. Asoc. Herp. esp.* 4: 30-34.

87. ¿Cómo son las heces normales y anormales de los diferentes grupos de reptiles?

Es lo que menos pensamos cuando adquirimos un reptil y lo instalamos en un terrario. De pronto, un día aparecen unos residuos blancos arenosos que nos alertan sobre su salud. ¿Son normales?

Los reptiles tienen un tipo de metabolismo ligeramente distinto de los mamíferos. En consecuencia, su digestión, aprovechamiento de los nutrientes y expulsión de los residuos es también distinto. Vamos a explicar sus deyecciones separando las heces de la orina de las distintas especies. Finalmente, explicaremos cuándo y cómo deben alarmarnos las deyecciones extrañas.

Las heces

La digestión de los reptiles varía según su especie y, sobre todo, en función de la temperatura ambiental. Es lenta y costosa, pero no por ello menos efectiva que la de los mamíferos. En las heces de los reptiles cazadores no deben observarse restos de la presa, puesto que ha de estar totalmente digerida. Si se ven restos del alimento tal y como entró por la boca, es significativo de que han sido mal digeridos o la temperatura era insuficiente.

Las tortugas de tierra tienen unas deyecciones de color marrón a negro, semiduras y con restos de vegetales y materiales de difícil digestión, como pequeñas ramas, en ocasiones celulosa u hojas duras. En el extremo tenemos a las tortugas gigante africanas que, cuando se alimentan de vegetales y no de pienso, sus deyecciones son tan fibrosas que recuerdan a las de un caballo.

Las tortugas de agua tienen una dieta más carnívora (peces y carne) y sus heces son de color claro, muy blandas y homogéneas. En su interior apenas se observa nada que recuerde su composición. Apenas pueden verse coberturas de quitina de invertebrados cuando se han alimentado de éstos.

Los cocodrilos y las serpientes constrictoras tienen unas heces similares a las de un perro. Su digestivo degrada absolutamente todos los huesos, piel, plumas, etc. de sus presas y las deyecciones son pastosas, duras o semiduras y marrones a negras. No se aprecia casi nunca la composición del contenido. Algunas serpientes pueden tener deyecciones con pelos de sus presas. Nunca han de ser claramente visibles y si lo son, puede ser indicativo de mala digestión o problemas de temperatura.

Los lagartos realizan unas deyecciones cilíndricas y pequeñas. Son de

Otras preguntas relacionadas

10. ¿Cómo es anatómicamente un reptil? ¿Cómo son sus vísceras y qué funciones tienen?

57. ¿Con qué frecuencia comen los reptiles? ¿Cómo se puede estimular el apetito a un reptil que no come?

86. ¿Cómo descubrir y tratar los parásitos externos (garrapatas y ácaros) e internos (lombrices, gusanos y tenias) en las tortugas y otros reptiles? ¿Los transmiten a las personas?

color marrones a negras y tienen abundantes porciones de su alimento: las iguanas tienen vegetales, los camaleones tienen alas de insectos, las agamas restos de pelos o elitros de escarabajos, etc.

La orina

No todos los reptiles orinan igual. Uno de los mecanismos de aprovechamiento del agua corporal es la concentración de la orina. Otro consiste en que el último resultado del metabolismo de las proteínas sea un compuesto insoluble: el ácido úrico. En consecuencia los reptiles de climas desérticos o con necesidad de aprovechar el agua tienen una orina que se divide en dos partes: una líquida y semitransparente y otra sólida, insoluble, de color blanco a amarillento y de consistencia arenosa, como si fuera un yeso de estucar paredes. En este grupo pondríamos a las tortugas de tierra, las serpientes constrictoras, los camaleones y un largo etcétera.

Otros reptiles, que están sobrados de agua, eliminan un compuesto más similar a la urea que se disuelve en el agua de su entorno. En éstos apenas se observa la orina junto a las heces. Hablamos de los cocodrilos, las tortugas de agua dulce o las marinas.

Algunas especies no tienen vejiga de la orina y ésta se almacena en la parte final del digestivo, eliminándose normalmente junto con las heces. Hablamos de los caimanes y cocodrilos, los varanos y las serpientes.

La mayoría de reptiles almacenan durante mucho tiempo sus deyecciones para no dejar rastros de su presencia. En ocasiones, cuando se sienten amenazados, temerosos o en peligro, sueltan de golpe todas las heces y orina que pueden para provocar repulsión y tener oportunidad de huir. En las consultas veterinarias suele aparecer este comportamiento ante la manipulación.

Mitos y leyendas

Las serpientes NO regurgitan el pelo de sus presas cuando ya se las han tragado. Cualquier regurgitado ha de ser considerado como un posible vómito y, consecuentemente, es anormal.

Síntomas de alarma:

– Heces manchadas de color verde. Problemas hepáticos. Mala digestión.

– Heces manchadas de color rojo. Problemas intestinales. Hemorragias. Parasitismo.

– Heces manchadas de color amarillo y malolientes. Temperaturas inadecuadas. Problemas hepáticos. Parasitismo.

– Heces manchadas de color negro brillante y malolientes. Hemorragias en estómago. Problemas intestinales.

– Heces acuosas, excesivamente líquidas y fluidas. Diarreas, mala digestión, temperaturas inadecuadas.

Sitios web de interés

www.grad.bio.uci.edu/ecoevo/ebritt/garter.html

www.tortoisetrust.org/articles/epedemic.html

Bibliografía

Cray, C. & Zaias, J. (2004). Laboratory procedures. *Veterinary Clinics of North America: Exotic Animal Practice* 7: 518.

Martínez Silvestre, A. (1994). *Manual clínico de Reptiles*. (1ª ed.). Barcelona: Grass Ediciones.

Redrobe, S. & MacDonald, J. (1999). Sample collection and clinical pathology of reptiles. *Veterinary Clinics of North America: Exotic Animal Practice* 2(3): 709-730.

Heces de un lagarto sano, consistentes, marronáceas y con una pequeña porción blanca

88. ¿Qué debe hacerse cuando en una colección de reptiles, uno de ellos enferma o se muere?

Ante todo, debe separarse del grupo donde residía. Además, lo introduciremos en un terrario distinto al que llamaremos terrario de hospitalización.

Este terrario ha de tener las siguientes características:

1) Aireado. Bien oxigenado, sin que se acumulen gases o ambiente cargado.

2) Limpio. Sin muchos adornos o sustratos donde se acumule la suciedad.

3) Fácil de limpiar. El sustrato ideal en estas circunstancias es el papel absorbente o bien papel de periódico.

4) Caliente. Se ha de estimular térmicamente al reptil enfermo.

5) Fácil de desinfectar. Que la desinfección no sea un engorro. Que puedan eliminarse todos los adornos y limpiar el terrario con sustancias adecuadas cada vez que se cambia de paciente.

6) Barato. La mejor desinfección es la sustitución. Si decidimos sustituir el terrario cada tres o cuatro pacientes infecciosos, el precio del mismo no ha de suponer un obstáculo.

7) Con accesos a aparataje clínico. Focos de calor, tubos de suero, vaporizadores... Todos estos aparatos han de poder instalarse y desinstalarse con facilidad en el terrario. Por ello es mejor que tenga unas entradas u orificios adecuados para ello.

8) Antiestrés. Con un refugio sencillo para que el animal se esconda si lo desea y, ante todo, que esté en un lugar donde reine el silencio. Como alternativa, y a fin de que los reptiles no se sobresalten cuando alguien abre la puerta, se ha probado a instalar en las salas donde hay estos terrarios, altavoces con ruidos de naturaleza, cantos de aves, etc. Los resultados suelen ser satisfactorios en reptiles que han de estar muchas semanas hospitalizados.

9) Identificación. Con una etiqueta o un porta-carteles que permita dis-

Otras preguntas relacionadas

62. ¿Cómo se combaten la agresividad y la territorialidad en las iguanas? ¿La castración puede solucionarlas?

63. ¿Se han de tener varios ejemplares en un terrario para que no se sientan solos? ¿Existen técnicas de enriquecimiento ambiental aplicables a los reptiles?

89. ¿Cuál es el sistema mejor y más humanitario para realizar la eutanasia a reptiles enfermos terminales?

Tortuga hospitalizada, con una sonda esofágica, calor y condiciones asépticas

tinguir el número e historial del paciente. Esto es especialmente importante en áreas de hospitalización donde hay muchos reptiles enfermos.

10) Tamaño adecuado. No todos los reptiles son iguales o necesitan el mismo espacio para ser hospitalizados. En consecuencia es aconsejable tener dos o tres terrarios de hospitali-zación de distintos tamaños y alturas si se prevé que van a entrar pacientes muy dispares. Un terrario pequeño sería de 50 x 40 x 40 cm. Un terrario grande sería de 150 x 70 x 70 cm. Entre estos dos tamaños caben la mayoría de especies exóticas comercializadas. Consideramos que cocodrilos adultos, serpientes constrictoras

309

superiores a los 5 m o reptiles gigantes no son especies comunes como mascotas.

Una vez instalado, debe procurarse una fácil alimentación y empezar el proceso diagnóstico, para lo cual deberemos ponernos en contacto con un veterinario de confianza. Lo mejor es un veterinario que se dedique a animales exóticos con experiencia contrastada. Él decidirá qué pruebas serán necesarias y cuál será el tratamiento adecuado. También nos asesorará sobre el tratamiento y cómo administrarlo. Muchos propietarios son capaces de inyectar a su mascota los medicamentos prescritos. Si eso no es posible, la hospitalización puede hacerse en la clínica veterinaria de confianza.

Si el reptil muere, deberá realizarse una necropsia lo más rápidamente posible. Esta necropsia debería hacerla un veterinario experimentado, puesto que muchas lesiones pasan desapercibidas en ojos de propietarios que hacen su primera o segunda necropsia. Si finalmente la realiza el propietario, es muy importante que pueda sacar fotos digitales de la necropsia y poner las principales vísceras del reptil en alcohol o formol. Estas pruebas pueden remitirse al veterinario y él podrá realizar las pruebas pertinentes para conocer la causa de muerte del reptil y prevenir que mueran otros del mismo modo.

La realización de estudios en los reptiles muertos nos servirá para evitar la repetición del desastre y aplicar las medidas preventivas oportunas.

Sitios web de interés

www.icomm.ca/dragon/hydrate.htm
www.icomm.ca/dragon/quarantine.htm

Bibliografía

Bolon, B. (1998). Necropsy (postmortem examination). In: Ackerman, L. (Ed.). *The biology, husbandry and health care of reptiles*. New Jersey: TFH, 858-870.

Martínez Silvestre, A. (2003). *Enfermedades de los reptiles*. (1ª ed.). Barcelona: Reptilia Ediciones.

Martínez Silvestre, A. & Ramis, A. (2001). Anatomía patológica macroscópica en reptiles. *Canis et Felis* 49: 69-82.

89. ¿Cuál es el sistema mejor y más humanitario para realizar la eutanasia a reptiles enfermos terminales?

El concepto de eutanasia se aplica al hecho de provocar una muerte digna y respetuosa a las personas. Cuando se aplica a los animales, el mejor vocablo sería «sacrificio». Sin embargo, la continua antropomorfización, a veces inevitable, de los animales que nos rodean, hace que sea la palabra eutanasia la que es más comúnmente usada y, en consecuencia, la que utilizaremos en este texto.

Las técnicas para la eutanasia de reptiles han sido muy variadas. Hoy en día tan sólo se considera aceptada por los comités de ética y respeto a la vida animal la muerte provocada por sobredosis de anestesia. Vamos a comentar las principales detalladamente:

– Decapitación: Usada en multitud de trabajos científicos muy antiguos, en los que el único método de recolectar sangre en especies de pequeño tamaño era mediante decapitación. Eran estudios basados en la descripción de caracteres genéticos, hormonales, etc., donde no se valoraba la vida de los animales, sino los resultados finales de la experiencia. Posteriormente, se ha venido usando en entidades que desconocían otras posibilidades de sacrificio en tortugas. El sistema mediante «guillotina» es tremendamente aparatoso, doloroso, lento y cierta-

mente cavernícola. Hoy en día está totalmente desaconsejado, ni como sistema científico.

– Desangrado: Parecido al anterior pero sin llegar a decapitar. Se trata de seccionar las principales venas y arterias del animal (normalmente yugular, carótidas e incluso arcos aórticos) para conseguir su desangrado. Es también doloroso y lento. Necesita una fuerte inmovilización del reptil, por lo que éste tiene un fuerte estrés antes de morir. Tampoco se considera un sistema válido en la actualidad.

– Congelación: Quizá uno de los más utilizados. Se trata de colocar al reptil en el congelador y esperar a que se muera por congelación. Evidentemente es el sistema en el que el «ver-

Otras preguntas relacionadas

83. ¿Existe el cáncer en los reptiles? ¿Cómo se diagnostica y cómo se distingue de otras enfermedades?

88. ¿Qué debe hacerse cuando en una colección de reptiles, uno de ellos enferma o se muere?

100. ¿Hay centros de acogida o sociedades protectoras de reptiles a los que dirigirnos si deseamos entregar uno?

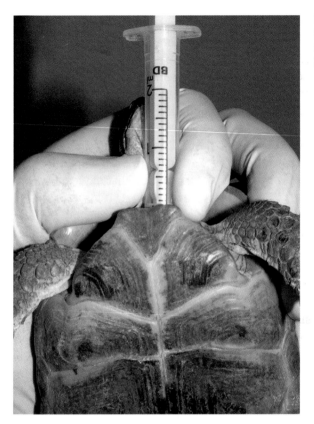

Inyección intracardíaca en una tortuga, técnica aconsejada solamente en caso de eutanasia y tras una sedación previa

– Ahogo: Se ha usado el ahogo en atmósfera rica en CO o bien sumergiendo al animal bajo el agua. Este sistema tampoco se aconseja en reptiles, puesto que son los reyes de la apnea voluntaria. Al notar que las condiciones se hacen irrespirables, el animal deja de respirar. Algunos pueden estar incluso horas en este estado. Nuevamente, la agonía se hace eterna, alejándonos de los parámetros humanitarios requeridos.

dugo» menos participa en la muerte del animal, por lo que tiene un muy bajo componente emocional. Quizá por ello se ha usado y se sigue usando con asiduidad. El reptil aparentemente no sufre. Sin embargo, la muerte por congelación es lenta, no indolora (el frío no produce analgesia suficiente) y, para colmo, algunos reptiles toleran fríos extremos sin llegar a morir, con lo que la agonía se eterniza.

– Legrado cerebral: En algunas bibliografías se recomienda provocar la muerte cerebral físicamente (con un hierro introducido en el encéfalo) o químicamente (mediante sustancias irritantes), siempre y cuando el animal ya esté profundamente anestesiado antes. Este método puede evitarse si el anestésico tiene suficiente potencia como para provocar la muerte al animal.

– Sobredosis de anestesia: Es el mejor, más recomendado por los profesionales y más humanitario sistema de eutanasia. Se trata de inyectar un agente profundamente anestésico (normalmente el tiopental sódico, un potente barbitúrico) intravenoso. Ha de inyectarse en un lugar que rápidamente difunda hacia el cerebro, en el cual se produce la muerte cerebral con suma rapidez y sin dolor. Los sitios de punción aconsejados son el plexo occipital (no necesita tranquilización previa) y la inyección intracardíaca (necesita tranquilización previa). Mediante ambos sistemas la muerte se produce en menos de 5 minutos.

Sitios web de interés

www.anapsid.org/euth.html
www.anapsid.org/iguana/hypothermia.html
www.bvzs.org/euthansiaguidelinesreptiles.htm

Bibliografía

Forrest, L. (1998). Humane euthanasia. In: Ackerman, L. (Ed.). *The biology, husnandry and health care of reptiles.* New Jersey: TFH, 871-875.

Martínez Silvestre, A., Perpiñán, D., Marco, I., & Lavin, S. (2002). Venipuncture technique of the occipital venous sinus in freshwater aquatic turtles. *J. Herpet. Med. Surg.* 12: 31-33.

Pizzi, R. & McArthur, S. (2004). Euthanasia technique for chelonians. *Veterinary Record* may 8: 607-608.

90. ¿Puede considerarse a los reptiles animales domésticos?

Contestar con un sí o un no a esta pregunta sería demasiado fácil y creemos que la respuesta afirmativa o negativa es importante matizarla.

Si nos atenemos a la definición que un diccionario nos proporciona, leeremos la siguiente descripción de doméstico cuando este adjetivo hace referencia a un animal: «Dicho del animal que vive al lado del hombre, que se cría en casa (en oposición al que se cría en el bosque). Los perros y los gatos son animales domésticos». La propuesta del diccionario es tan amplia y ambigua que prácticamente todos los seres vivos podrían incluirse en esta definición de animal doméstico.

Cuando se redactó la descripción, no existía aún de forma generalizada la afición de mantener animales salvajes en cautividad y mucho menos reptiles. Esta conducta social de interacción con la fauna silvestre en un hábitat humano es relativamente reciente. El estudio y mantenimiento de una pequeña porción de vida selvática o desértica en un apartamento encajaría en la descripción académica de animal doméstico, ya que tiene lugar junto al ser humano.

Si analizamos qué significa domesticar un animal, entenderemos que los reptiles deben ser considerados fauna salvaje, aun viviendo junto al ser humano, y que a lo sumo podremos definirlos como mascotas, siendo algunas especies más susceptibles de ser domadas o acostumbradas al trato con humanos.

Cuando el hombre en los albores de su existencia dejó de ser un nómada cazador-recolector (Paleolítico) y dio sus primeros pasos en el dominio de espe-

Otras preguntas relacionadas

81. ¿Hemos de acudir al veterinario con nuestros reptiles únicamente cuando surjan anomalías o hemos de seguir un plan de medicina preventiva, lo mismo que con otras mascotas, como perros o gatos?
94. ¿Qué preguntas básicas hemos de hacernos antes de comprar un reptil?

cies vegetales y animales (Neolítico), algo cambió. Empezó a asentarse en el territorio porque su trabajo producía un excedente que le permitía vivir todo el año en el mismo lugar. Fue el resultado de practicar una agricultura incipiente y, en el caso que nos ocupa, de una primeriza ganadería, al domesticar especies de fauna salvaje. Primero los lobos le acompañaron en sus cacerías. Su paulatina selección de caracteres más fieles y menos agresivos, más cariñosos y eternamente cachorros, llevaron a la selección del perro. Cerdos, caballos, vacas, conejos y una reata de animales igual de populares actualmente para el ser humano tuvieron sus orígenes en

especies salvajes, como el jabalí, el uro o el caballo salvaje.

Llegar a la domesticidad de un animal salvaje implicará la ejecución de un largo proceso de selección en la cría.

Muchas especies silvestres han sido domadas (acostumbradas a vivir en cautividad) y no domesticadas (seleccionadas intencionadamente); por ejemplo, osos, leones o águilas. El contacto de estas formas de vida desde muy corta edad con el hombre ha establecido una desviación de su conducta natural y una asimilación de patrones conductuales próximos a nuestra forma de ser: decimos de la dependencia de un animal salvaje del ser humano, que éste se

Culebra bastarda joven, claro ejemplo de reptil salvaje no domado

Cría de dragón barbudo australiano nacida en cautividad, claro ejemplo de reptil salvaje domado

encuentra improntado. Los animales llegan al reconocimiento y a la obediencia de órdenes exigidas por sus propietarios, pero siguen siendo formas de vida salvaje, con una genética propia. La capacidad de aprendizaje que mamíferos y aves han demostrado a lo largo de su coexistencia con el ser humano es notablemente superior a la de los reptiles. Así pues, a nuestra mascota reptiliana no podremos incitarla a que nos demuestre sus habilidades moviendo una pelota en lo alto de su hocico, ni pedirle que nos traiga entre las fauces un palo que le hemos lanzado, pero sí va a deducir al observar que nos acercamos a él con un cubo lleno de verdura y frutas frescas que esa visión representa comida; así ocurre con las tortugas terrestres o los lagartos barbudos australianos que se moverán nerviosos frente al cristal del terrario cuando el cuidador reparte alimento a otros terrarios adyacentes al suyo.

Muchas de las respuestas de interacción entre un reptil y un ser humano responden a estímulos alimentarios. Premiar el hecho de que se acerque a nosotros con un plato de su gusto, reforzará mínimamente los invisibles lazos de interacción. Especies como las iguanas pueden distinguir entre las personas que realizan su manutención diaria y las que sólo se acercan a ellas temporalmente para manipularlas, por ejemplo, para realizar controles veterinarios. Por ello, la silueta y la vestimenta generalmente de colores cálidos y naturales representan para el saurio la hora de la comida, o la limpieza de la instalación; de ella no han de temer ningún peligro. Y al contrario, la presencia del veterinario, que en ocasiones lleva una bata blanca, despierta el temor de ser aprendida y manipulada para ser inspeccionada sanitariamente.

El hecho de que la mayoría de reptiles no precisen los cuidados de sus progenitores al nacer, siendo perfectamente autónomos desde el primer segundo de vida fuera del vientre materno o el huevo protector, supone una dificultad mayor, en comparación con aves y mamíferos, para establecer vínculos afectivos. La dependencia de un lobezno respecto a su madre en las primeras etapas de la vida permite que el ser humano que sustituya a la figura materna en los cuidados sea considerado por el cachorro como su valedor y se aferrará a él para sobrevivir. Los lazos entre un perro y una persona se basan, entre otros, en el aprendizaje, la jerarquía social, el respeto, la comunicación y el cariño. Los lazos entre un reptil y un ser humano se basan, casi exclusivamente, en la dependencia térmica y alimentaria.

Considerar a los reptiles animales domésticos sería incorrecto. Por el contrario, definirlos como mascotas salvajes que nos proporcionan compañía, o simplemente animales salvajes, implicaría considerar hasta cierto punto a los herpetos susceptibles de ser domados. En consecuencia, en multitud de trabajos veremos conceptos como «mascotas», «animales exóticos» o «nuevos animales de compañía», pero será siempre discutible la denominación de cualquier integrante de la clase Reptilia como un «animal doméstico».

Sitios web de interés

www.e-animales.com/exoticos/ficha.php3?seccion=reptiles

www.mascotas.com/noticias.asp?-id_cat=145

Bibliografía

Kohlmeyer, R. (2001). Comportamiento e interacciones de mis dragones barbudos dentro del terrario. *Reptilia* 27: 23-29.

Livoreil, B., Picard, S., & Hignard, C. (2001). Effect of domestication on withdrawal behaviour of Hermann's tortoises *Testudo hermanni hermanni*. *Proceedings of the International Congress on Testudo Genus* 3: 337-341.

91. ¿Debemos comprar reptiles que se venden a buen precio, aunque mal atendidos, cuando viajemos a países exóticos?

No es raro que, cuando realicemos algún viaje turístico a un país exótico y nos encontremos paseando por uno de sus mercados tradicionales, seamos abordados por vendedores que nos ofrecen insistentemente tortugas, lagartos o incluso serpientes para que las compremos a muy buen precio. También será habitual que observemos, en muchos de los mostradores de las tiendas y mercadillos, animales disecados y objetos de regalo, como carteras, billeteras, o zapatos confeccionados con pieles de reptiles, a un precio irrisorio. Quizá nos sintamos tentados de adquirir alguno de los camaleones que observamos completamente desatendidos y en un estado lamentable en una jaula para pájaros, con el único alimento y compañía de una hoja de lechuga.

Estos casos que hemos descrito son reales y el aficionado a los reptiles puede verse involucrado en la compra de uno de estos animales de forma involuntaria o después de no reflexionar suficientemente. A veces lo hará con la sana intención de ayudar con esa compra a la paupérrima economía de las personas que le ofrecen el reptil. No olvidemos que la mayoría de los países tropicales o exóticos son destinos turísticos irresistibles por su belleza de gentes y paisajes, pero se encuentran entre los más pobres del planeta. Los pobladores de estos territorios conocen la afición del hombre del primer mundo a mantener animales salvajes como mascota, hecho que les mueve a capturar especies de fauna silvestre de sus hábitats para ofrecerlos en los mercados turísticos, a veces incluso sólo como reclamo para que el visitante entre en su establecimiento. En otras ocasiones, son conocedores de que al turista del primer mundo se le «romperá el corazón» al ver el camaleón en la jaula y lo comprará de inmediato. Siguiendo un principio sencillo y mercantilista, el vendedor piensa: «cuanto peores sean las condiciones en que tenga los animales, más animales venderé». En consecuencia, cada vez los tienen más hambrientos, deprimidos y semimoribundos para que nosotros, los occidentales, adquiramos esos «animalitos que tanto nos necesitan». Conocedores de ello, no debemos dejarnos llevar por el impulso consumista o de pena hacia las condiciones de mantenimiento de los animales expuestos. Si no accedemos a sus ofertas, contribuiremos a que los ciudadanos de esos países pobres no expolien su patrimonio natural y biológico, que si fuese bien gestionado por sus dirigentes, podría representar unos ingresos de divisas infinitamente mayores que los obtenidos por la venta fraudulenta de sus valores naturales. Si queremos realmente ayudar a la población local, podemos ofrecerles dinero para que nos dejen fotografiar a esos animales que tienen a la venta. Para ello, no han de capturar más ejemplares y les interesa que estén en buen estado para que la gente les haga fotos.

Además, la tentación de llevarse como recuerdo de unas vacaciones una especie animal, vegetal o algún producto elaborado a partir de ellos puede causarnos problemas legales al regresar de nuevo a nuestra residencia habitual. Muchos de los reptiles que normalmente mantenemos en los terrarios son ejemplares cuyo comercio está regulado por el CITES (Convenio de Washington), por tratarse de fauna protegida. Al comprar fauna silvestre de forma aleatoria e incontrolada, y en definitiva ilegalmente, podemos ser sancionados o en el mejor de los casos incautados nuestros recuerdos de vaca-

ciones en las aduanas, al no disponer de los documentos legales expedidos por las autoridades locales o de destino.

La sabiduría popular ha plasmado con gran acierto muchas de las conductas que el ser humano debería seguir para desarrollarse armónicamente en el medio que ocupa. La idea «al pobre no le des peces, sino enséñale a pescar» es perfectamente aplicable a las reflexiones que nos ocupan. Haciendo un paralelismo con el mundo de los reptiles, diríamos, por ejemplo, que no hemos de comprar un camaleón estresado y desnutrido porque nos da pena y para ayudar momentáneamente al vendedor; por el contrario, ofrezcámosle dinero para que nos enseñe donde viven los camaleones, su hábitat, y exijamos verlos en libertad. Con ello podemos conseguir un uso sostenible de los recursos biológicos. La lectura sería simple: si conservo los camaleones, conservo los ecosistemas, y gano más dinero que vendiendo mi patrimonio. Países del África negra, como Kenya o Tanzania, descubrieron la panacea del turismo gracias a la conservación de los espacios naturales y de su fauna.

Consideraciones no menos importantes que debemos hacernos si estamos tentados de comprar alguna mascota exótica en un viaje de turismo, como, por ejemplo:

1) La dificultad de acostumbrar al cautiverio en terrario a reptiles captura-

Un atractivo ejemplar de caimán joven. Su precio en alguna aldea de Sudamérica puede ser inferior a 20 euros

dos en su medio, el alto nivel de estrés que les supone la aprensión en su hábitat, el almacenaje en condiciones nefastas, el transporte a nuestro hogar y, finalmente, el alojamiento en el terrario pueden inhibir completamente la capacidad de supervivencia del animal. Esto es fácilmente constatable en ofidios como la pitón real *(Python regius)*.

2) La posibilidad de que, junto con el ejemplar comprado, podamos contraer parásitos o enfermedades de transmisión a humanos que de haber comprado en una tienda especializada, o incluso en los mismos países, pero bajo control administrativo y sanitario, hubiéramos evitado por estar bajo control. Muchas tortugas moras *(Testudo graeca)* compradas por turistas que visitan Marruecos suelen estar profusamente pobladas por ectoparásitos como garrapatas. La parasitación intestinal omnipresente en todos los quelonios puede aumentar en una situación de estrés como la captura y transporte, debilitando al ejemplar y poniendo en peligro su salud.

3) La compra ilegal de especies de fauna salvaje puede contribuir a su extinción y la destrucción de los hábitats. No olvidemos que muchas regiones del planeta están sobreexplotando sus recursos naturales y perdiendo así su biodiversidad.

La mejor respuesta al insistente vendedor, o a nuestra propia conciencia, es no adquirir fauna salvaje fuera

Otras preguntas relacionadas

81. ¿Hemos de acudir al veterinario con nuestros reptiles únicamente cuando surjan anomalías o hemos de seguir un plan de medicina preventiva, lo mismo que con otras mascotas, como perros o gatos?

94. ¿Qué preguntas básicas hemos de hacernos antes de comprar un reptil?

de los establecimientos autorizados, ya que en caso contrario contribuiríamos activamente a la destrucción de un patrimonio biológico irrepetible. Rehusemos adquirir un reptil, o incluso derivados del mismo, que no vayan debidamente documentados.

Sitios web de interés

www.tortoisetrust.org/articles/-asia.html

Bibliografía

Álvarez, A. & Martínez Silvestre, A. (1998). Dos ONGs intentan repatriar a más de cien lagartos africanos decomisados. *Quercus* 146: 46-47.

Barberá, J. C. & Ayllón, E. (2000). Incidencia del comercio sobre los anfibios y reptiles en España. *Bol. Asoc. Herpetol. Esp.* 11: 43-47.

Devaux, B. (2000). *La tortue qui pleure (The crying tortoise) Geochelone sulcata (Miller, 1779).* (1ª ed.). Gonfaron: SOPTOM.

92. ¿Se está introduciendo alguna otra especie no autóctona, como las tortugas de Florida, que sea una amenaza para nuestra fauna?

De todos es conocido el problema que existe actualmente con la introducción de especies exóticas en los hábitats europeos. De hecho, el problema es de alcance mundial. En los cinco continentes existen datos sobre la introducción de especies exóticas. Por poner algunos ejemplos con reptiles, en el sur de EE UU existen poblaciones introducidas de nuestra salamanquesa rosada *(Hemydactilus turcicus)* y la tortuga de Florida *(Trachemys scripta elegans)* se encuentra en los atlas de distribución de toda Europa, Sudáfrica, Asia del sur, Japón o Sudamérica.

Hace ya más de 15 años, el comercio de tortugas de Florida superaba los 5.000.000 de ejemplares que anualmente salían de Estados Unidos hacia el resto del mundo. Un elevado porcentaje fallecía antes de los cinco años de vida; un porcentaje ínfimo sobrevivía durante años en una correcta cautividad; y otro porcentaje se soltaba en el medio por incapacidad de los propietarios para mantenerlas. A los pocos años, esta especie demostró que criaba perfectamente en condiciones ajenas a su hábitat y que se adaptaba a esos nuevos ambientes. Hoy pertenece a la fauna autóctona de casi todos los países cálidos de Europa.

En 1995 se articularon soluciones para evitar esta catástrofe ecológica. Se reguló la importación comunitaria de esta subespecie de *Trachemys scripta*. Ante tal situación, el mercado de mascotas enseguida encontró la solución: traer otras tortugas parecidas. Como consecuencia, decenas de candidatos se empezaron a traer en grandes cantidades para abastecerlo. El problema no sólo había cambiado de nombre, sino que ahora empezaba a crecer de forma alarmante.

Hoy, en nuestros ríos y embalses pueden encontrarse las siguientes especies (datos contrastados de publicaciones recientes por investigadores de toda la península Ibérica): tortuga de Florida o de orejas rojas *(Trachemys scripta elegans)*, tortuga de orejas amarillas *(Trachemys scripta scripta)*, tortuga listada de Florida *(Pseudemys floridiana)*, tortuga mapa americana *(Graptemys pseudogeographica)*, tortuga de caparazón blando asiática *(Pelodiscus sinensis)*, tortuga mordedora americana *(Chelydra serpentina)*, tortuga ornada *(Trachemys ornata)*, tortuga de caja americana *(Terrapene carolina)*, tortuga rusa *(Testudo horsfieldii)* y las autóctonas ibéricas, pero en lugares inverosímiles, como tortuga mora *(Testudo graeca)* en Galicia, tortuga mediterránea oriental *(Testudo hermanni boettgeri)* en Barcelona, o bien, tortuga mediterránea occidental *(Testudo hermanni hermanni)* en Madrid.

¿Y que hay de los demás órdenes de reptiles? Por supuesto, no se han quedado cortos, los últimos datos aparecidos en revistas científicas demuestran la presencia ocasional (la reproducción en libertad no está comprobada todavía) de multitud de especies, como se indica en la tabla adjunta.

Orden y especies	Localidad	Provincia	Fecha
Orden Chelonia			
Chelydra serpentina	Torredembarra	Tarragona	07/1999
Chelydra serpentina	Ripollet	Barcelona	25/10/2001
Cyclemis dentata	Cambrils	Tarragona	20/05/1999
Graptemys pseudogeographica	Pantano de El Foix	Barcelona	17/05/2002
Pelodiscus sinensis	Els Hostalets de Pierola	Barcelona	24/05/1999
Pseudemys floridiana	Pantano de El Foix	Barcelona	03/04/2000
Terrapene carolina	Nigran	Pontevedra	14/08/2000
Trachemys scripta elegans	Murcia	Murcia	17/02/2000
Trachemys scripta elegans	Collserola	Barcelona	25/04/2000
Trachemys scripta elegans	Delta del Llobregat	Barcelona	07/2001
Trachemys scripta elegans	Pantano de El Foix	Barcelona	04/2001
Trachemys scripta scripta	Pantano de El Foix	Barcelona	17/05/2002
Orden Squamata (S.O. Ophidia)			
Boa constrictor	Barcelona	Barcelona	10/05/1999
Elaphe guttata	St. Cugat	Barcelona	03/1999
Python regius	Pontecaldelas	Pontevedra	07/07/2000
Pytuophis melanoleucos	Barcelona	Barcelona	07/1999
Orden Squamata (S.O. Sauria)			
Agama agama	Villagarcía de Arosa	Pontevedra	10/11/2001
Chamaeleo chamaeleon	Premià de Dalt	Barcelona	17/11/2001
Cordilus cordilus	Lugo	Lugo	20/09/2001
Iguana iguana	Girona	Girona	08/11/2001
Tupinambis teguixin	Lleida	Lleida	03/1999
Varanus exanthematicus	Igualada	Barcelona	19/01/2002
Varanus exanthematicus	St. Feliu de Guíxols	Tarragona	06/10/2000
Varanus niloticus	Sant Cugat	Barcelona	06/1999

Y la cifra va aumentando. Cada verano se escapan centenares de serpientes y otros reptiles que vivían como mascotas y se instalan en nuestros ecosistemas. Sin ir más lejos, el Centro de Recuperación de Anfibios y Reptiles en Catalunya acogió en el año 2004 dos culebras falsas corales *(Lampropeltis triangulum)*, una culebra del maizal *(Elaphe guttata)*, un lagarto australiano *(Pogona vitticeps)* e incluso una boa arenícola de Irán *(Eryx johnii)*, procedentes de núcleos urbanos y pueblos donde las encontraron escapadas.

Durante la primavera de 2003 se alertó de la presencia de caimanes en un embalse de Madrid. Los datos no pudieron ser adecuadamente comprobados, pero desgraciadamente, hoy por hoy, esta noticia ha dejado de ser trágica para convertirse en rutinaria.

Todas estas especies están en un lugar que, evolutiva y ecológicamente, no les es propio. La ecología es como un gran rompecabezas en el que todas las piezas encajan y existen gracias a las que las rodean. Si en ese rompe-

Tortugas de Florida agrupadas en un pantano

cabezas introducimos tan sólo una pieza nueva y la obligamos a encajar, enseguida veremos que todas las piezas se mueven, algunas saltan, otras se deterioran y unas pocas se pierden para siempre.

Cualquier especie invasiva obligadamente provoca cambios en el ecosistema donde se encuentra. En ocasiones son interacciones evidentes (depredación sobre cierto nenúfar, cierta ave o cierto pez), mientras que en otras son casi imperceptibles (introducción de parásitos, bacterias o virus en el medio ambiente).

Nuestro grano de arena para que esto no ocurra consiste, de un modo claro, en fomentar la compra responsable de animales exóticos y frenar su compra impulsiva, en fomentar la conservación de los espacios naturales autóctonos y evitar la introducción de especies exóticas de cualquier tipo, redactando y aplicando leyes severas si fuera necesario.

Sitios web de interés

www.kznwildlife.com/alien_exotic.htm

www.nwf.org/nationalwildlife/article.cfm?issueID=59&articleID=733

Otras preguntas relacionadas

90. ¿Puede considerarse a los reptiles animales domésticos?

94. ¿Qué preguntas básicas hemos de hacernos antes de comprar un reptil?

97. ¿Pueden venderse reptiles procedentes de vida libre?

Bibliografía

Martínez Silvestre, A. & Cerradelo, S. (2000). Galápagos de Florida, un problema ecológico y social. *Quercus* 169: 16-19.

Martínez Silvestre, A., Soler Massana, J., & Ventura Bernardini, M. (2003). Nuevos datos sobre la presencia de reptiles exóticos asilvestrados en la Península Ibérica. *Boletín de la Asociacion herpetológica Española* 14: 9-12.

Pleguezuelos, J. M., Lizana, M. & Fernández-Cardenete, J. R. (2003). Anfibios y reptiles introducidos en España: época, forma de las introducciones y origen de las especies. *Contribuciones al conocimiento de las especies exóticas invasoras. Grupo Especies Invasoras, G. E. I. Serie Técnica.* 1: 136-137.

93. ¿Cuáles son las especies más amenazadas de extinción en Europa? ¿Cuáles son las causas y qué proyectos hay para evitarla?

Con toda seguridad, el reptil más amenazado de extinción en el mundo es la tortuga de las islas Galápagos de la subespecie *Geochelone (Chelonoidis) nigra abingdonii*, de la cual sólo vive 1 ejemplar macho. Él es el último de su especie, le llaman *Lonesome George* (el solitario George) y en la actualidad sobrevive en la estación Charles Darwin, en la isla Santa Cruz. Hasta la fecha no se ha podido encontrar otro ejemplar en la isla Pinta, su lugar de origen. La caza para obtener carne y aceite ha llevado a esta especie a la antesala de la extinción.

La fauna herpetológica española es, en cuanto a riqueza de especies, la más importante de Europa. Algunas de ellas están disminuyendo drásticamente y sus poblaciones están en lento declive, como el galápago europeo *(Emys orbicularis)*, el camaleón común *(Chamaeleo Chamaeleon)* o la víbora hocicuda *(Vipera latastei)*. En otro grupo de especies tenemos las que se han descrito recientemente y sus efectivos poblacionales son escasos pero estables (caso de la lagartija pirenaica, *Iberolacerta aurelioi*) o rozan el límite mínimo aceptable para perpetuar la especie (como el lagarto gigante de La Gomera, *Gallotia bravoana*). Finalmente, otras especies son capturadas a miles anualmente y aunque se aúnan esfuerzos para proteger las poblaciones salvajes, se desconoce cuál es el estatus real de las mismas, como la tortuga boba *(Caretta caretta)*.

La pregunta clave es: ¿qué especies necesitan realmente de una intervención humana fuera de su hábitat para su recuperación? ¿En qué caso es necesaria la conservación ex situ? Para ello existen centros de recuperación que se dedican a la conservación de esas especies fuera de su hábitat con el fin de reproducirlas y devolverlas al mismo cuando las condiciones sean favorables. No obstante, demostrar que una especie está declinando no constituye

Otras preguntas relacionadas

96. ¿Qué documentos legales se necesitan para tener un reptil en casa? ¿Y para criarlo con fines lucrativos?

97. ¿Pueden venderse reptiles procedentes de vida libre?

98. ¿Qué es el CITES? ¿Hay alguna legislación más que afecte a la posesión de reptiles?

Lagarto gigante de La Gomera en cautividad. Esperemos que los trabajos dirigidos a su conservación le permitan recuperar el hábitat que un día perdió casi por completo

Midiendo y marcando una tortuga mediterránea para soltarla en un parque natural de Cataluña

327

un análisis suficiente como para justificar la cría en cautividad como medida de recuperación. Por otro lado, no siempre la conservación ex situ representa una solución segura e inmediata a la conservación. Para entender esta compleja amalgama de proyectos, exponemos seguidamente algunos programas emblemáticos de recuperación de herpetofauna española.

El caso del lagarto gigante de El Hierro y de La Gomera

Las primeras medidas que se tomaron fueron de carácter proteccionista, prohibiéndose el acceso al hábitat y estableciendo vigilancia en las zonas en las que se encontraron, las cuales hoy forman parte de áreas catalogadas como Reserva Natural Especial. Posteriormente, se puso en marcha el desarrollo de planes de recuperación para las especies en que se contempla la reproducción en cautividad debido al estado de fragilidad de las poblaciónes y al bajo número de efectivos estimados; también se fijan, entre otros, los criterios para garantizar la supervivencia de la población existente, ampliar su área de distribución y crear otras nuevas.

Actualmente, el Gobierno de Canarias y los Cabildos de El Hierro y La Gomera son las instituciones responsables de llevar adelante un plan de gestión destinado a descatalogar a los lagartos gigantes como especies en peligro de extinción.

Los resultados obtenidos hasta la fecha en cuanto a la conservación y recuperación de la especie se traducen en una notable reducción de las posibilidades de extinción de corto plazo, salvaguardada por el rápido incremento del número de efectivos gracias a las tareas desarrolladas en los Centro de Recuperación y al aumento del número de poblaciones tras las sueltas que se han llevado a cabo hasta el momento. Pero, a pesar de la aparente mejoría de la situación en la que se encuentran, algunos de los factores que contribuyeron a su desaparición aún no han sido eliminados. Las acciones futuras inmediatas se dirigen, por tanto, a garantizar la conservación y ampliación de las áreas de distribución de las poblaciones naturales y las introducidas mediante un estricto control de su principal depredador, el gato, e intentar establecer otras nuevas en diferentes lugares viables de las islas, también habitados en el pasado por lagartos gigantes.

El caso de las tortugas terrestres

La causa de esta situación la ha tenido la destrucción de su hábitat y la recolección de ejemplares para abastecer el mercado de mascotas. Pero, al tratarse de animales tan queridos y tan comunes como mascotas, la sociedad no ha asimilado las leyes de protección que impedían su posesión y comercialización. La conservación de las tortugas terrestres tiene que hacer partícipe a particulares y administración. Al principio se comenzó a difundir la situación de la especie mediante información escrita (trípticos) e inserciones en prensa escrita nacional. Más tarde se ofrecería la posibilidad de participar en los proyectos de cría y reintroducción.

Si bien los primeros objetivos de soltar tortugas en su hábitat se van cumpliendo año tras año, queda dar salida a la ingente cantidad de quelonios cautivos en casas particulares, con la dificultad añadida de descubrir las posibles poluciones genéticas a causa del apareamiento con otros quelonios del género *Testudo*, también con frecuencia mantenidos en cautividad.

En Cataluña existen instalaciones de cría de tortuga mediterránea autorizadas por el gobierno autónomo, la Generalitat, que son controladas por técnicos del CRARC. Estos profesionales asesoran, seleccionan y recogen las crías obtenidas para ser trasladadas posteriormente al CRARC, donde permanecerán durante 4 o 5 años, momento a partir del cual serán incluidas en el Proyecto de reintroducción de la especie en Parque Natural del Garraf (Barcelona) y el Parque Natural de la Sierra del Montsant (Tarragona) parajes enclavados en las sierras litoral y pre-litoral respectivamente de Cataluña, áreas donde la tortuga habitó en tiempos remotos, cuando se dio por extinta.

En la actualidad, más de 1.300 *Testudo hermanni hermanni* habitan estos parques naturales. En el de Garraf ya han nacido cerca de 100 ejemplares en condiciones de libertad.

Sitios web de interés

www.asociacionanse.org/testudo-club_amigos.htm

www.crarc-comam.net

www.diba.es/parcs/fitxers/Foix-ProgTortugues.pdf

www.gencat.net/mediamb/fauna-conserva/cespro04.htm#reptils

www.gencat.net/mediamb/rndel-ta/cdllr903.htm

www.gobiernodecanarias.org/medioambiente/biodiversidad/ceplam/vidasilvestre/life7.html

www.gobmenorca.com/castellano/k_testudo

www.mma.es/parques/lared/informes/don_elim_veg_introd.pdf

Bibliografía

Nogales, M., Valido, A., Rando, J. C., & Martín, A. (1999). El lagarto gigante de La Gomera. *Medio Ambiente Canarias* 15: 9-10.

Soler Massana, J., Martínez Silvestre, A., & Solé, R. (2000). Estatus y conservación de la tortuga mediterránea en Mallorca. *Animalia* 116: 52-55.

94. ¿Qué preguntas básicas hemos de hacernos antes de comprar un reptil?

Toda la información que a lo largo de este libro hemos ofrecido al lector va encaminada a orientar al posible comprador de un reptil sobre la forma más correcta de mantenerlo en cautividad, asegurando con ello su futuro como mascota.

Pero quizá sería aconsejable que todo aficionado a los herpetos que pretenda iniciarse en su manejo comprando su primer reptil haga una especie de examen de conciencia a fondo, con el fin de despejar el más ligero atisbo de duda acerca de la relación futura entre él y su mascota.

Escudriñar en las emociones que nos llevan a la necesidad de compartir nuestro tiempo libre (a menudo muy poco) con un animal salvaje, deberá

impedir que cometamos el fatal error de atarnos inconscientemente a unas obligaciones que quizá no seamos capaces de asumir.

Demasiados son los casos de reptiles adquiridos que al crecer pasan a engrosar la larga lista de tareas diarias engorrosas y que terminan olvidados en un rincón de la vivienda, con deficiente higiene, alimentación y con el triste deseo de perderlos de vista cuanto antes. Ilusiones que se truncan al poco tiempo de comprarlo y que desembocan en conductas tan deleznables como el abandono. Numerosos son los casos de tortugas de Florida que al llegar el período vacacional son lanzadas al primer estanque público, río, embalse o charca en toda la geografía peninsular. Igualmente aparecen sin explicación en jardines públicos iguanas encaramadas a las copas de los árboles; incluso pitones y falsas corales son encontradas en los lugares más insospechados de las ciudades, fugadas con ayuda del propietario o por la dejadez y descuido de su atención diaria.

Tener a un reptil como mascota, como cualquier otro ser vivo, nos implicará un alto grado de compromiso que, asumido con todas sus consecuencias, va a permitir que disfrutemos de esa pequeña porción de patri-

Otras preguntas relacionadas

60. ¿Conocen los reptiles a sus propietarios, obedecen órdenes, se les puede hablar y entienden? ¿Por qué mi tortuga viene a morder mis zapatillas?

90. ¿Puede considerarse a los reptiles animales domésticos?

100. ¿Hay centros de acogida o sociedades protectoras de reptiles a los que dirigirnos si deseamos entregar uno?

monio biológico irrepetible y tan particular en nuestras vidas.

En el año 2000, el Departamento de Medio Ambiente de la comunidad autónoma de Cataluña (Generalitat de Catalunya) publicaba un tríptico informativo destinado a las personas que pretendían comprarse un animal de compañía, en el que se incluía un test para averiguar el grado de responsabilidad a que la persona sería capaz de llegar con su futura mascota. Bajo el título de «¿Estáis hechos el uno para el otro?» y a lo largo de once preguntas con respuesta afirmativa o negativa, era posible averiguar el grado de complicidad y compromiso que se estaba en disposición de ofrecer a nuestra futura mascota; a la vez, podían descubrirse los posibles aspectos que darían al traste con la relación. Este test está especialmente indicado para los aficionados más jóvenes e impetuosos, chicos y chicas que tienen en los mayores, padres, abuelos o tíos, los cómplices de sus incipientes aficiones, y que en muchas ocasiones asumirán como suyas obligaciones que no deben serlo en el cuidado de sus mascotas.

Nosotros hemos hecho unas pequeñas modificaciones en el contenido de las preguntas, ya que el objeto de la campaña iba encaminado básicamente a la tenencia de perros y gatos,

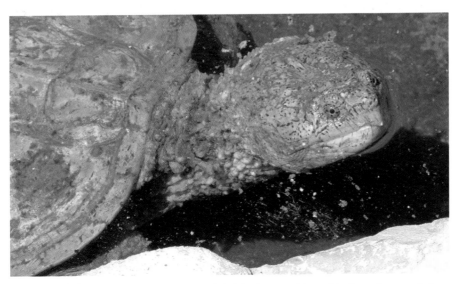

Tortuga mordedora americana *(Chelydra serpentina)*. Animal acerca del que deberíamos hacernos todas las preguntas antes de adquirirlo

pero el contenido es perfectamente extrapolable al mundo de las mascotas exóticas.

Test: ¿Estáis hechos el uno para el otro?

1. ¿Toda tu familia está de acuerdo con tenerla?

SI ❑   NO ❑

2. ¿Identificarás con un microchip a tu mascota?

SI ❑   NO ❑

3. ¿En tu casa dispondrás del espacio suficiente?

SI ❑   NO ❑

4. ¿Estás dispuesto a asumir su forma de ser?

SI ❑   NO ❑

5. ¿Mantendrás en correcto estado higiénico su instalación?

SI ❑   NO ❑

6. ¿Le facilitarás una correcta alimentación?

SI ❑   NO ❑

7. ¿La llevarás al veterinario y te harás cargo del coste económico que comporte?

SI ❑   NO ❑

8. ¿Vas a disponer del tiempo necesario para atenderla?

SI ❑   NO ❑

9. ¿La seguirás cuidando como el primer día cuando haya crecido?

SI ❑   NO ❑

10. ¿Asumes que los animales no se toman vacaciones?

SI ❑   NO ❑

11. ¿Tienes capacidad de amar y comprometerte?

SI ❑   NO ❑

¿Cuántas respuestas afirmativas has marcado?

De 1 a 3   ❑
De 4 a 6   ❑
De 7 a 10 ❑
Todas   ❑

Solución:

1) Si no has contestado afirmativamente a todas las preguntas, piénsatelo dos veces. Por tu bien y por el del animal.

2) Si has contestado a todas afirmativamente, enhorabuena: tenéis muchas posibilidades de haceros felices mutuamente.

Sitios web de interés

www.chelydra.org

Bibliografía

Cooper, M. E. & Cooper, J. E. (2001). Legal cases involving reptile and amphibians. *Proceedings of the ARAV* 8: 241-248.

Devaux, B. (2000). Pour ou contre les nouveaux animaux de compagnie. *La Tortue* 50-51: 50-55.

95. ¿Es legal/ético tener reptiles peligrosos en un domicilio (pitón reticulada, caimán, serpiente venenosa)?

Como bien nos formula la pregunta, hay dos conceptos a tener en cuenta para responder la cuestión: por un lado, la ética; por el otro, la legalidad de estar en posesión de especies salvajes potencialmente peligrosas. Todo aficionado al mantenimiento de reptiles ha tenido en alguna ocasión la tentación de experimentar el trato con alguna especie fuera de lo común por su especial peligrosidad, debido a su veneno, tamaño o fuerza.

Dejando aparte los aspectos legales que puedan derivarse de la posesión de fauna salvaje peligrosa, los autores del libro aduciremos clara-

Ejemplar adulto de *Alligator mississippiensis* que fue entregado a un zoológico por sus primeros propietarios al crecer y volverse peligroso

333

Otras preguntas relacionadas

37. ¿Es posible tener como mascota una serpiente venenosa?

42. ¿Qué se debe hacer ante un mordisco de un reptil? ¿Y si es venenoso?

mente al concepto ético de su posesión. No creemos que serpientes de los géneros *Micrurus* sp., *Boiga* sp., *Bitis* sp., *Mamba* sp. o *Vipera* sp., por poner un corto ejemplo, todas ellas poseedoras de venenos muy potentes que inoculados en dosis elevadas pueden conducir irremediablemente a la muerte, deban ser objeto de colección y mantenimiento por parte de particulares. Su trato ha de estar circunscrito a instituciones que tengan establecidos protocolos de seguridad para evitar fugas, procedimientos de evacuación en caso de mordeduras al personal o contraten pólizas de seguros con coberturas a daños a terceros.

Cuando el acto de adquirir una especie de alta peligrosidad, más allá de afectar a nuestra persona, pueda representar un peligro para el conjunto de la ciudadanía, se impone una reflexión prudente y sosegada sobre las ventajas o inconvenientes de tal responsabilidad. A nadie le gustaría tener que luchar por conservar la vida después de ser mordido accidentalmente por una *Bitis gabonica*, pero aún nos produciría un mayor terror que un espécimen venenoso escapara de un terrario para pasearse libremente, con la peligrosidad social que ello comportaría. La mejor arma para evitar los peligros es prevenirlos.

Podemos considerar reptiles potencialmente peligrosos no sólo a los venenosos, sino también a aquellos para los que, por su tamaño y su conducta, los seres humanos constituyamos un potencial recurso alimentario. Ofidios constrictores como la pitón reticulada *(Python reticulatus)* o la anaconda *(Eunectes murinus)*, cuyos récords en tamaño han sido descritos ampliamente, son consideradas serpientes superpredoras. En consecuencia, las encasillaremos entre los seres situados en la cúspide de la pirámide de relaciones tróficas (cadena alimentaria). Por debajo de ellas, los demás animales de sus zonas de origen son sus presas, entre ellas el ser humano. No han sido raros los casos de depredación de indígenas o trabajadores de instalaciones petroleras en las selvas asiáticas o amazónicas documentados con escalofriantes imágenes. El manejo de grandes ofidios constrictores en una instalación particular debe regirse por una gran precaución, aspectos tan básicos como la limpieza del terrario, cambio del agua o el aporte de alimento no deben ser realizados nunca por una persona sola. Tal temeridad podría tener consecuencias letales en caso de ataque de una serpiente constrictora. Especímenes con un tamaño superior a los 3 m de longitud han de ser manipulados en su cuidado diario por más de una persona. La fuerza que pueden desarrollar las serpientes de gran tamaño al comprimir la presa en el momento de la constricción obliga al diseño de terrarios espaciosos, de paredes sólidas y cristales laminados, que impidan la rotura de los tabiques de la instalación cuando la serpiente efectúa el abrazo mortal y pueda accidentalmente apoyarse contra una de estas estructuras. También han de instalarse cerraduras eficaces que ajusten al milímetro las puertas acristaladas, para impedir que el reptil pueda abrir o agrandar una pequeña rendija haciendo presión con la punta del hocico y así fugarse del terrario, circunstancia nada extraña en grandes ofidios.

La misma situación puede aplicarse a especies cocodrilianas, reptiles objetivamente peligrosos al ocupar también los estadios más elevados de la cadena alimentaria. Sin embargo, esta circunstancia es mucho menor dada la limitada agilidad de cocodrilos, aligátores o caimanes.

Es obligada la necesidad de observar rigurosamente un control de nuestra forma de actuar, no confiándonos nunca en presencia de este tipo de mascotas, reforzando e indicando las medidas de seguridad adoptadas, que ha de ser seguidas por todos los miembros de la familia para su propia integridad.

Dejando aparte las consideraciones éticas y técnicas de la posesión de fauna herpetológica peligrosa, podemos estar obligados a observar para su tenencia requisitos legales. En España las normativas suelen ser diferentes para cada comunidad autónoma y no existe una reglamentación estatal específica para especies exóticas peligrosas más allá de la extrapolación en materia de seguridad a partir de la experiencia de zoos y otras instituciones zoológicas afines. En todo caso, es necesario consultar con la administración pertinente para informarnos si existe un protocolo que seguir. Existen en el ámbito local (de municipio) ordenanzas municipales que obligan a registrar e identificar los animales de fauna salvaje peligrosa, una iniciativa que responde lógicamente al hecho de establecer un control y la demanda de responsabilidades en caso necesario. En el ámbito autonómico existen tambien leyes relativas a la posesión de especies peligrosas. En algunos países de Europa, la tenencia de especies peligrosas está totalmente prohibida. Italia, por ejemplo, prohíbe la posesión de tortugas mordedoras (*Chelydra serpentina*) en domicilios. En nuestra opinión, existe un vacío legal que debería estar resuelto para evitar riesgos al conjunto de la sociedad en caso de accidentes con reptiles de peligrosidad objetivamente comprobada.

Sitios web de interés

www.centros.edu.xunta.es/iesaslagoas/slorenf/vidario0.htm

Bibliografía

Castilla, A. M. (1991). Ética, ciencia y cautividad. *Bol. Asoc. Herp. esp.* 2: 8-9.

Cooper, M. E. & Cooper, J. E. (2001). Legal cases involving reptile and amphibians. *Proceedings of the ARAV* 8: 241-248.

Especies potencialmente peligrosas, para una persona y socialmente, o de manejo especialmente dificultoso (Baremo: muy alto/alto/moderado/bajo)

		Nivel de peligrosidad	*Especies*
Ofidios	Venenosos	Muy alto individual y socialmente	*Bothrops* sp., *Bitis* sp., *Vipera* sp., *Naja* sp., *Micrurus* sp., *Dendroaspis* sp.
	Constrictores	Alto individual y socialmente	*Eunectes murinus*, *Python reticulatus*, *Python sebae*, *Python molurus*
Cocodrílidos	Cocodrilos	Alto individualmente, moderado socialmente	*Cocodrilus niloticus*, *Cocodrilus porosus*
	Caimanes	Moderado individualmente, bajo socialmente	*Caiman crocodylus*
	Aligátores	Moderado individualmente, bajo socialmente	*Alligator mississipienssis*, *Alligator sinensis*
Saurios	Teidos (Tejús)	Moderado individualmente, bajo socialmente	*Tupinambis* sp.
	Varánidos	Moderado individualmente, bajo socialmente	*Varanus komodensis*, *Varanus niloticus*
Quelonios	De la familia Chelydae	Bajo individualmente, moderado socialmente	*Chelydra serpentina*, *Macroclemys teminckii*
	De la familia Trionichidae	Bajo individualmente, moderado socialmente	*Pelodiscus sinensis*

96. ¿Qué documentos legales se necesitan para tener un reptil en casa? ¿Y para criarlo con fines lucrativos?

Las especies que existen se encuentran en distintas fases de su conservación. Consecuentemente, las legislaciones que las afectan son muy variables. Podríamos resumir las leyes que afectan a la tenencia de un reptil en tres conceptos: las leyes del país de origen, las leyes internacionales y las leyes del país de destino.

Un reptil puede estar sin protección en alguno de estos tres apartados. Si está incluido en alguno de los otros dos, necesitará algún tipo de documentación para su tenencia.

La ley internacional más aceptada es el convenio CITES (Convenio sobre el Comercio Internacional de Especies Amenazadas de Fauna y Flora Silvestre).

Los documentos que se necesitan para realizar una correcta importación son distintos en función de la especie o grupo de especies.

Especies exóticas incluidas en CITES

1. Importación desde un país de la comunidad europea. No es obligatorio el control del CITES. Es obligatorio un certificado de movimiento/traslado y un certificado veterinario de origen.

2. Importación de un país tercero (extracomunitario). Precisa un documento aduanero, así como pasar la inspección de los responsables CITES de cada país de origen. También necesitará una factura proforma. Para las especies incluidas en el anexo I del Convenio y se requiere un permiso de importación y de exportación. Para las especies incluidas en el anexo II y III se requiere únicamente permiso de exportación.

3. Importación desde un país no adherido al CITES. Se necesitan los mismos requisitos que en el punto 2 y además un documento firmado por una autoridad administrativa del país de origen que sea reconocida por la secretaría del CITES.

Los poseedores de animales de fauna exótica han de tener la siguiente documentación que acredite la legalidad del animal:

1. Mayorista (importador). Necesita un certificado CITES del servicio CITES en España, el cual implica que ha pasado todos los trámites correspondientes. También necesita un libro de registro de entradas y salidas, altas y bajas.

2. Minorista (tienda de animales). Necesita una factura según la legislación vigente, en la que conste el nombre de la especie y el número de permiso CITES que está indicado en los

documentos que se ha quedado el mayorista. También necesita un libro de registro de entradas y salidas, altas y bajas.

3. Particular. Factura según legislación vigente con el número de CITES correspondiente al animal adquirido. Se aconseja (aunque es probable que acabe siendo obligatorio) la posesión de una cartilla oficial de animales exóticos. Actualmente, las que existen están en fase de experimentación. En esta cartilla consta el sistema de identificación, fotos, características, vacunas, revisiones, desparasitaciones, etc.

Si lo que nos interesa es hacer criar a alguna de nuestras mascotas tendremos que cumplir los siguientes requisitos:

A) Si se pretende hacer cría en cautividad, es necesario poseer el permiso de núcleo zoológico, cuya emisión depende de cada ayuntamiento y pretende registrar todas las actividades vinculadas a la posesión y cría de animales. Para obtener el permiso de núcleo zoológico se precisa un informe veterinario de higiene y profilaxis, así como un estudio detallado de las instalaciones (carga de incendio, salidas de emergencia, plan de evacuación y un largo etcétera).

B) Si se cría una especie CITES del anexo II (por ejemplo, *Boa constrictor*) y se pretende comercializar, únicamente es necesario demostrar la documentación de los padres y emitir un certificado veterinario de nacimiento en cautividad de las crías, en el que se especifica la legalidad de los padres, el número de crías y la fecha en que nacieron. Aunque no es obligatorio, sí que se recomienda insertar un microchip en las crías cuando su tamaño lo permita.

C) Cada cría puede venderse con una fotocopia del documento anterior y un certificado de cesión al futuro propietario.

Algunos gremios de comerciantes han ideado ya una plantilla dirigida a este último eslabón, que se ha aplicado con relativo éxito, y que aún debería ponerse en práctica más a menudo.

D) Si la especie es NO CITES y tampoco está protegida por ninguna ley local o nacional (por ejemplo, culebra

Otras preguntas relacionadas

32. ¿Cuál es el espacio necesario para albergar correctamente a un reptil?

65. ¿Qué tipos de incubación o reproducción se dan en los reptiles? ¿Existe la hibridación? ¿Los hijos híbridos son fértiles?

66. ¿Qué trucos hay para criar reptiles en cautividad? ¿Cómo estimular a un reptil para la reproducción?

Decomiso de unas tortugas que se transportaban ilegalmente desde Grecia en una jaula para ratas

del maizal, *Elaphe guttata*), tan sólo necesita el mismo certificado indicado en el apartado C).

E) Si la especie es NO CITES pero está protegida por leyes nacionales o locales (por ejemplo, galápago europeo, *Emys orbicularis*), no podrá venderse y su posesión dependerá de cómo esté contemplada dicha especie en las leyes locales. Por ejemplo, la Ley 22/2003 de 4 de julio de Cataluña prohíbe la caza, captura, tenencia, tráfico y comercio de las especies de fauna autóctona protegidas.

Complicaciones y actualizaciones

Desde 1997, el reglamento europeo que aplica el CITES en la comunidad europea es el 338/97 (DOCE L n° 61 el 3/3/97). Es necesario sumar a este Reglamento el 1808/2001 de la Comisión de 30 de agosto de 2001 que establece disposiciones de aplicación del 338/97.

La ley 4/1989, de 27 marzo, sobre protección de animales y plantas, es la más usada en el tema que nos ocupa, y dice lo siguiente:

339

«Conservación de los Espacios Naturales y de la flora y fauna silvestres. Artículo 26: 1. Las Administraciones Públicas adoptarán las medidas necesarias para garantizar la conservación de las especies, de la flora y la fauna que viven en estado silvestre en el territorio español, con especial atención a las especies autóctonas. 2. Se atenderá preferentemente a la preservación de sus hábitats y se establecerán regímenes específicos de protección para las especies, comunidades y poblaciones cuya situación así lo requiera, incluyéndolas en alguna de las categorías mencionadas en el artículo 29 de la presente Ley (RCL 1989\660). 3. Las Administraciones competentes velarán por preservar, mantener y restablecer superficies de suficiente amplitud y diversidad como hábitat para las especies de animales y plantas silvestres no comprendidas en el apartado anterior. 4. Queda prohibido dar muerte, dañar, molestar o inquietar intencionadamente a los animales silvestres, y especialmente los comprendidos en alguna de las categorías enunciadas en el artículo 29, incluyendo su captura en vivo y la recolección de sus huevos o crías, así como alterar y destruir la vegetación. En relación a los mismos quedan igualmente prohibidos la posesión, tráfico y comercio de ejemplares vivos o muertos o de sus restos, incluyendo el comercio exterior.»

Además, existen especies protegidas, enumeradas en varios textos legales como el Real Decreto 439/1990, de 30 marzo (BOE 5 abril 1990, núm. 82, pág. 9468), que regula el Catálogo Nacional de Especies Amenazadas. En el apartado «3. REPTILES» se especifican las especies correspondientes, como, por ejemplo, la tortuga mediterránea *(Testudo hermanni)* o la tortuga mora *(Testudo graeca)* entre otras muchas.

Sitios web de interés

www.airport-borispol.kiev.ua/custom-supervision/endangered.html

www.traffic.org/publications/summaries/wildlifetrade-russia.html

Bibliografía

Coote, J. (1998). IATA & CITES: Cambios para reptiles y anfibios, y futuros problemas en la biodiversidad. *Reptilia* 17: 10-15.

Lizana, M. (1997). Aplicación de las nuevas categorías de la UICN (Unión Internacional para la Conservación de la Naturaleza) a la herpetofauna ibérica. *Bol. Asoc. Herp. esp.* 8: 46-51.

Montalvo, A. (1990). Aplicación en España del convenio CITES. *Bol. Asoc. Herp. esp.* 1: 5-10.

97. ¿Pueden venderse reptiles procedentes de vida libre?

Atendiendo a la legislación vigente CITES, la respuesta es que SÍ, por supuesto.

El Convenio CITES tolera la recolección de especies en estado libre y limita para cada especie y cada país un número máximo anual que permita su conservación a largo plazo.

Sin embargo, hemos de considerar que las especies incluidas en CITES no son todas. Hay muchas que están estrictamente protegidas por legislaciones internacionales, las cuales prohíben de modo explícito la captura o recolección de huevos, crías o reproductores de la naturaleza.

Hemos de saber que las legislaciones de menor alcance que CITES son de obligado cumplimiento y, además, prevalecen sobre el CITES. Pongamos un ejemplo para entenderlo mejor.

Caso 1

Un granjero de Brasil captura una iguana hembra con huevos en su hábitat y desea llevarla a su granja de

Tortuga mora *(Testudo graeca)* argelina que se capturó en libertad y se trajo a Europa ilegalmente, donde fue decomisada por las autoridades

Otras preguntas relacionadas

33. ¿Pueden tenerse diferentes especies juntas? ¿Puedo poner peces con tortugas de agua?

43. ¿Es conveniente o aconsejable sacar a pasear a la calle a las serpientes, iguanas u otros reptiles?

cría de iguanas para poder criarla y sacar un rendimiento. ¿Puede hacerlo?

Solución: Deberá ponerse en contacto con la administración local (de la región donde viva) para ver si en ese Estado está permitida la captura. Si la respuesta es favorable, posteriormente deberá cumplir los requisitos CITES marcados internacionalmente (la iguana común es CITES apéndice II). Si la respuesta es favorable, podrá quedarse con la iguana.

Caso 2

Un pastor encuentra una tortuga mediterránea en el norte de Cataluña y desea llevársela a casa para criarla y vender parte de sus crías. El resto lo dedicará a programas de reintroducción. ¿Puede hacerlo?

Solución: Deberá ponerse en contacto con la administración local (de la región donde viva, en este caso Cataluña) para ver si allí está permitida la captura. La respuesta no es favo-

rable, puesto que se trata de una especie protegida por el marco legal de Cataluña, de España y del convenio de Berna. Posteriormente, intentaría cumplir los requisitos CITES marcados internacionalmente (la tortuga mediterránea es CITES apéndice II). Pero la respuesta es nuevamente desfavorable: según la directiva de hábitat de la comunidad europea, es anejo A, y aunque la especie se considere apéndice II fuera de Europa, NO podrá quedarse con la tortuga. El pastor deberá dejar la tortuga donde la encontró y ayudar a su conservación simplemente no sacándola de su hábitat.

En consecuencia, antes de capturar un reptil e instalarlo en cautividad o venderlo, hemos de enterarnos de cuál es la legislación que le atañe (toda, y no sólo el CITES) y actuar en consecuencia.

Sitios web de interés

www.iucn.org

Bibliografía

Cooper, M. E. & Cooper, J. E. (2001). Global, legal, and ethical aspects of reptile medicine. *Proceedings of the ARAV* 8: 235-236.

Molina Artraloitia, F. (1998). La dominación de la naturaleza y lo deseable desde la ética: aspectos éticos y legales de la terrariofilia y la cautividad. *Reptilia* 4(14): 64-67.

98. ¿Qué es el CITES? ¿Hay alguna legislación más que afecte a la posesión de reptiles?

Las especies de reptiles y anfibios que van adquiriéndose son cada vez más numerosas. Actualmente el límite adquisitivo ya no está en el precio, sino en el cumplimiento de la legislación vigente. Un gran número de estas especies está en grave peligro de extinción. Otras podrían llegar a estarlo si se continúa el ritmo de explotación de las mismas o de destrucción de sus hábitats.

Se consideran especies protegidas aquellas cuya caza, posesión, captura, comercio, venta, importación, exportación y exhibición pública están prohibidas sin un permiso de la autoridad competente.

El marco legal en el que se incluyen las especies que pueden tenerse en cautividad comprende las siguientes normativas.

Estado español

Real Decreto 3181/1980, de 30 de diciembre, por el que se protegen determinadas especies de la fauna silvestre y se dictan las normas precisas para asegurar la efectividad de esta protección.

Real Decreto 1497/1986, de 6 de junio, por el que se establecen medidas de coordinación para las especies de fauna y su hábitat, ampliándose la lista de especies protegidas en todo el territorio nacional.

Convenios internacionales

– Convenio de Bonn: Sobre conservación de especies migratorias de fauna silvestre.

– Convenio de Berna: Sobre conservación de la vida silvestre y el medio natural en Europa. Regula las especies europeas y artes de caza.

– Convenio de Washington o CITES (Convention of International Trade of Endangered Species of Wild Fauna and Flora). Este convenio se firmó el 3 de marzo de 1973 para conseguir la regulación del comercio internacional de especies. Se aplica en todos los países adheridos para regular la importación y exportación de especies animales y vegetales (y de sus productos derivados) que se encuentran amenazadas. España se adhirió el año 1986 (BOE 189 de 30 de junio de 1987). Las especies aquí incluidas se organizan en tres apéndices en función del grado de amenaza y del nivel de actuación que se les aplica.

Apéndice I. Especies en grave peligro de extinción y que pueden verse afectadas por el comercio, debiendo tener una regulación especialmente estricta para no poner en mayor peligro su supervivencia. El comercio con estas especies está prohibido salvo circunstancias excepcionales (zoológicos, centros de investigación, etc). Se incluyen reptiles como la tortuga de las Galápagos (*Geochelone nigra* o *elephantopus*), otras tortugas del género *Geochelone (G. radiata, G. yniphora)*, el cocodrilo enano africano *(Osteolaemus tetraspis)*, todas las tortugas marinas, algunas boas jamaicanas *(Epicrates subflavus, E. inornatus...)* y la subespecie nominal de pitón tigrina *(Python molurus molurus)*. También se incluyen anfibios como el sapo del Camerún *(Bufo supercilliaris)*, la rana venenosa de Zetek *(Atelopus varius)*, la salamandra gigante de Oriente *(Andrias japonicus)*, o la mayoría de especies del género *Nectophrynoides* (sapos vivíparos africanos).

Otras preguntas relacionadas

91. ¿Debemos comprar reptiles que se venden a buen precio, aunque mal atendidos, cuando viajemos a países exóticos?

94. ¿Qué preguntas básicas hemos de hacernos antes de comprar un reptil?

99. ¿Qué es el tráfico ilegal y cómo combatirlo?

Apéndice II. Especies que, si bien en la actualidad no se encuentran en peligro, podrían llegar a ocupar el Apéndice I si no se toman medidas de protección y se regula su comercio. En este apartado nos encontramos reptiles como las tortugas de las especies *G. carbonaria, G. pardalis, G. chilensis* o *G. sulcata* y la tortuga de las Seychelles (*Geochelone gigantea* o *Diprochelys* sp.), la mayoría de las tortugas de tierra como los géneros *Kinixys* o *Testudo*, el caimán *(Caimán crocodylus)*, casi todos los *Phelsuma* (gecos de Madagascar), *Uromastyx* (lagartos de las palmeras africanos), *Chamaleo* (camaleones africanos y malgaches), *Varanus* (varanos), los monstruos de Gila *(Heloderma suspectum* y *H. horridum)*, las iguanas *(Iguana iguana)* y serpientes como la mayoría de boas y pitones (*Python* sp., *Constrictor constrictor*, *Condrophyton viridis*, *Liasis* sp., *Corallus* sp., *Eryx* sp.). También se incluyen anfibios como ciertos ajolotes (*Ambystoma dumerilii, A. lermaense* y *A. mexicanum*), la *Rana hexadactyla* y *Rana tigerina* (ranas del sur de Asia).

Apéndice III. Especies que se encuentran bajo reglamentación en algún país y éste solicita un control de su comercio por parte de la comunidad internacional. Aquí encontramos reptiles como algunas tortugas de cuello

Los reptiles disecados son uno de los objetos más decomisados en los aeropuertos europeos

ladeado *(Pelomedusa subrufa, Pelusios niger, P. subniger)*, serpientes como *Natryx piscator, Atretium schistosum, Cerberus rhynchops, Ptyas mucosus* o las venenosas *Naja naja, Vipera russellii* y *Ophiophagus hannah*. En este apéndice no se ha catalogado hasta ahora ningún anfibio.

Las últimas incorporaciones de reptiles al convenio de Washington corresponden al escinco gigante de las islas Salomón, *Corucia zebrata* (1993, Apéndice II), las tortugas caja americanas, *Terrapene* sp. (1995, Apéndice II), la tortuga terrestre egipcia, *Testudo kleinmanni* (1995, Apéndice I), y el cocodrilo del Nilo, *Crocodylus niloticus* (1995, Apéndice I).

Dentro del marco comunitario la CEE realiza una adaptación del convenio de Washington de modo que algunas especies se resitúan en los apéndices que ya existen. Así pues, se establecen dos nuevas categorías: categoría A, correspondiente a los animales que fuera de la CEE son CITES II y que dentro de la CEE se consideran como CITES I); y categoría B, correspondiente a los animales que se mantienen en un estatus legal parecido a un CITES II, aunque fuera de la comunidad no lo sean.

La validez de un documento CITES está en la correcta cumplimentación de este documento. No se aceptan documentos tachados o con enmiendas si éstas no están aceptadas por la autoridad pertinente. Es fundamental que este documento posea dos sellos oficiales, uno de tinta y el otro en relieve o seco.

Documentación necesaria para realizar importaciones legales

1) En todos los casos, los certificados sanitarios de los animales tratados.

2) Comercio dentro de un país comunitario. No es obligatorio el CITES, éste sólo es necesario intracomunitariamente. Debe tenerse obligatoriamente un certificado de movimiento y un certificado veterinario de origen.

3) Comercio a un tercer país. Se precisa:

– Documento unificado de Aduanas (DUA).

– Haber pasado la inspección del SOIVRE, con el CITES del país de origen, posteriormente el SOIVRE proporciona el CITES español.

– Factura o facturas proforma.

– Dependiendo de la catalogación CITES, tenemos:

Especies del Apéndice I: Permiso de importación y exportación.

Especies del Apéndice II: Permiso de exportación.

Especies del Apéndice III: Permiso de exportación y certificado de origen.

– Comercio con un país no adherido al CITES.

Se necesitan los mismos requerimientos establecidos en el apartado anterior y además un documento firmado por una autoridad administrativa del país de origen y reconocida por la secretaria CITES.

Si el particular desea viajar con el animal a otro país, necesita, además de la factura de compra con el número de CITES y un certificado veterinario, el certificado de terceros países o un certificado interno comunitario que no deben separarse del animal en ningún momento, ni llevar a confusión.

Por otro lado, ante cualquier posibilidad de cría de una especie CITES debe informarse al servicio estatal del SOIVRE (Centro de Investigación de Comercio Exterior, CICE).

Si el particular desea tener una identificación personalizada del animal que posee, siempre puede expedirse un código CITES a un animal que se haya marcado o identificado mediante un chip subcutáneo.

Actualmente se está empezando a aplicar la tenencia de la cartilla de animales exóticos en la comunidad autónoma de Cataluña. Es posible que esta práctica se extienda al resto del país, aunque su uso no es aún obligatorio.

Cuando tenemos un animal exótico, podemos, por ejemplo, tener los CITES correctamente, pero podría darse el caso de que estuviéramos infringiendo alguna ley nacional o internacional que nos imposibilitará la tenencia de ese animal, aun contando con factura y CITES. En consecuencia, el CITES es una ventaja pero no una garantía para tener un animal en toda regla. Tan sólo nos confirma que ha tenido una importación legal. Una vez instalado en nuestra casa, deberemos cumplir otras legislaciones para tenerlo adecuadamente.

Sitios web de interés

www.cites.org

Bibliografía

Cooper, M. E. & Cooper, J. E. (2001). Global, legal, and ethical aspects of reptile medicine. *Proceedings of the ARAV* 8: 235-236.

Hunt, I. (2000). How european community regulations affect owners and breeders of chelonia in the UK. *Testudo* 5(2): 17-20.

Martínez Silvestre, A. & Cerradelo, S. (2000). Galápagos de Florida, un problema ecológico y social. *Quercus* 169: 16-19.

Montalvo, A. (1990). Aplicación en España del convenio CITES. *Bol. Asoc. Herp. esp.* 1: 5-10.

Viader Staub, M. (1995). La ley que regula el tráfico de especies: CITES. *Reptilia* 1(1): 52-57.

99. ¿Qué es el tráfico ilegal y cómo combatirlo?

Entendemos como tráfico ilegal o comercio ilegal de fauna el hecho de realizar una transacción económica de compra-venta de una especie animal o vegetal protegida (es decir, catalogada como especie en peligro de extinción) e incumpliendo los tratados internacionales que regulan su comercio, como el CITES (Convention of Internacional Trade of Endangered Species of Wild Fauna and Flora), el convenio de Berna de conservación de fauna salvaje y sus hábitats en Europa, u otras legislaciones estatales o locales de carácter proteccionista. Responder a la primera parte de la pregunta ha sido rápido, pero en muchas ocasiones podemos ser partícipes indirectamente de este comercio ilegal al comprar un animal exótico.

El Estado español se encuentra entre los cinco principales importadores de pieles de reptiles a nivel mundial (según CITES, con cerca de 370.000 unidades en el año 1992, por poner un ejemplo). En el año 2002, TRAFFIC USA (WWF-UICN) especula que anualmente se trafica de forma fraudulenta con más de 10 millones de pieles de reptiles. El comercio legal o ilegal se produce tanto en especímenes vivos como muertos, o con productos manufacturados de origen animal. El control de las grandes transacciones económicas en torno a la fauna silvestre escapa a la responsabilidad del aficionado a los reptiles, que decide adquirir un determinado espécimen. Sin embargo, sí que va a tener un papel decisivo en el momento concreto de la compra en el comercio.

Incidiendo una vez más en la responsabilidad a la hora de la adquisición de un reptil, pensemos en lo importante que puede ser para la conservación de una determinada especie animal que estemos correctamente documentados en el momento precedente a su compra.

Tengamos presentes cinco premisas antes de la adquisición:

1) Desconfiemos de las ofertas a buen precio (pueden ser animales robados o importados ilegalmente).

2) Desconfiemos del vendedor que no quiere hacer la factura conforme a la compra hecha.

3) Manifestemos ser informados sobre su estatus nacional o internacional, es decir, si está regulado su comercio; si fuere así, exigir que conste en la factura del reptil el código de identificación del CITES.

4) Pedir siempre la máxima información de manejo, alimentación, temperaturas de mantenimiento, conducta, peligrosidad, etc., parámetros

que sólo un comercio serio y especializado podrá ofrecernos.

5) En caso de que la adquisición por compra-venta o por intercambio de especímenes regulados por CITES se vaya a realizar directa y personalmente a otro aficionado, exigiremos también las garantías administrativas que avalen su tenencia legal. Es muy frecuente entre propietarios y criadores la cesión o cambio de ejemplares nacidos en sus instalaciones, los cuales deben ser traspasados al nuevo propietario con certificado veterinario en el que conste el código CITES de los progenitores.

Observar las reglamentaciones establecidas para preservar la fauna salvaje garantiza en su justa medida la supervivencia de ésta. El ejercicio de una ética comercial por parte del aficionado responsable del mantenimiento, cría o estudio de reptiles, evitará actuaciones fuera de la ley que pongan en peligro de extinción ciertas especies cuyo comercio está regulado.

El buen aficionado no argumentará ignorancia en la compra de una tortuga estrellada de Madagascar *(Astrochelys radiata)* cuando se la ofrezcan sin ninguna documentación que acredite ser nacida en cautividad, ocultando así su conducta enfermiza de coleccionista de vida silvestre sin escrúpulos. Por nuestra parte, a esos individuos les deberíamos hacer el va-

Otras preguntas relacionadas

93. ¿Cuáles son las especies más amenazadas de extinción en Europa? ¿Cuáles son las causas y qué proyectos hay para evitarla?

98. ¿Qué es el CITES? ¿Hay alguna legislación más que afecte a la posesión de reptiles?

96. ¿Qué documentos legales se necesitan para tener un reptil en casa? ¿Y para criarlo con fines lucrativos?

91. ¿Debemos comprar reptiles que se venden a buen precio, aunque mal atendidos, cuando viajemos a países exóticos?

100. ¿Hay centros de acogida o sociedades protectoras de reptiles a los que dirigirnos si deseamos entregar uno?

cío social, dado que su forma de proceder avala y da alas a los traficantes de vida silvestre para seguir expoliando el medio natural.

Algunas especies de quelonios en particular han sufrido en la última década duros golpes en sus poblaciones naturales (ver cuadro), producto de la demanda irracional y consumista que ha hecho de ciertos quelonios meros objetos de jardín.

No olvidemos que la situación ideal y de sostenibilidad que todo aficionado ha de pretender es la adquisición de fauna salvaje, reptiles en

349

Especie	Comercio	Incidencias
Tortuga estrellada de la India *Geochelone elegans*	De 10.000 a 20.000 son capturados anualmente.	En agosto de 2002, fueron decomisados 2.240 ejemplares depositados en el Singapore Zoological Gardens.
Tortuga gigante africana *Centrochelys (Geochelone) sulcata*	En la actualidad, cuota de exportación cero. Los animales adultos se revalorizan en el mercado negro.	En septiembre de 1990 y enero de 1991 intervenidos 60 ejemplares en Holanda, procedentes de Togo.
		Noviembre de 2003, robados del Centro de Recuperación de Reptiles y Anfibios de Catalunya en Masquefa, 5 ejemplares de gran tamaño.
Tortuga de cuatro uñas *Agrionemys horsfieldii*	Fuerte presión recolectora para abastecer el mercado de mascotas, al margen de las instalaciones de cría existentes en países de origen.	En Kazajstán, en 1956, la especie tenía densidades de 15.000 a 20.000 ejemplares por km². En el año 1988, la densidad estaba entre 1.070 y 1.510 individuos/km².
Malacochersus tornieri	Comerciadas con destino a coleccionismo.	Año 2001, intervenidos 209 ejemplares en Kampala (Uganda), algunos muertos. Destino Europa.
Tortuga gigante de las Seychelles *(Dipsochelys* sp.) y tortuga estrellada de Madagascar *(Astrochelys radiata)*	Especies especialmente buscadas por los coleccionistas sin escrúpulos. Especies reguladas por CITES II y respectivamente.	Enero de 2000, robados 161 ejemplares del Vanille Crocodile Park, en la Isla Mauricio. Especímenes destinados a un proyecto de conservación en Isla Rodrigues.
Tortuga egipcia *Testudo kleinmanni*	Especie en grave peligro de extinción CITES.	Febrero de 1997, incautados en diversos mercados de El Cairo (Egipto) 300 ejemplares, supuestamente destinados a ser vendidos a turistas.

Fuentes consultadas: CITES, TRAFFIC (EE UU), WWF, CRARC (Masquefa, España), Revista *La tortue*.

Tortugas estrelladas de Madagascar a buen precio en un mercado de Yakarta (Indonesia)
(Foto: Rodrigo, Bongui)

nuestro caso, nacidos en cautividad, bien sea en los países de origen, favoreciendo así las economías locales, o en instalaciones particulares, evitando la captura del medio natural.

A ningún terrariófilo, debería temblarle la voz para denunciar el comercio ilegal de reptiles. Fomentar la tolerancia frente a tales conductas, nos hace a todos cómplices.

Sitios web de interés

www.aeat.es/inicio.htm

www.cites.org

www.traffic.org/dispatches/archives/september98

Bibliografía

Barberá, J. C. & Ayllón, E. (2000). Incidencia del comercio sobre los anfibios y reptiles en España. *Bol. Asoc. Herpetol. Esp.* 11: 43-47.

Harmon, L. J. (2000). A translocation strategy for confiscated pancake tortoises. *Chelonian Conservation and Biology* 3(4): 738-743.

100. ¿Hay centros de acogida o sociedades protectoras de reptiles a los que dirigirnos si deseamos entregar uno?

Esta pregunta surge demasiadas veces, desgraciadamente, entre las personas que han comprado un reptil para destinarlo a ser un animal doméstico en sustitución de especies tradicionalmente así consideradas (perros o gatos). De hecho, uno de los objetivos de este libro ha sido el de proporcionar los elementos necesarios para introducirse consciente y reflexivamente en el atrayente mundo del mantenimiento de reptiles como mascotas, o como parte de una afición instructiva de realización personal. La terrariofilia, proporciona en muchas ocasiones al colectivo científico, datos y experiencia en el manejo de fauna reptiliana, extrapolables a proyectos de conservación de especies amenazadas de extinción.

Pero, en ocasiones, las circunstancias de la vida nos llevan por caminos en los que ciertas obligaciones o avatares impiden el desarrollo y disfrute de nuestras aficiones, obligándonos a deshacernos de nuestros animales. Si no encontramos a nadie de confianza que se pueda hacer cargo de ellos, debemos acudir a una institución de acogida para animales salvajes.

Existe en el ámbito estatal una red de instituciones llamadas Centros de Recuperación, que centran esfuerzos en la rehabilitación y recolocación de fauna salvaje. El objetivo de todos ellos es la liberación en su medio natural de las especies tratadas, siempre que sea posible. El hecho de trabajar con el mismo propósito facilita el contacto; así, por ejemplo, una tortuga mediterránea *(Testudo hermanni)* donada el Centro de Recuperación de Fauna silvestre de Cotorredondo, en Galicia, será enviada al CRARC (Centro de Recuperación de reptiles y anfibios de Cataluña) para su gestión dentro del proyecto de recuperación que existe para esta especie en la comunidad autónoma. Por otro lado, el CRARC está considerado un centro de referencia en el manejo reptiles, acogiendo en sus instalaciones especies tanto autóctonas como exóticas. Centros como el CREA, en Las Almohallas (Almería), han liberado en numerosas ocasiones

Otras preguntas relacionadas

90. ¿Puede considerarse a los reptiles animales domésticos?

93. ¿Cuáles son las especies más amenazadas de extinción en Europa? ¿Cuáles son las causas y qué proyectos hay para evitarla?

El Centro de Recuperación de Anfibios y Reptiles de Cataluña (CRARC)

tortugas moras *(Testudo graeca)*, especie propia de esa zona geográfica, recogidas en otros puntos de España.

Gestionar una especie, ya sea exótica o autóctona, no es fácil, pero en estos centros van a tener la oportunidad de tener una utilidad científica, de educación medioambiental o una vía de retorno a sus hábitats. Tal es el caso de centros europeos como la SOPTOM

o CARAPAX, que han conseguido desarrollar proyectos de conservación en las zonas de origen para especies como la tortuga estrellada de Madagascar *(Astrochelys radiata)* o la tortuga de espolones africana *(Geochelone (Centrochelys) sulcata)*, en gran parte gracias a especímenes recuperados en sus centros. Por otro lado, instituciones zoológicas de referencia y

353

Tortuga capturada ilegalmente y depositada en un centro de acogida. Obsérvense los orificios que se perforan para atarla con una cuerda a un árbol en el momento de la captura y evitar así su fuga

prestigio, como el Zoológico de Jersey, han contribuido con su filosofía técnicamente enlazada con la descrita para los centros de recuperación, a salvar de la extinción algunos de los reptiles más amenazados del planeta.

Sitios web de interés

www.crarc-comam.net

www.gobmenorca.com/noticies/-190405

www.grefa.org

www.tortugues.org

Centros de recuperación de fauna salvaje y entidades zoológicas españolas que gestionan reptiles y anfibios

Andalucía	CREA «Las Almohallas». Delegación Provincial de Medio Ambiente de Almería. Tel. 950011150. Zona recreativa «Las Almohallas» (Antigua Casa Forestal «Las Almohallas») Vélez-Blanco. Almería. Tel. 670944592 Centro de Recuperación de Animales Silvestres del Zoológico Botánico Jerez. Taxdirt, s/n, 11404 Jerez de la Frontera. Cádiz. Tels. 956182397-956184207 Fax: 956311586. tecnicos.zoo@aytojerez.es
Aragón	Centro de Recuperación de Fauna Silvestre La Alfranca. Finca de la Alfranca s/n, 50195 Pastriz (Zaragoza). Tel. 976131577. alauda99@teleline.es
Asturias	Centro de Recepción de Fauna Salvaje de FAPAS. La Pereda, 33509 Llanes (Asturias). Tel. 985401264. fapas@telefonica.net
Baleares	Centre de Recuperació de la Fauna Sivestre de GOB Menorca. Camí d'Es Castell, 59. 07702 Maó (Menorca, Illes Balears). Tel. 971350762 Fax 971351865. crecup@gobmenorca.com http://www.gobmenorca.com Centre de Recuperació de Fauna Salvatge de la Fundació Natura Parc. Carretera de Sineu, Km 15'400. 07142 Santa Eugenia (Mallorca). Tel. 971144532 Fax. 971144532. luisparpal@hotmail.com Centre Sanitari Municipal de Protecció Animal de Son Reus. Ctra, de Soller, km 8,2, 07120 Palma de Mallorca (Illes Balears). Tel. 971438695. Fax. 971438864
Canarias	Centro de Recuperación de Fauna Silvestre «La Tahonilla». Ctra. Gral La Esperanza, km 0.4, 38291 La Laguna. Sta. Cruz de Tenerife. Tel. 922250002. Fax.922314869. crfauna@cabtfe.es
Castilla y León	Centro de Recuperación de Especies Protegidas «Las Dunas». Servicio de Medio Ambiente. C/ Villar y Macías, 37071 Salamanca. Tel. 923296026. Fax. 923296041. teresa.tarazona@sajcyl.es
Castilla-La Mancha	Centro de Recuperación de Guadalajara. Avenida Pedro San Vázquez s/n, 19001 Guadalajara. Tel. 949210959. Fax. 949887093. tiocevet@yahoo.es

355

Centros de recuperación de fauna salvaje y entidades zoológicas españolas que gestionan reptiles y anfibios

Cataluña	Centre de Recuperació d'Amfibis y Rèptils de Catalunya CRARC. (Consejeria de Medio Ambiente del Ayuntamiento de Masquefa). C/ Santa Clara s/n, 08783 Masquefa. Barcelona. Tel. 937726396 Fax. 937725311. crarc_comam@hotmail.com http://www.crarc-comam.net
	Centre de Recuperació de Fauna de Torreferrussa. (Departament de Medi Ambient, Generalitat de Catalunya). Ctra. de Santa Perpetua a Sabadell, km 4.5, 08130 Santa Perpetua de la Mogoda (Barcelona). Tels. 935617017-935600052. crf.torreferrussa@gencat.net
	Centre de Fauna del Canal Vell. Avda. Catalunya, 46, 43850 Deltebre. Tarragona. Tel. 977267082 Tel. 977482181. Fax. 977481392. fvidale@gencat.net
	Centre de Reproducció de Tortugues de l'Albera. Espolla-Garriguella (Girona). Tel. 972545079 crt@wanadoo.es
	Centre de Recuperació d'Animals Marins (Fundación CRAM) Cami Ral, 239. 08330 Premià de Mar, Barcelona. Tel. 937524581
Ceuta	Centro de Recuperación de Fauna Silvestre de Ceuta. OBIMASA Consejería de Medio Ambiente, Ciudad de Ceuta. Carretera de Benzú - García Aldave, s/n. 51003 Ceuta. Tfno: 956 520104. Fax: 956 520103. FJMartinez@ceuta.inf
Extremadura	Centro de Recuperación de Fauna Silvestre y Educación Ambiental «Los Hornos». Oficinas y Centro: Ctra. del Risco s/n, Apdo. 7, 101181 Sierra de las Fuentes (Cáceres). Tel. 900351858 / 927200170 / 927200218. crhornos@aym.juntaex.es
Galicia	Centro de Recuperación de Fauna Silvestre «Cotorredondo». Lago de Castiñeiras s/n, 36140 Figueidido. Pontevedra. Tel. 986680390 / 600333123. esabrain@teleline.es
La Rioja	Centro de Recuperación de Fauna Salvaje «La Fombera». Ctra. de Zaragoza km 1,3, 26006 Varea. Logroño. T. 941260405 / 69998277. centro.faunasilvestre@larioja.org

Centros de recuperación de fauna salvaje y entidades zoológicas españolas que gestionan reptiles y anfibios

Madrid	Centro de Recuperación de Fauna Silvestre de GREFA (Grupo de Rehabilitación de la Fauna Autóctona y su Hábitat). Aptdo. de Correos 11, 28220 Majadahonda. Madrid. Tel. 916387550, Fax. 916387411. grefa@grefa.org / http://www.grefa.org Centro de Recuperación de Especies Protegidas de Buitrago de Lozoya. Consejería de Medio Ambiente de la Comunidad de Madrid. C/ Princesa, n° 3, 8ª planta 28008 Madrid. Tlfno.: 918680496 (CREP) / 915803878 (Consejería de Medio Ambiente). mplanzarot@mx4.redestb.es
Murcia	Centro de Recuperación de Fauna Silvestre «El Valle» de la Región de Murcia. Parque Natural El Valle. La Alberca. 35150 Murcia. Tel. 968844907. abayon@um.es http://www.carm.es/siga/esquema/-indice.htm
Navarra	Centro de Recuperación de Fauna de Ilundain. Dirección General de Medio Ambiente, Ordenación del Territorio y Vivienda. C/Yanguas y Miranda, 27, 1°, 31003 Pamplona. Tel. 848426800 ecastiea@cfnavarra.es
País Vasco	Centro de Recuperación de Fauna Salvaje de Bizcaia. Granja Foral de Gorliz. Camino Kukullus s/n, 48630 Gorliz. Tels. 946774852-944206825-656795370. jose.ignacio.inchausti@bizkaia.net
Valencia	Centro de Recuperación de Fauna «La Granja» de El Saler. Avda. de los Pinares, 106. 46012 El Saler. Valencia. Tel. 961610847. Fax. 961610300. centro.granja@cma.m400.gva.es

Centros de recuperación o entidades zoológicas europeas que gestionan reptiles y anfibios

Francia	SOPTOM Village des tortues. B.p. 24, 83590 - Gonfaron (France). Tel. (33) 0494782641 / Fax. (33) 0494782427. soptom@soptom.com
Italia	CARAPAX Centro Salvaguardia e Ripopolamento Tartarughe. Cp. 34, 58024 – Massa Maritima (Grosseto) Italia. Tel. 0566 940083 / Fax. 0566 902387
Jersey (Reino Unido)	Jersey Preservation Trust. Les Angrès Manor, Trinity (Jersey) JE35BP, Channel, Islands. Tel. 01534864666 / Fax 01534865161

APÉNDICE

Tabla con temperaturas y humedades relativas[1] de referencia para la incubación artificial

Especie	Temperaturas de incubación (°C)	Humedad ambiente (%)	N° de días de incubación
QUELONIOS			
Gopherus agassizi	32-35	+ 75	90-120
Geochelone (Cholonoidis) carbonaria	26-27,5	+75	105-202
Geochelone (Chelonoidis) denticulata	27-28	100	125-150
Geochelone elegans	30.32	+75	47-180
Dipsochelys sp.	29-40	+75	97-113
Geochelone (Stigmochelys) pardalis	27-28	+75	120-140
Geochelone (Centrochelys) sulcata	28	+75	118-170
Kinixys homeana	27-28	+75	110-140
Chersina angulata	27-30	85	110-125
Malacochersus tornieri	25-30	+75	99-237
Manouria emys	26-28,9	+75	63-84
Testudo graeca	25-31	80-90	97-200
Testudo hermanni	30,5-31	80-90	56-72
Agrionemys horsfieldi	28-32	60	65-78
Testudo marginata	31	80-90	60-70
Cuora amboinensis kamaroma	28-30	95	66-100
Indotestudo elongata	28-29	+75	122-125
Terrapene ornata	31	80-85	55-59
Terrapene carolina	28-30	+75	50-65
Apalone spiniferus	26-27	85	120

---

1. La columna de humedad ambiente en la que aparece (+75) es un dato orientativo que se moverá entre los parámetros más comunes para la incubación correcta de los huevos en un sustrato de vermiculita.

Especie	Temperaturas de incubación (°C)	Humedad ambiente (%)	N° de días de incubación
Malacochersus tornieri	25-30	+75	113-221
Helodina longicollis	32	+75	65-75
Chelodina novaguineae	32	+75	90-100
Mauremys mutica	25-30	+75	67
Gopherus agassizi	32-35	+75	90-120
Trachemys scripta elegans	26-32	+75	70-100
Chelus fimbriatus	28-30	+75	194-200
Phrynops gibbus	29	+75	136-180
Kinosternon scorpioides	30	+75	150
Chelydra serpentina	19-30	+75	85-115
COCODRÍLIDOS			
Paleosuchus trigonatus	30-31	+75	130-134
Caiman crocodilus	30-32	+75	90
Aligator mississipienssis	30-34	+75	
SAURIOS			
Chlamydosaurus kingii	31	+75	90
Physignatus cocincinus	29-30	80	65-100
Physignatus lesueurii	28-29	80	45-52
Pogona vitticeps	27-32	95	51-85
Iguana iguana	28-31	+75	60-109
Uromastix ornata	28-32	+75	67-103
Uromastix ocellata	31-34	+75	68-93
Uromastix acanthinurus	31-32	+75	94-98
Lamanctus serratus	29,5	+75	52-56
Takydromus sexlineatus	22-26	75-85	25-60
Chamaeleo (Trioceros) pfefferi	20-26	+75	120-150
Rhampholeon sp.	27	+75	78
Chamaeleo wiedersheimi	22-23	+75	150
Geckonia chazaliae	27-30	+75	70-90
Rhacodactylus ciliatus	28	+75	60
Chondrodactylus angulifer	28-30	90	55-65
Teratolepis fascista	20-30	90	49-57
Saltuarius cornutus	24-27	+75	66-76
Eublepharis macularius	27-30	95-100	45-56
Teratoscincus scincus scincus	27-32	40-50	70-100
Hemitheconyx caudicinctus	28-31	+75	75-82
Phelsuma madagascariensis	28-30	+75	50-90

Especie	Temperaturas de incubación (°C)	Humedad ambiente (%)	N° de días de incubación
Varanus albigularis	27-28	+75	163-166
Varanus exanthematicus	29-34	100	100-200
Geckonia chazaliae	30	+75	85-90
Rhacodactylus ciliatus	28	+75	60
Lamanctus serratus	29,5	+75	52-56
Anolis onca	26-29	+75	61
Anolis bartschi	24-29	90	48-55
Anolis lucius	24-29	90	48-55
Tupinambis merianae	29	+75	90
Eumeces algeriensis	29-30	+75	46-48
Saltuarius cornutus	24-27	+75	66-76
OFIDIOS			
Elaphe persica	25-28	+75	45-55
Elaphe guttata	25-29	95-100	63-84
Elaphe bairdi	28	+75	75
Elaphe mandarinus	24	+75	75-100
Pituophis melanoleucus	28-30	80-95	55-58
Philodryas baroni	29-30	+75	53-60
Dasypeltis atra	21,5	+75	99-101
Lampropeltis getula californiae	26-28	95-100	42-63
Lampropeltis triangulum sinaloae	26-28	95-100	58-76
Lampropeltis alterna	27	95-100	55-70
Lampropeltis mexicana thayery	28	95-100	70
Lampropeltis pyromelana	27	95-100	70
Lamprophis fuliginosus	26-28	95-100	60-75
Python sebae	29-30	95-100	70-100
Python anchietae	30-32	95-100	57-70
Python regius	28-32	90-100	60-70
Python curtus	30-33	100	58-65
Python molurus	30-32	95-100	60-70
Python reticulatus	31-33	95-100	86-95
Python timorensis	33	95-100	64
Chondropython viridis	28-29	90-95	39-65
Morelia spilota	31-34	90	60
Morelia bredli	29-31	90-95	67
Liasis mackloti	32-33	90-95	56
Antaresia childreni	29-33	90-95	60

TÍTULOS PUBLICADOS EN ESTA COLECCIÓN